김회계사와 함께하는

취득세
스타트

취득세 스타트

2021년 1월 26일 초판 인쇄
2021년 2월 1일 초판 발행

저   자 | 김승민
발 행 인 | 이희태
발 행 처 | 삼일인포마인
등록번호 | 1995. 6. 26 제3 – 633호
주   소 | 서울특별시 용산구 한강대로 273 용산빌딩 4층
전   화 | 02)3489 – 3100
팩   스 | 02)3489 – 3141
가   격 | 20,000원

ISBN   978 – 89 – 5942 – 928 – 8 13320

2021

김회계사와 함께하는

취득세
스타트

김승민 지음

SAMIL | 삼일인포마인

"김회계사. 이거 취득세율 몇 프로야? 그리고 취득세는 (고객)회사에 무슨 자료 요청해?"

제가 취득세 업무를 하면서 가장 많이 받은 질문입니다. 그리고 이 질문을 하신 분들은 대부분 회사의 세무 담당자, 동료 회계사 또는 세무사였습니다. 저 역시도 그랬습니다.

매일 숫자와 법을 보는 사람들조차도 이런 질문을 하는 이유는 간단합니다.

"취득세는 접해볼 일이 많지 않아서입니다."

법인세, 소득세, 부가가치세 등의 주요 세금은 매년 혹은 매 분기 어김없이 우리를 찾아옵니다. 세무 담당자라면 법인세법, 소득세법, 부가가치세법은 회사의 종류 및 경영 성과와 관계없이 자주 접하게 됩니다.

취득세는 다릅니다. 취득세는 취득자가 부동산 등 과세물건을 취득할 때만, 즉 취득의 행위를 할 때만 내는 세금입니다. 겨울이 지나면 봄이 오는, 그러한 시간의 흐름에 따라 반복되는 세금이 아닙니다. 부동산 등 취득세 과세물건과 밀접한 관계가 있는 업종이 아니라면 세무 업무를 하더라도 취득세는 처음 접하는 경우가 많습니다.

취득세를 처음 접하는 사람들이 주로 물어보는 세율표와 요청자료 리스트를 엑셀로 정리해서 주위 사람들에게 공유했습니다. 지금 생각해보면 그 행동이 이 책을 쓸 수 있었던 계기가 된 것 같습니다.

이 책은 취득세를 처음 접하는 분들을 위해 출판하였습니다. 그래서 아래와 같은 점에 주안점을 두고 기술하였습니다.

이 책은 취득세 초보자가 중급자가 되기 위한 내용을 담았습니다.

PART 1에서는 취득세를 이해하는 내용을, PART 2에서는 취득세 실무에서 주로 다루는 신축 취득세, 과점주주 간주취득세, 합병 및 분할의 취득세를 통하여 실제 업무에 적용하는 내용을 다루었습니다.

지방세법 내용 외에도 실제 지방세 업무를 하면서 겪었던 경험, 실수담, 유의사항 등을 묶어 [김회계사의 TIP]이라는 코너를 마련하였습니다.

문서에서 그림 다음으로 이해가 쉬운 것이 표라고 생각합니다. 법의 내용이 길수록 표로 정리하여 이해에 도움이 되도록 하였습니다.

[별첨]에서는 취득세 외 재산세, 자동차세 등 기타의 지방세와 국세 중 지방세와 관련있는 농어촌특별세, 종합부동산세의 내용을 1장으로 담았습니다. 급하게 해당 지식이 필요할 때 도움이 되고자 1장으로 요약하였고, 자세한 내용은 각 법을 통해서 살펴보시길 바랍니다.

이 책을 만들며 잘못된 내용, 해석 등이 포함되지 않도록 최선을 다했습니다. 하지만 어느 정도 개인적인 업무 경험이 반영되어 있는 관계로 잘못된 내용이나 판단이 포함될 수도 있습니다. 다른 의견, 보완할 점을 삼일인포마인이나 저의 이메일(thecloudbridge@gmail.com)으로 알려주시면 제 부족함을 메워 다음에는 보다 좋은 책이 나올 수 있도록 노력하겠습니다.

나이가 들어가며 세상에 혼자 할 수 있는 건 거의 없다는 생각이 듭니다. 이 책 역시 완성하는 데 많은 도움을 받았습니다. 우선 삼일인포마인에서의 첫 출간을 지원해주신 이희태 대표이사님과 조원오 전무님, 그리고 책을 멋지게 편집해주신 삼일인포마인 편집부 임직원분께 감사드립니다. 지방세에 대한 가르침과 도움을 주신 동료 회계사 및 세무사, 고객분들께도 감사드립니다.

마지막으로 책을 쓰는 걸 비롯해서 그동안 해보지 않은 일들을 해보고 있는 저를 믿어주는 사랑하는 아내와 부모님, 그리고 머리말을 끝내려 하는 지금, 아빠가 책상에서 뭐 하는지도 모른 채 쿨쿨 자고 있는 귀여운 두 아이 재준, 도연에게도 감사의 마음을 전합니다.

2021년 1월

차 례

Part **1**

취득세를 알아봅니다

제1장 지방세

취득세를 알아봅니다

(1) 국세와 지방세

취득세를 이해하기 위한 첫걸음은 취득세의 소속이 어디인지를 아는 것이다. 결론부터 말하면 취득세의 소속은 지방세다.

지방세는 시청, 군청, 구청을 통해 지방자치단체에 납부하는 세금이다. 지방세의 대표적인 예는 취득세, 재산세, 주민세, 자동차세 등이 있다. 지방세와 비교할 수 있는 세금은 국세이다. 국세는 국세청 또는 세무서를 통해 국가에 내는 세금이다. 법인세, 소득세, 상속세 및 증여세 등이 국세이다.

| 국세와 지방세 |

구분	국세	지방세
과세관청 (=세금을 거두는 자)	국가	지방자치단체
관할기관 (=과세관청 사무기관)	국세청, 세무서	시청, 군청, 구청
세목 (=세금의 이름)	① 법인세 ② 소득세 ③ 상속세 및 증여세 ④ 종합부동산세 ⑤ 부가가치세 ⑥ 개별소비세 ⑦ 주세 ⑧ 인지세 ⑨ 증권거래세	① 취득세 ② 재산세 ③ 등록면허세 ④ 지방소비세 ⑤ 주민세 ⑥ 지방소득세 ⑦ 자동차세 ⑧ 레저세 ⑨ 담배소비세

구분	국세	지방세
	⑩ 교육세 ⑪ 교통·에너지·환경세 ⑫ 농어촌특별세 ⑬ 관세	⑩ 지역자원시설세 ⑪ 지방교육세

취득세는 지방세를 구성하는 세금이므로 취득세를 신고·납부하는 기관은 시청, 군청, 구청이다. 만약 취득세와 관련한 문제로 국세를 담당하는 국세청이나 세무서를 방문하면 헛걸음을 하는 것이다.

(2) 지방세 법체계

취득세를 이해하려면 지방세와 관련된 법을 알아야 한다. 지방세와 관련된 법은 국세와 비교하는 것이 효과적이다. 국세를 구성하는 법체계는 크게 4가지로 구분할 수 있다.

| 국세 법체계 |

구분		주요 내용	예시
1	개별법	개별 세목에 대한 상세한 사항	• 법인세법, 소득세법 • 부가가치세법 • 상속세 및 증여세법 등
2	국세기본법	국세의 기본적이고 공통적인 사항 및 납세자의 권리 의무 및 권리구제	• 세법 적용의 원칙(실질과세 등) • 수정신고 및 경정청구 • 가산세 • 조세불복절차 및 세무조사
3	국세징수법	국세의 징수에 관한 사항	• 세금징수 절차 • 세금체납시 절차(압류, 매각, 청산)
4	조세특례 제한법	국세의 세금혜택에 관한 사항	• 각종 세액감면 및 공제

현행 지방세법은 국세와 유사한 법체계를 가지고 있다. 하지만 과거에는 그렇지 않았다.

2010년 이전의 지방세는 지방세법이라는 단일의 법체계를 가지고 있었다. 취득세 등 개별법에 관한 규정, 지방세의 공통적인 사항, 지방세 징수에 관한 사항, 지방세 감면에 관한 사항 등을 지방세법이라는 하나의 법에 모두 담은 것이다. 그 결과 지방세법 구성이 상당히 복잡하여 지방세를 이해하는 데 어려움이 많았다.

2011년 지방세법을 전면 개정하면서 단일의 지방세법을 ① 지방세법 ② 지방세기본법 ③ 지방세특례제한법으로 세분화하였다. 2017년에는 지방세 징수에 관한 사항을 지방세기본법에서 분리하여 ④ 지방세징수법을 신설하였다.

| 지방세 법체계 |

	구분	주요 내용	예시
1	지방세법	개별 세목에 대한 상세한 사항	• 취득세, 재산세, 주민세 등
2	지방세기본법	지방세의 기본적이고 공통적인 사항 및 납세자의 권리 의무 및 권리구제	• 세법 적용의 원칙(실질과세 등) • 수정신고 및 경정청구 • 가산세 • 조세불복절차 및 세무조사
3	지방세징수법	지방세의 징수에 관한 사항	• 세금징수 절차 • 세금체납시 절차(압류, 매각, 청산)
4	지방세특례제한법	지방세의 세금혜택에 관한 사항	• 각종 지방세 감면 규정

다만, 국세의 '법인세법'과 같이 개별 세목을 다루는 개별법은 별도로 마련되지 않았다. 취득세를 예로 들면 지방세법에서 '취득세법'이라는 개별법은 존재하지 않는다. 다만, 취득세, 재산세 등 지방세를 구성하는 개별 세목

에 관한 내용을 지방세법 내에서 '장'으로 나누어 다루고 있다. 세목별로 다소 차이는 있으나 ① 기본사항(용어의 정의, 과세대상, 납세의무자, 납세지 등) ② 세금계산(과세표준, 세율 등) ③ 세금 신고납부 절차(신고납부, 부과징수 등)의 내용을 포함하고 있다.

| 지방세법 구성 |

장	구분	주요내용	
1장	총칙	용어정의, 시가표준액 등 지방세법에 공통으로 적용되는 사항	
2장	취득세	부동산 등 취득에 대한 세금	
3장	등록면허세	① 등록분 등록면허세	등록 및 등기에 관한 세금
		② 면허분 등록면허세	면허에 관한 세금
4장	레저세	경륜, 경마, 소싸움 등의 투표권에 대한 세금	
5장	담배소비세	담배와 관련된 세금	
6장	지방소비세	부가가치세액에 덧붙는 세금	
7장	주민세	① 균등분 주민세	법인 또는 개인에 대한 세금
		② 재산분 주민세	사업소 건축물에 대한 세금
		③ 종업원분 주민세	종업원의 급여에 대한 세금
8장	지방소득세	법인 또는 개인 등의 소득에 대한 세금	
9장	재산세	부동산 등 자산을 보유함에 따른 세금	
10장	자동차세 (소유분, 주행분)	자동차의 소유와 그 연료와 관련된 세금	
11장	지역자원시설세	특정자원, 특정시설, 소방분 지역자원시설에 대한 세금	
12장	지방교육세	취득세 등 지방세의 특정 개별 세목에 덧붙는 세금	

위 내용에 따른 지방세의 법체계를 국세의 법체계와 비교하면 다음과 같다.

구분	국세	지방세
1	개별법(법인세법, 소득세법 등)	지방세법(취득세 등)
2	국세기본법	지방세기본법
3	국세징수법	지방세징수법
4	조세특례제한법	지방세특례제한법 및 조세특례제한법
5	제주특별자치도 설치 및 국제자유도시 조성을 위한 특별법	제주특별자치도 설치 및 국제자유도시 조성을 위한 특별법

지방세에 조세특례제한법이 포함된 것은 '외국인투자에 대한 조세 감면' 등 조세특례제한법을 구성하는 규정 중 일부가 지방세와 관련된 것이기 때문이다. 제주특별자치도 설치 및 국제자유도시 조성을 위한 특별법 역시 지방세 관련 규정을 다루고 있어 지방세에 포함하고 있다.

(3) 지방세 주요 용어

지방세법에서 취득세와 관련하여 주로 사용되는 용어를 살펴본다.

1) 지방자치단체

지방자치단체는 특별시, 광역시, 특별자치시, 도, 특별자치시, 특별자치도, 시, 군, 구(자치구에 한함)을 말한다. 우리나라 지방자치단체의 상세 구성은 다음과 같다.

| 지방자치단체 구성 |

구분		시	군	구(자치구[*])
특별시(1)	서울 (25구)			종로구, 중구, 용산구, 성동구, 광진구, 동대문구, 중랑구, 성북구, 강북구, 도봉구, 노원

구분		시	군	구(자치구[*])
				구, 은평구, 서대문구, 마포구, 양천구, 강서구, 구로구, 금천구, 영등포구, 동작구, 관악구, 서초구, 강남구, 송파구, 강동구
광역시(6)	부산 (15구 1군)		기장군	중구, 서구, 동구, 영도구, 부산진구, 동래구, 남구, 북구, 해운대구, 사하구, 금정구, 강서구, 연제구, 수영구, 사상구
	대구 (7구 1군)		달성군	중구, 동구, 서구, 남구, 북구, 수성구, 달서구
	인천 (8구 2군)		강화군, 옹진군	중구, 동구, 미추홀구, 연수구, 남동구, 부평구, 계양구, 서구
	광주 (5구)			동구, 서구, 남구, 북구, 광산구
	대전 (5구)			동구, 중구, 서구, 유성구, 대덕구
	울산 (4구 1군)		울주군	중구, 남구, 동구, 북구
특별자치시 (1)	세종특별자치시			
도(8)	경기도 (28시 3군)	수원시, 고양시, 성남시, 용인시, 부천시, 안산시, 남양주시, 안양시, 화성시, 평택시, 의정부시, 시흥시, 파주시, 김포시, 광명시, 광	양평군, 가평군, 연천군	-

구분	시	군	구(자치구[*])
	주시, 군포시, 오산시, 이천시, 양주시, 안성시, 구리시, 포천시, 의왕시, 하남시, 여주시, 동두천시, 과천시		
강원도 (7시 11군)	춘천시, 원주시, 강릉시, 동해시, 태백시, 속초시, 삼척시	홍천군, 횡성군, 영월군, 평창군, 정선군, 철원군, 화천군, 양구군, 인제군, 고성군, 양양군	
충청북도 (3시 8군)	청주시, 충주시, 제천시	보은군, 옥천군, 영동군, 증평군, 진천군, 괴산군, 음성군, 단양군	
충청남도 (8시 7군)	천안시, 공주시, 보령시, 아산시, 서산시, 논산시, 계룡시, 당진시	금산군, 부여군, 서천군, 청양군, 홍성군, 예산군, 태안군	
전라북도 (6시 8군)	전주시, 군산시, 익산시, 정읍시, 남원시, 김제시	완주군, 진안군, 무주군, 장수군, 임실군, 순창군, 고창군, 부안군	
전라남도 (5시 17군)	목포시, 여수시, 순천시, 나주시, 광양시	담양군, 곡성군, 구례군, 고흥군, 보성군, 화순군, 장흥군, 강진군, 해남군, 영암군, 무안군, 함평군, 영광군, 장성군, 완도군, 진도군, 신안군	

구분		시	군	구(자치구[*])
	경상북도 (10시 13군)	포항시, 경주시, 김천시, 안동시, 구미시, 영주시, 영천시, 상주시, 문경시, 경산시	군위군, 의성군, 청송군, 영양군, 영덕군, 청도군, 고령군, 성주군, 칠곡군, 예천군, 봉화군, 울진군, 울릉군	
	경상남도 (8시 10군)	창원시, 진주시, 통영시, 사천시, 김해시, 밀양시, 거제시, 양산시	의령군, 함안군, 창녕군, 고성군, 남해군, 하동군, 산청군, 함양군, 거창군, 합천군	
특별자치도 (1)	제주특별 자치도 (2행정시)	제주시, 서귀포시		

[*] 자치구 vs 행정구

구분	설명	관련법령
자치구	특별시와 광역시의 관할구역 안의 구	지방자치법 §2 ②
행정구	특별시, 광역시, 특별자치시 가 아닌 인구 50만 이상의 시에 둘 수 있는 구	지방자치법 §3 ③

2) 지방자치단체의 장

지방세는 관할 지방자치단체의 장에게 신고납부하거나 또는 관할 지방자치단체의 장이 부과징수한다. 여기서 지방자치단체의 장은 특별시장, 광역시장, 특별자치시장, 도지사, 특별자치도지사, 시장, 군수, 구청장을 말한다.

구분	지방자치단체	지방자치단체의 장
특별시(1)	서울특별시	서울특별시장
광역시(6)	부산광역시, 대구광역시, 인천광역시, 광주광역시, 대전광역시, 울산광역시	6개 광역시의 광역시장 (예: 부산광역시장)
특별자치시(1)	세종특별자치시	세종특별자치시장
도(8)	경기도, 강원도, 충청북도, 충청남도, 전라북도, 전라남도, 경상북도, 경상남도	8도의 도지사 (예: 경기도지사)
특별자치도(1)	제주특별자치도	제주특별자치도지사
시, 군, 구	각 지역의 시, 군, 구(자치구)	각 지역의 시장, 군수, 구청장

김회계사의 Tip

○ 관할 지방자치단체 제대로 기재하기

취득세와 관련한 법 규정 외에 저의 경험, 실수, 고객분들로부터 받은 질문들을 따로 모아 김회계사의 TIP이라는 코너를 마련하였습니다. 첫 번째는 관할 지방자치단체에 대한 이야기입니다.

취득세는 일부의 취득만 전자신고가 가능하고, 국세 및 지방세의 다른 세목에 비하여 전자신고의 비중이 작습니다. 그래서 취득세는 서면신고(종이 서류를 직접 과세관청에 제출하여 신고하는 것)로 진행하는 경우가 많습니다. 이때 취득세 신고서류(지방세 과세표준신고서)의 왼쪽 아래에는 관할 지방자치단체의 장을 기재하는 부분이 있습니다. 전자신고는 납세의무자의 기본정보만 입력해도 프로그램에서 관할 지방자치단체를 자동으로 결정합니다. 반면 서면신고는 납세의무자가 관할 지방자치단체와 지방자치단체의 장을 직접 파악하여 기재해야 합니다.

종이 서류의 특성상 관할 지방자치단체를 잘못 기재하면 취득세를 제대로 신고납부할 수 없습니다. 관할 지방자치단체가 아닌 곳에서는 그 사무처리를 하기 어렵기 때문입니다. 결국 취득자는 별것 아닌 일로 헛걸음하게 됩니다. 특히 취득세 신고업무를 의뢰받은 대리인이 이러한 기본사항을 잘못 기재하면 신고서류의 필수사항인 취득자의 날인을 다시 받아야 하고, 그 과정에서 의뢰인은 대리인이 작성한 취득세 서류 전체의 품질을 의심할 수도 있습니다.

눈치채셨을지 모르겠지만, 네... 제가 실수한 경험담입니다. 가뜩이나 신고기한에 쫓긴 상황이었는데 관할 지방자치단체 문제로 대표자의 날인까지 다시 받느라 고객에게 죄송했습니다. 세금에 직접적인 영향은 없더라도 관할 지방자치단체와 관할 지방자치단체의 장은 정확히 확인하여 기재하세요!

3) 지방세

지방세란 특별시세, 광역시세, 특별자치시세, 도세, 특별자치도세 또는 시·군세, 구세(자치구의 구세)를 말한다. 세목별 지방세를 분류하면 다음과 같다.

| 지방세 세목별 분류 |

구분	특별시 및 광역시		도		특별자치시세 특별자치도세
	특별시세· 광역시세	구세	도세	시·군세	
취득세	○		○		○
등록면허세		○	○		○
레저세	○		○		○
담배소비세	○			○	○
지방소비세	○		○		○
주민세	○			○	○
지방소득세	○			○	○
재산세		○		○	○
자동차세	○			○	○
지역자원시설세	○		○		○
지방교육세	○		○		○

4) 과세표준

지방세 과세표준은 지방세법에 따라 직접적인 세액산출의 기초가 되는 과세물건의 수량, 면적 또는 가액 등을 말한다.

국세의 과세표준은 모두 '가액'이다. 반면 지방세 중 일부의 세목은 가액이 아닌 수량, 면적 등을 과세표준으로 하고 있다. 담배소비세는 담배 개비수, 중량, 담배의 성분인 니코틴 용액의 용량 등을 과세표준으로 하며, 자동차세는 자동차의 특성(배기량, 영업용·비영업용 등의 구분)을 과세표준으로 하는 것이 그 예이다.

| 지방세 세목별 과세표준 |

구분		과세표준액	과세표준의 기초
취득세		취득한 금액(신고가액, 시가표준액 등)	가액
등록 면허세	등록분	등록당시의 가액(신고가액, 시가표준액 등)	가액
	면허분	별도의 과세표준 없음(면허 종류에 따른 세율)	없음
레저세		경륜 등 투표권의 발매금 총액	가액
담배소비세		담배 개비수, 중량, 니코틴 용액의 용량	수량, 중량 등
지방소비세		부가가치세 납부세액 등	세액(부가세)
주민세	균등분	별도의 과세표준 없음(법인 또는 개인의 세율)	없음
	재산분	사업소 연면적	면적
	종업원분	종업원 급여총액	가액
지방소득세		법인 또는 개인의 소득금액 등	가액
재산세		과세대상별 시가표준액 × 공정가액비율 등	가액
자동차세	소유분	자동차 종류, 배기량 등 자동차의 특성	자동차 특성
	주행분	교통·에너지·환경세법에 따른 납부세액	세액(부가세)
지역자원시설세		발전용수, 지하수의 용량, 채광된 광물가액	용량, 가액
		컨테이너 크기, 원자력 발전량, 화력 발전량	크기, 발전량
		건축물, 선박의 가액 또는 시가표준액	가액

구분	과세표준액	과세표준의 기초
지방교육세	취득세액, 등록면허세액, 레저세액, 담배소비세액, 주민세 균등분 세액, 재산세액, 자동차세액	세액(부가세)

5) 표준세율

표준세율은 지방자치단체가 지방세를 부과할 경우 통상 적용해야 할 세율로서 재정상의 사유 또는 그 밖의 특별한 사유가 있는 경우에는 이에 따르지 않을 수 있는 세율이다.

유의해야 할 것은 '표준'이라는 단어다. 국세는 '표준세율'이라는 용어가 없다. 국세는 전국단위로 통일된 하나의 법령과 지침을 적용한다. 따라서 어떠한 사유에 의해서 국세의 세율이 달리 적용될 수 없다. 서울특별시에 소재하는 법인이든 부산광역시에 소재하는 법인이든 법인세율은 같아야 한다. 이러한 이유로 국세는 '표준세율'이 아닌 '세율'이라는 용어를 사용한다.

지방세는 지방자치단체의 재정상 사유 등을 고려하여 표준세율의 일정 범위에서 가감하는 방식으로 별도의 세율을 적용할 수 있다. 따라서 지방세의 세율을 확인할 때는 '표준세율'이라는 법 표현과 '세율'이라는 법 표현을 구분해야 한다. 다만, 취득세에 한정하면 표준세율에서 가감하는 별도의 세율은 거의 없다.

6) 납세자

납세자는 납세의무자(연대납세의무자와 제2차 납세의무자 및 보증인을 포함)와 특별징수의무자를 말한다. 납세자의 정의는 단독으로 이해하려고 하면 너무 당연한 말처럼 느껴질 수 있다. 납세자의 정의는 ① 납세자, ② 납세의무자, ③ 특별징수의무자의 개념과 함께 살펴보면 효과적이다.

| 납세자의 범위 |

구분			납세의무
① 납세자	② 납세의무자	본래 납세의무자	있음
		연대납세의무자[*1]	
		제2차 납세의무자[*2]	
		보증인	
	③ 특별징수의무자		없음

납세자는 즉 세금을 납부하는 행위를 하는 자를 말한다. 납세자는 납세의무의 여부에 따라 납세의무자와 특별징수의무자로 구분된다. 납세의무자는 지방세를 납부할 의무가 실제로 있어서 납세하는 자이다. 반면 특별징수의무자는 지방세를 납부할 의무는 없다. 다만, 지방세를 징수할 수 있는 여건이 좋아서 관할 지방자치단체를 대신하여 납세하는 자이다.(특별징수의무자는 지방세에서만 존재하는 개념으로 국세의 원천징수의무자와 유사하다)

[*1] 연대납세의무자
연대납세의무는 하나의 납세의무를 본래의 납세의무자와 연대납세의무자가 연대하여 납세의무를 부담하는 것이다. 본래의 납세의무자와 연대납세의무자는 각각 별도로 지방세 전체금액에 대한 납세의무가 있다. 만약 어느 하나의 납세의무자가 지방세 납부의무를 이행하면 다른 납세의무자의 납세의무는 소멸한다. 지방세기본법에 따른 연대납세의무자는 다음과 같다.

| 연대납세의무자 |

연대납세의무 대상	연대납세의무자
공유물(공동주택의 공유물은 제외), 공동사업 또는 그 공동사업에 속하는 재산에 관계되는 지방자치단체의 징수금	① 공유자 ② 공동사업자
법인이 분할되거나 분할합병되는 경우 분할되는 법인에 대하여 분할일 또는 분할합병일 이전에 부과되거나 납세의무가 성립된 지방자치단체의 징수금	① 분할되는 법인 ② 분할 또는 분할합병으로 설립되는 법인 ③ 존속하는 분할합병의 상대방 법인
법인이 분할 또는 분할합병으로 인하여 해산하는 경우 해산하는 법인에 부과되거나 그 법인이 납부할 지방자치단체의 징수금	① 분할 또는 분할합병으로 설립되는 법인 ② 존속하는 분할합병의 상대방 법인

연대납세의무 대상	연대납세의무자
법인이 채무자 회생 및 파산에 관한 법률 제215조에 따라 신회사를 설립하는 경우 기존의 법인에 부과되거나 납세의무가 성립한 지방자치단체의 징수금	① 기존법인 ② 신회사

[*2] 제2차 납세의무자

　제2차 납세의무자는 납세자가 어떠한 사유 등으로 납세의무를 이행할 수 없는 경우에 납세의무를 지는 자이다. 제2차 납세의무자는 본래의 납세의무자가 납세의무를 이행하지 못할 경우 그 부족분에 한정하여 2차적인 납세의무를 지는 것으로 보충적 납세의무의 성격을 가진다.

| 제2차 납세의무자 유형 |

유형	주된 납세자	제2차 납세의무자	한도(범위)	
청산인 등	해산법인	청산인	분배인도한 재산가액	
		잔여재산을 받은 자	분배인도받은 재산가액	
출자자	법인 (유가증권시장 상장법인 제외)	① 무한책임사원 ② 과점주주	무한책임사원	없음
			과점주주	지분율
법인	① 무한책임사원 ② 과점주주	법인	출자자의 지분율	
사업양수인	사업양도인	사업양수인	양수한 재산가액	

7) 납세의무 이행[1]

지방세는 신고납부와 징수의 방법으로 납세의무를 확정한다.

① 신고납부

　신고납부는 납세의무자가 지방세의 과세표준과 세액을 신고하고 신고한 세금을 납부하는 방법이다. 신고납부 방법에서는 납세의무자가 세금의 신고납부 의무를 이행하지 않으면 지방자치단체가 지방세를 거두어들일 수 없다. 따라서 납세의무자가 신고납부 의무를 이행하지 않을 때는 가산세를 부과하여 납세의무자가 성실한 신고납부 의무를 이행하도록 한다.

---

1) 지방세법에 납세의무 이행이라는 용어를 정의한 바는 없으나 지방세관계법 조문을 통합하여 설명함.

신고납부는 납세의무자가 직접 세금을 신고납부해야 하고, 그 의무를 이행하지 않으면 가산세라는 불이익도 있으므로 납세의무자의 세무 행정 부담이 높은 방법이다. 납세의무자가 모든 세금을 직접 신고납부해야 한다면 납세의무자에게 과도한 세무 행정협력을 부담시키는 측면이 있어 지방세에서는 아래 '징수'의 방법도 적용하고 있다.

② 징수(보통징수와 특별징수)

징수는 지방자치단체의 장이 납세자로부터 지방자치단체의 징수금을 거두어들이는 것을 말한다. 징수금은 지방세 및 가산금과 체납처분비를 포함한다. 징수의 방법에는 보통징수와 특별징수, 두 가지가 있다.

보통징수는 세무공무원이 납세고지서를 납세자에게 발급하여 지방세를 징수하는 것이다. 납세고지서는 납세자가 납부할 지방세의 부과 근거가 되는 법률 및 해당 지방자치단체의 조례 규정, 납세자의 주소와 성명, 과세표준, 세율, 세액, 납부기한, 납부장소, 납부기한까지 납부하지 아니한 경우에 이행될 조치 및 지방세 부과가 법령에 어긋나거나 착오가 있는 경우의 구제 방법 등을 기재한 문서로써 세무공무원이 작성한 것이다. 우리가 우편함에서 지방세를 납부하라는 납세고지서를 보고 세금을 내는 것이 보통징수다.

보통징수의 방법을 적용하는 세금은 납세의무자의 신고 의무는 없고, 납세고지서에 따른 납부 의무만 있다. 따라서 보통징수는 신고 의무 미이행에 따른 가산세는 없다. 법에서 정한 기한까지 납부 의무를 이행하지 않았을 때는 가산금을 부과하여 납세의무자의 성실한 납부 의무를 이행하도록 한다.

특별징수는 지방세를 징수할 때 행정의 편의상 징수할 여건이 좋은 자(= 특별징수의무자)에게 지방세를 징수하게 하고, 특별징수의무자는 그 징수한 세금을 지방자치단체에 납부하는 방법이다. 즉, 특별징수의무자는 지방세 납세의무는 없으나 지방세를 징수하기에 유리한 위치에 있어 지방자치단체의 지방세 징수를 도와주는 것으로 이해하면 되겠다.

| 신고납부와 징수 |

구분	신고납부	징수	
		보통징수	특별징수
정의	납세의무자가 과세표준과 세액을 신고하고 납부	지방자치단체가 지방세를 징수	특별징수의무자가 지방자치단체 대신 지방세를 징수
근거 서류	과세표준신고서	납세고지서	납세고지서 등
납세의무 확정시기	신고하는 때	지방자치단체가 결정하는 때	납세의무 성립시기
의무미이행시 불이익	가산세(신고 및 납부불성실가산세)	가산금 (가산금, 중가산금)	가산세 (특별징수불성실가산세)
세무행정 부담	상대적으로 높음	상대적으로 낮음	

8) 가산세, 가산금, 체납처분비, 공과금

① 가산세

가산세는 납세의무자가 지방세법에 따른 의무를 이행하지 않을 때 지방세 산출세액에 가산하여 징수하는 금액을 말한다. 가산세는 신고납부 의무 불이행에 대한 벌과금 성격이며 보통징수의 방법으로 징수한다.

가산세는 그 명칭에서 추측할 수 있듯이, 원래 내야 할 세금에 덧붙는 '세', 즉 세금이다. 따라서 가산세는 해당 의무가 규정된 지방세의 세목으로 한다. 취득세를 예로 들면, 취득세에 대한 가산세는 취득세에 포함된다. 만약 취득세 납세의무자가 취득세 본세만 납부하고 가산세를 납부하지 않았다면 해당 납세의무자는 취득세의 체납자가 되는 것이다.

지방세기본법에 따른 가산세의 종류는 아래와 같다.

| 가산세 종류 |

구분		내용	
무신고 가산세	정의	납세의무자가 법정신고기한까지 과세표준 신고를 하지 않은 경우	
	가산세	구분	가산세액
		일반 무신고	무신고 납부세액 × 20%
		부정 무신고[*1]	무신고 납부세액 × 40%
과소신고 가산세	정의	납세의무자가 법정신고기한까지 과세표준 신고를 한 경우로서 신고해야 할 납부세액보다 납부세액을 적게 신고(과소신고)하거나 환급받을 세액을 많이 신고(초과환급신고)한 경우	
	가산세	구분	가산세액
		일반 과소신고	과소신고 납부세액 × 10%
		부정 과소신고[*1]	= ① + ② ① 부정과소신고납부세액 × 40% ② (일반과소신고납부세액 − 부정과소신고납부세액) × 10%
납부불성 실가산세[2)	정의	납세의무자가 납부기한까지 지방세를 과소납부 또는 초과환급 받은 경우	
	가산세	= MIN (①, ②) ① 미납부세액 × 미납기간[*2] × 이자율(0.025%) ② (한도)미납부세액 × 75%	
특별징수 불성실 가산세	정의	특별징수의무자가 징수해야 할 세액을 납부기한까지 납부하지 않거나 과소납부한 경우	
	가산세	= MIN(①+②, ③) ① 미납부세액 × 3% ② 미납부세액 × 미납기간[*2] × 이자율(0.025%) ③ (한도)미납부세액 × 10%	

[*1] 부정 무신고 및 과소신고
　　부정 무신고 및 과소신고는 사기나 그 밖의 부정한 행위로 무신고 또는 과소신고한 경우를 말한다. 이때 사기나 그 밖의 부정한 행위는 다음 중 어느 하나에 해당하는

---

2) 2021.1.1.부터는 납부불성실가산세와 가산금을 납부지연가산세로 통합하는 것으로 개정

행위로서 지방세의 부과와 징수를 불가능하게 하거나 현저히 곤란하게 하는 적극적 행위를 말한다.
① 이중장부의 작성 등 장부에 거짓으로 기록하는 행위
② 거짓 증빙 또는 거짓으로 문서를 작성하거나 받는 행위
③ 장부 또는 기록의 파기
④ 재산의 은닉, 소득·수익·행위·거래의 조작 또는 은폐
⑤ 고의적으로 장부를 작성하지 아니하거나 갖추어 두지 아니하는 행위
⑥ 그 밖에 위계에 의한 행위

[*2] 미납기간
납부기한의 다음 날부터 자진납부일 또는 부과결정일까지의 기간

　다만, 납세의무자가 법에 대한 이해의 부족, 실수 등의 사유로 의도치 않게 가산세를 부담하는 경우가 있다. 지방세기본법은 납세의무자의 자발적인 세금 수정을 유도하기 위해서 가산세를 감면해주는 제도를 마련하고 있다.

| 가산세의 감면 |

구분	내용	
과소신고가산세 (수정신고)	수정신고에 따른 과소신고가산세의 감면	
	법정신고기한 이후	가산세 감면율
	1개월 이내 수정신고	90%
	1개월 초과 3개월 이내 수정신고	75%
	3개월 초과 6개월 이내 수정신고	50%
	6개월 초과 1년 이내 수정신고	30%
	1년 초과 1년 6개월 이내 수정신고	20%
	1년 6개월 초과 2년 이내 수정신고	10%
무신고가산세 (기한후 신고)	기한후 신고에 따른 무신고가산세의 감면	
	법정신고기한 이후	가산세 감면율
	1개월 이내 기한 후 신고	50%
	1개월 초과 3개월 이내에 기한 후 신고	30%
	3개월 초과 6개월 이내 기한 후 신고	20%
납부불성실 가산세	과세전적부심사 결정·통지 지연에 따른 납부불성실가산세는 50%를 감면	

구분	내용
[비고] 가산세 감면제외	납세자가 스스로 그 세금의 신고에 문제가 있음을 알고 자진해서 수정신고를 하거나 기한후 신고를 하는 경우에는 가산세 감면을 적용한다. 하지만 납세자가 지방자치단체로부터 우편으로 해명요청 안내문을 받는 등 지방자치단체가 과세표준과 세액을 경정할 것을 미리 알고 수정신고 등을 하는 경우에는 가산세의 감면이 적용되지 않는다.
[비고] 가산세 적용대상	지방세를 감면하는 경우 가산세는 그 감면대상에 포함하지 않는다. 가산세는 의무불이행에 따른 제재이므로 의무를 이행하지 못한 부분까지 지방세 감면 혜택을 적용해 주지는 않겠다는 취지다.

② 가산금

가산금은 납세의무자가 세금을 납부기한까지 납부하지 않은 경우, 원래의 세액에 일정 금액을 더하여 징수하는 금액이다. 가산금은 세금에 덧붙는 '금', 즉 돈을 말한다. 가산금은 세금의 납부 의무를 이행하지 않았다는 것에 대한 연체이자 성격이며 가산세와 같은 세금이 아니다. 따라서 가산금은 지방세에 포함되지 않는다.

가산금에는 고지세액에 가산하여 징수하는 가산금과 납부기한이 지난 후 일정기한까지 납부하지 아니할 때에 그 금액에 다시 가산하여 징수하는 중가산금이 있다.

| 가산금과 중가산금 |

구분	가산금 부과사유	가산금액
가산금	지방세를 납부기한까지 완납하지 않은 경우	체납된 지방세 × 3%
중가산금	체납된 지방세를 납부하지 않은 경우	납부기한이 지난 날부터 1개월이 지날 때마다 체납 지방세의 0.75%를 매월 (60개월 한도) 가산금에 더하여 징수

③ 체납처분비

체납처분비는 지방세징수법의 체납처분에 관한 규정에 따른 재산의 압류·보관·운반과 매각에 드는 비용(매각을 대행시키는 경우 그 수수료를 포함)을 말한다.

납세의무자가 세금을 체납하면 과세관청은 체납된 세금을 받기 위해 가산세 및 가산금을 부과하고 독촉장도 보낸다. 그런데도 납세의무자가 세금을 내지 않는 경우 마지막 수단으로서 체납자의 재산을 압류 후 처분하여 체납된 세금을 징수하는 것이 체납처분이다.

체납처분에는 3가지 절차가 있다. 체납자의 재산을 압류하고, 압류한 재산을 매각한 후, 그 매각대금으로 체납된 세금을 충당하는 것이다. 그런데 체납처분의 과정에는 사람의 노력과 비용이 들어간다. 재산을 압류하려면 일단 그 재산이 있는 곳으로 가야 하고, 필요한 경우 해당 재산을 체납자가 이용하지 못하도록 별도의 장소에 운반 또는 보관해야 한다. 이 경우 운반비와 보관비가 발생한다. 매각할 때도 매각이 원활히 이루어지도록 광고비용 등이 발생할 수 있고, 만약 타인에게 매각을 대행시키는 경우 대행수수료도 발생한다. 이렇게 체납처분의 과정에서 발생하는 비용이 체납처분비다.

체납처분비를 별도로 정의하는 이유는 체납처분비는 지방자치단체의 징수금, 즉 지방자치단체가 체납자로부터 받아야 할 돈에 해당하기 때문이다. 즉, 체납처분비는 체납처분 진행 과정에서 지방자치단체가 먼저 부담하지만, 최종적으로는 지방자치단체가 체납처분비를 체납자로부터 징수한다.

④ 공과금

공과금은 지방세징수법 또는 국세징수법에서 규정하는 체납처분의 예에 따라 징수할 수 있는 채권 중 국세·관세·임시수입부가세 및 지방세와 이에 관계되는 가산금 및 체납처분비를 제외한 것이다. 즉, 공과금은 지방자치단체가 징수할 수 있는 금액 중 지방세, 가산세, 가산금, 체납처분비를 제외한 기타의 금액을 말한다.

9) 특수관계인

지방세에서 특수관계인은 본인과 다음 중 어느 하나에 해당하는 관계에 있는 자를 말한다. 이때 본인도 그 특수관계인의 특수관계인으로 본다.

| 특수관계인 |

구분	특수관계인의 범위
친족관계	다음 중 어느 하나에 해당하는 관계 ① 6촌 이내의 혈족 ② 4촌 이내의 인척 ③ 배우자(사실상의 혼인관계에 있는 사람을 포함) ④ 친생자로서 다른 사람에게 친양자로 입양된 사람 및 그 배우자·직계비속
경제적 연관관계	다음 중 어느 하나에 해당하는 관계 ① 임원과 그 밖의 사용인 ② 본인의 금전이나 그 밖의 재산으로 생계를 유지하는 사람 ③ 위 ① 또는 ②의 사람과 생계를 함께하는 친족
경영지배관계	다음의 구분에 따른 관계 <table><tr><td>본인</td><td>내용</td></tr><tr><td>개인</td><td>본인이 직접 또는 그와 위 '친족관계' 또는 '경제적 연관관계'에 있는 자를 통하여 법인의 경영에 대하여 지배적인 영향력을 행사하고 있는 경우 그 법인</td></tr><tr><td>법인</td><td>① 개인 또는 법인이 직접 또는 그와 친족관계 또는 경제적 연관관계에 있는 자를 통하여 본인인 법인의 경영에 대하여 지배적인 영향력을 행사하고 있는 경우 그 개인 또는 법인 ② 본인이 직접 또는 그와 경제적 연관관계 또는 가목의 관계에 있는 자를 통하여 어느 법인의 경영에 대하여 지배적인 영향력을 행사하고 있는 경우 그 법인</td></tr></table>

구분	특수관계인의 범위
경영지배관계	이때 지배적인 영향력은 다음과 같음

구분	지배적인 영향력
영리법인	① 법인 발행주식총수 · 출자총액의 50% 이상을 출자한 경우 ② 임원의 임면권 행사, 사업방침 결정 등 법인의 경영에 대하여 사실상 영향력을 행사하고 있다고 인정되는 경우
비영리법인	① 법인의 이사의 과반수를 차지하는 경우 ② 법인의 출연재산(설립을 위한 출연재산만 해당)의 30% 이상을 출연하고 그 중 1명이 설립자인 경우

김회계사의 Tip

○ 지방세에서 특수관계인

국세는 법인세법 및 소득세법의 부당행위계산부인규정, 상속세 및 증여세법의 증여의제규정 등 특수관계인의 거래에 대한 제재적 성격의 규정이 많습니다. 특수관계인 거래는 세금부담 없이 부를 이전할 가능성이 높다고 보기 때문입니다.

다만, 지방세는 국세와 비교하면 부의 이전을 막기 위한 규정은 많지 않습니다. 지방세에서 특수관계인은 과점주주 간주취득세에서 과점주주의 범위를 검토할 때 주로 찾아보게 될 것입니다.

제2장 취득

돈을 주고 사는 것만이 취득은 아닙니다!

취득세는 어떤 대상을 취득하는 행위에 대한 세금이다. 따라서 취득세 이해의 출발점은 취득을 이해하는 것부터 시작한다.

(1) 취득의 종류

일반적으로 취득이라 하면 돈을 주고 물건을 사는 매매의 방법만 떠올리겠지만, 지방세에서 취득은 조금 더 넓은 범위의 취득을 포함한다. 지방세에서는 취득의 종류를 크게 3가지 관점에서 구분하고 있다.

① 원시취득과 승계취득

원시취득은 기존에 존재하지 않았던 것을 새로이 취득하는 것이다. 건축물을 신축하는 것이 대표적인 예다. 승계취득은 다른 사람이 기존에 가지고 있는 것을 승계하는, 즉 가져오는 취득을 말한다. 부동산의 매매에 따른 취득, 상속 또는 증여에 의한 취득이 승계취득의 예다.

② 유상취득과 무상취득

승계취득은 유상취득과 무상취득으로 구분할 수 있다. 유상취득은 취득자가 금전 등 대가를 지급하고 취득하는 것이다. 매매의 방법으로 취득하는 것이 유상취득의 대표적인 예다. 유상취득은 법인장부 등 거래의 진실성이 입증되는 경우라면 일반적으로 그 매매대금이 취득세 계산의 출발점인 과세표준이 된다.

무상취득은 취득자가 별도의 대가를 지급하지 않고 취득하는 것이다. 상속, 증여, 기부의 방법으로 취득하는 것이 무상취득의 예로 볼 수 있다. 다만, 무상으로 취득하였더라도 취득세 과세표준이 0원이 되는 것은 아니다. 무상취득의 경우에는 지방세법에서 별도로 정한 과세표준을 적용하여 취득세를 계산한다.

③ 일반취득과 간주취득

위 ①과 ②의 취득을 일반취득이라 한다. 반면 간주취득은 취득자가 어떤 대상을 직접 취득한 것은 아니지만, 취득한 것으로 보는 취득이다. 과점주주 간주취득, 토지 지목변경 등이 간주취득의 예이다. 간주취득은 '4장. 간주취득'에서 자세히 살펴보기로 한다.

| 취득의 종류 |

구분			내용
일반취득	원시취득		① 공유수면매립, 간척(토지) ② 신축, 증축(건축물) ③ 제조, 건조 등(차량, 기계장치, 선박, 항공기) ④ 출원(광업권, 어업권 등 권리)
	승계취득	유상승계취득	① 매매 ② 교환 ③ 현물출자 ④ 인적분할(비적격) ⑤ 물적분할(적격, 비적격)
		무상승계취득	① 상속 ② 증여 ③ 기부 ④ 합병(적격, 비적격) ⑤ 인적분할(적격)

구분	내용
간주취득	① 과점주주 간주취득 ② 토지 지목변경 ③ 차량, 기계장치, 선박 종류변경 ④ 건축물의 개수 ⑤ 건축물과 그 건축물에 접속된 정원 및 부속시설물 부지

(2) 취득의 종류를 구분하는 이유

취득의 종류를 구분하는 이유는 크게 2가지가 있다. 첫 번째는 취득의 구분에 따라 취득세율이 달라지기 때문이다. 건축물을 신축하면 원시취득에 따른 취득세율 2.8%를 적용한다. 반면 똑같은 건축물을 매매로 취득하면 승계취득에 따른 취득세율 4%를 적용한다. 이렇게 같은 과세물건도 취득의 종류에 따라 적용되는 취득세율이 다를 수 있어서 취득을 구분한다.

두 번째는 취득의 구분에 따라 취득의 시기가 달라지기 때문이다. 취득의 시기는 취득의 구분 및 취득하는 과세물건에 따라 다르게 적용된다. 취득세는 취득한 시기로부터 60일 이내에 신고납부해야 하므로 취득의 종류에 따라 취득의 시기와 연관된 취득세 신고납부 기한이 바뀔 수 있다.

과세물건

14가지 취득세 과세물건 중 핵심은
부동산입니다!

취득세는 어떤 대상을 취득할 때 부담하는 세금이다. 그 어떤 대상을 지방세법에서는 취득세 과세물건이라고 한다. 취득세 과세물건은 부동산을 포함하여 총 14가지가 있다. 이 14가지에 해당하지 않는 물건을 취득한다면 취득세가 과세되지 않으므로 과세물건 각각의 정의를 살펴볼 필요가 있다.

| 취득세 과세물건 |

	구분	내용
1	부동산	토지와 건축물(건축과 대수선을 포함)
2	차량	① 원동기를 장치한 모든 차량 ② 피견인차 및 궤도로 승객·화물을 운반하는 모든 기구
3	기계장비	건설공사용, 화물하역용, 광업용으로 사용되는 기계장비로서 건설기계관리법에서 규정한 건설기계 및 기타 유사한 기계장비
4	항공기	사람이 탑승·조종하여 항공에 사용하는 비행기, 비행선, 활공기, 회전익 항공기, 기타 유사한 비행기구(농약살포 항공기 등 사람이 탑승, 조정하지 않는 원격조정장치에 의한 항공기는 제외)
5	선박	모든 배(기선, 범선, 부선, 기타 명칭과 관계없음)
6	입목	지상의 과수, 임목, 죽목
7	광업권	광업법에 따른 광업권
8	어업권	수산업법 또는 내수면어업법에 따른 어업권
9	양식업권	양식산업발전법에 따른 양식업권
10	골프회원권	체육시설의 설치·이용에 관한 법률에 따른 회원제 골프장의 회원으로서 골프장을 이용할 수 있는 권리

	구분	내용
11	승마회원권	체육시설의 설치·이용에 관한 법률에 따른 회원제 승마장의 회원으로서 승마장을 이용할 수 있는 권리
12	콘도미니엄 회원권	관광진흥법에 따른 콘도미니엄과 기타 유사한 휴양시설로서 관광진흥법 시행령 제23조 제1항에 따라 휴양·피서·위락·관광 등의 용도로 사용되는 것으로서 회원제로 운영하는 시설
13	종합체육시설 이용회원권	체육시설의 설치·이용에 관한 법률에 따른 회원제 종합체육시설업에서 그 시설을 이용할 수 있는 회원의 권리
14	요트회원권	체육시설의 설치·이용에 관한 법률에 따른 회원제 요트장의 회원으로서 요트장을 이용할 수 있는 권리

(1) 부동산

과세표준, 중과세율, 감면, 비과세 등 취득세의 대부분 규정은 부동산과 관련되어 있다. 부동산을 이해하는 것이 취득세를 이해하는 것이라고 할 만큼 부동산은 취득세에서 가장 중요한 비중을 차지한다.

부동산은 토지와 건축물을 말한다. 그리고 건축법에 따른 건축과 개수(고치는 것)도 부동산에 포함된다. 건축과 개수의 행위를 하면 그 결과물이 건축물이 되기 때문이다.

| 부동산의 범위 |

구분		내용	
토지		지적공부의 등록대상이 되는 토지 및 기타 사실상의 토지	
건축물	건축물	① 지붕+벽+기둥 또는 ② 지붕+벽 또는 ③ 지붕+기둥으로 구성된 토지에 정착하는 공작물	
	특정 시설	① 레저시설	수영장, 스케이트장, 골프연습장(20타석 이상), 전망대, 옥외스탠드, 유원지 옥외오락시설

구분			내용
		② 저장시설	수조, 저유조, 저장창고, 저장조
		③ 도크시설	도크, 조선대
		④ 도관시설	송유관, 가스관, 열수송관
		⑤ 급배수시설	송수관, 급배수시설, 복개설비
		⑥ 에너지공급시설	주유시설, 가스충전시설, 송전철탑 (20만 볼트 미만 제외)
		⑦ 기타의 시설	잔교, 기계식·철골조립식 주차장, 차량·기계장비 세차시설, 방송중계탑, 무선통신기지국용 철탑
건축	① 신축		건축물이 없는 토지에 새로 건축물을 만드는 것(개축과 재축은 제외)
	② 증축		기존 건축물의 규모(건축면적, 연면적, 층수, 높이)를 늘리는 것
	③ 개축		기존 건축물 전부·일부를 해체하고 기존과 같은 규모로 다시 만드는 것 (사유 : 건축물 기능개선, 미관개선 등 내부적인 사유)
	④ 재축		기존 건축물 전부·일부를 해체하고 기존과 같은 규모로 다시 만드는 것 (사유 : 천재지변, 재해 등에 의한 멸실로 외부적인 사유)
	⑤ 이전		건축물 주요구조부를 해체하지 않고 같은 대지의 다른 위치로 옮기는 것
개수	대수선		건축물의 기둥, 보, 내력벽, 주계단 등 구조나 외부형태를 수선·변경하거나 증설하는 것으로 다음의 것 ① 내력벽을 증설·해체하거나 그 벽면적을 30㎡ 이상 수선·변경 ② 기둥을 증설·해체하거나 세 개 이상 수선·변경 ③ 보를 증설·해체하거나 세 개 이상 수선·변경 ④ 지붕틀(한옥의 서까래 제외)을 증설·해체하거나 세 개 이상 수선·변경 ⑤ 방화벽·방화구획을 위한 바닥 또는 벽을 증설·해체하거나 수선·변경

구분		내용
		⑥ 주계단·피난계단·특별피난계단을 증설·해체하거나 수선·변경
		⑦ 다가구주택 가구 간 경계벽 또는 다세대주택 세대 간 경계벽을 증설·해체하거나 수선·변경
		⑧ 건축물의 외벽에 사용하는 마감재료를 증설·해체하거나 벽면적 30㎡ 이상 수선·변경
특정시설 수선		특정 시설(레저시설 등 7가지 시설)의 수선
특정시설물 설치·수선		① 승강기(엘리베이터, 에스컬레이터, 그 밖의 승강시설) ② 시간당 20KW 이상의 발전시설 ③ 난방용·욕탕용 온수 및 열 공급시설 ④ 시간당 7,560㎉급 이상의 에어컨(중앙조절식만 해당) ⑤ 부착된 금고 ⑥ 교환시설 ⑦ 인텔리전트 빌딩시스템 시설(건물 냉난방, 급수·배수, 방화, 방범 등의 자동관리를 위하여 설치하는 시설) ⑧ 구내의 변전·배전시설

1) 토지

토지는 공간정보의 구축 및 관리 등에 관한 법률에 따라 지적공부의 등록 대상이 되는 토지와 그 밖에 사용되고 있는 사실상의 토지를 말한다. 공간 정보의 구축 및 관리 등에 관한 법률 제64조에 따르면 국토교통부장관은 모든 토지에 대하여 필지별로 지번, 지목, 면적, 경계 및 좌표 등의 사항을 조사하고 측량하여 지적공부에 등록해야 한다고 규정하고 있다. 따라서 토지는 사실상 모든 토지가 취득세 과세물건에 해당한다.

공간정보의 구축 및 관리 등에 관한 법률 제64조(토지의 조사·등록 등)
① 국토교통부장관은 모든 토지에 대하여 필지별로 소재·지번·지목·면적·경계 또는 좌표 등을 조사·측량하여 지적공부에 등록해야 한다.

토지는 대부분 매매 등 승계취득의 방법으로 취득한다. 토지를 원시취득하는 것은 공유수면 매립, 간척에 의한 토지 조성이 있다.

2) 건축물

건축물은 크게 두 가지로 구분할 수 있다. 첫 번째는 건축법에 따른 건축물이다. 건축법상 건축물은 토지에 정착하는 공작물 중 지붕과 기둥 또는 벽이 있는 것과 이에 딸린 시설물, 지하나 고가의 공작물에 설치하는 사무소·공연장·점포·차고·창고 등을 말한다. 조금 쉽게 표현하면 ① 땅에 붙어 있고 ② 지붕이 있으며 ③ 기둥 또는 벽 중 어느 하나가 있다면 건축물에 해당한다.

두 번째는 토지 등에 정착하는 특정한 시설이다. 레저시설, 저장시설, 도크(dock)시설, 접안시설, 도관시설, 급배수시설, 에너지 공급시설 및 기타의 시설(이하 총칭하여 '특정 시설')이 이에 포함된다. 지방세법에서는 특정시설의 범위를 구체적으로 열거하고 있다.

| 특정 시설의 범위 |

특정시설 구분	내용
1. 레저시설	① 수영장 ② 스케이트장 ③ 골프연습장(체육시설의 설치·이용에 관한 법률에 따라 골프연습장업으로 신고된 20타석 이상의 골프연습장만 해당) ④ 전망대 ⑤ 옥외스탠드 ⑥ 유원지의 옥외오락시설(유원지 옥외오락시설과 비슷한 오락시설로서 건물 안 또는 옥상에 설치하여 사용하는 것을 포함)

특정시설 구분	내용
2. 저장시설	① 수조 ② 저유조 ③ 저장창고 ④ 저장조 등의 옥외저장시설(다른 시설과 유기적으로 관련되어 있고 일시적으로 저장기능을 하는 시설을 포함)
3. 도크(dock)시설 접안시설	⑤ 도크 ⑥ 조선대
4. 도관시설 (연결시설 포함)	① 송유관 ② 가스관 ③ 열수송관
5. 급수·배수시설	① 송수관(연결시설 포함) ② 급수·배수시설 ③ 복개설비
6. 에너지 공급시설	① 주유시설 ② 가스충전시설 ③ 송전철탑(전압 20만 볼트 미만을 송전하는 것과 주민들의 요구로 전기사업법 제72조에 따라 이전·설치하는 것은 제외)
7. 기타의 시설	① 잔교(이와 유사한 구조물을 포함) ② 기계식 또는 철골조립식 주차장 ③ 차량 또는 기계장비 등을 자동으로 세차 또는 세척하는 시설 ④ 방송중계탑(방송법 제54조 제1항 제5호에 따라 국가가 필요로 하는 대외방송 및 사회교육방송 중계탑은 제외) ⑤ 무선통신기지국용 철탑

3) 건축

건축법에서는 ① 신축, ② 증축, ③ 개축, ④ 재축, ⑤ 이전의 5가지 방법으로 건축물을 만드는 것을 건축이라 정의한다.

> **지방세법 제6조 [정의]**
>
> 취득세에서 사용하는 용어의 뜻은 다음 각 호와 같다.
> 5. "건축"이란 <u>건축법 제2조 제1항 제8호에 따른 건축</u>을 말한다.
>
> **건축법 제2조 [정의]**
>
> 8. "건축"이란 <u>건축물을 신축·증축·개축·재축하거나 건축물을 이전하</u>
>   <u>는 것</u>을 말한다.

첫 번째는 신축이다. 신축은 건축물이 없는 토지에 새로 건축물을 만드는 것이다. 아래 설명할 개축과 재축은 신축에 포함하지 않는다.

두 번째는 증축이다. 증축은 기존 건축물의 규모(건축면적, 연면적, 층수 또는 높이)를 늘리는 것이다.

김회계사의 Tip

○ **증축의 유의사항**

증축은 취득세 신고납부의 누락을 유의하여야 합니다. 신축은 취득자가 취득세 지식이 없어도 신축 과정에서 취득세 신고납부 의무가 있음을 알고 미리 준비합니다. 반면 증축은 '건축물을 최초로 취득할 때 취득세를 이미 부담했는데 조금 더 짓는다고 또 취득세를 내나?'는 관점에서 취득세를 준비하지 않는 경우가 많습니다.

하지만 증축은 건축법에 따른 건축 중 하나의 방법으로서 취득세 과세물건에 포함됩니다. 특히 증축의 요건인 건축면적, 연면적, 층수, 높이의 증가는 건축물대장 등 공부상 자료를 통하여 확인할 수 있습니다. 따라서 기존 건축물에 추가공사를 하거나, 건축물에 변화를 일으키는 공사를 할 때는 취득세 과세대상인 증축에 해당하는지를 별도로 확인해야 합니다.

세 번째는 개축이다. 개축은 기존 건축물의 전부 또는 일부를 해체하고 그 토지에 기존과 같은 규모의 범위에서 건축물을 다시 만드는 것을 말한다. 이때 일부의 의미는 해체대상에서 내력벽·기둥·보·지붕틀(한옥의 서까래는 제외) 중 셋 이상이 포함되는 경우이다.

네 번째는 재축이다. 재축은 천재지변 및 재해 등으로 건축물이 멸실된 경우 기존과 같은 규모(연면적, 동수, 층수, 높이 기준)내에서 다시 만드는 것을 말한다. 다만, 동수, 층수, 높이 중 어느 하나가 기존 규모를 초과하는 경우 건축법이나 건축조례에 모두 적합하다면 재축으로 본다.

김회계사의 Tip

○ **개축 vs 재축**

개축과 재축은 한 글자 차이라 헷갈립니다. 공통점은 건축물의 전부 또는 일부를 다시 만드는 것입니다. 차이점은 건축물을 다시 만드는 이유에 있습니다.

개축은 건축물 기능개선, 미관개선 등 건축주의 의사에 따라 고쳐 쓰고자 다시 만드는 것입니다. 반면 재축은 건축주의 의사와 관계없이 천재지변, 재해 등 외부의 사유로 피해를 입어서 다시 만드는 것입니다. 개축의 한자 개(改)는 '고칠 개'로서 건축물을 고쳐서 짓는 것이고, 재축의 한자 재(再)는 '거듭 재'로서 외부의 사유로 인하여 다시 짓는 것으로 생각하면 됩니다.

구분	개축	재축
한자	고칠 개(改)	거듭 재(再)
다시 만드는 이유	내부적인 사유 (건축물 기능개선, 미관개선 등)	외부적인 사유 (천재지변, 재해 등)

다섯 번째는 건축물의 이전이다. 이전은 건축물의 주요구조부를 해체하지 않고 같은 대지의 다른 위치로 옮기는 것을 말한다. 주요구조부는 내력벽, 기둥, 바닥, 보, 지붕틀 및 주계단이다. 단, 사이 기둥, 최하층 바닥, 작은 보,

차양, 옥외 계단, 그 밖에 이와 유사한 것으로 건축물의 구조상 중요하지 않는 부분은 제외한다.

| 건축의 종류 |[3]

4) 개수

개수는 건축물을 수선, 즉 고치는 것이다. 지방세법에서 취득행위로 보는 개수는 ① 대수선 ② 특정 시설의 수선 ③ 특정 시설물의 설치 및 수선을 말한다.

첫 번째는 대수선이다. 대수선은 건축법에서 그 범위를 구체적으로 열거하고 있다.

> **건축법 제2조 [정의]**
> 9. "대수선"이란 건축물의 기둥, 보, 내력벽, 주계단 등의 구조나 외부 형태를 수선·변경하거나 증설하는 것으로서 <u>대통령령으로 정하는 것</u>을 말한다.
>
> **건축법시행령 제3조의 2 [대수선의 범위]**
> 법 제2조 제1항 제9호에서 "<u>대통령령으로 정하는 것</u>"이란 다음 각 호의 어느 하나에 해당하는 것으로서 증축·개축 또는 재축에 해당하지 아니하는

---

3) 출처 : 토지이용규제정보서비스(LURIS) 홈페이지 〉 용어사전 〉 건축

것을 말한다.

1. 내력벽을 증설 또는 해체하거나 그 벽면적을 30㎡ 이상 수선 또는 변경하는 것
2. 기둥을 증설 또는 해체하거나 세 개 이상 수선 또는 변경하는 것
3. 보를 증설 또는 해체하거나 세 개 이상 수선 또는 변경하는 것
4. 지붕틀(한옥의 경우에는 지붕틀의 범위에서 서까래는 제외)을 증설 또는 해체하거나 세 개 이상 수선 또는 변경하는 것
5. 방화벽 또는 방화구획을 위한 바닥 또는 벽을 증설 또는 해체하거나 수선 또는 변경하는 것
6. 주계단·피난계단 또는 특별피난계단을 증설 또는 해체하거나 수선 또는 변경하는 것
7. 다가구주택의 가구 간 경계벽 또는 다세대주택의 세대 간 경계벽을 증설 또는 해체하거나 수선 또는 변경하는 것
8. 건축물의 외벽에 사용하는 마감재료(법 제52조 제2항에 따른 마감재료를 말한다)를 증설 또는 해체하거나 벽면적 30㎡ 이상 수선 또는 변경하는 것

두 번째는 특정 시설의 수선이다. 특정 시설은 앞서 설명한 레저시설, 저장시설 등 7가지 분류의 시설을 말한다. 특정 시설을 설치할 때는 건축물로 취득세가 과세되고, 향후 특정 시설을 수선할 때는 개수에 포함되어 취득세가 과세된다.

세 번째는 승강기 등 건축물에 딸린 특정 시설물의 설치 또는 수선이다. 특정 시설물 역시 지방세법에서 그 종류와 범위를 열거하고 있다.

지방세법 시행령 제6조 [시설물의 종류와 범위]

1. 승강기(엘리베이터, 에스컬레이터, 그 밖의 승강시설)
2. 시간당 20킬로와트 이상의 발전시설
3. 난방용·욕탕용 온수 및 열 공급시설
4. 시간당 7,560킬로칼로리급 이상의 에어컨(중앙조절식만 해당)
5. 부착된 금고
6. 교환시설
7. 건물의 냉난방, 급수·배수, 방화, 방범 등의 자동관리를 위하여 설치하는 인텔리전트 빌딩시스템 시설
8. 구내의 변전·배전시설

김회계사의 Tip

○ 시설 vs 시설물

개수 중 특정 시설과 특정 시설물은 2가지 측면에서 비교하여 이해할 필요가 있습니다.

① 시설 vs 시설물

레저시설 등 특정 시설과 승강기 등 특정 시설물은 '물'이라는 한 글자 차이입니다. 일상에서 시설과 시설물이라는 용어를 구분하여 사용하는 경우는 거의 없을 것입니다. 하지만 지방세법을 이해할 때는 이 두 용어가 분명히 다른 개념이므로 정확히 구분하여 사용해야 합니다. 시설은 건축물과 비교되는 넓은 개념, 시설물은 건축물에 부속되는 좁은 개념으로 접근하면 이해가 쉬울 것입니다.

구분	특정 시설	특정 시설물
근거	지방세법 시행령 제5조	지방세법 시행령 제6조
범위	① 레저시설(수영장, 골프연습장 등) ② 저장시설(수조, 저유조 등) ③ 도크시설 및 접안시설 ④ 도관시설(송유관, 가스관, 열수송관) ⑤ 급배수시설(송수관, 급배수시설 등)	① 승강기(엘리베이터, 에스컬레이터 등) ② 시간당 20KW 이상의 발전시설 ③ 난방용·욕탕용 온수 및 열 공급시설

구분	특정 시설	특정 시설물
	⑥ 에너지공급시설(주유, 가스충전시설 등) ⑦ 기타시설(잔교, 기계식 주차장 등)	④ 중앙조절식 에어컨 　(시간당 7,560kcal 이상) ⑤ 교환시설 ⑥ 인텔리전트 빌딩시스템 시설 ⑦ 구내의 변전·배전시설

② 특정 시설의 수선 vs 특정 시설물의 설치 또는 수선

　특정 시설은 수선만 개수에 해당하고, 특정 시설물은 설치와 수선이 모두 개수에 해당합니다. 특정 시설의 설치가 개수가 아닌 이유는 특정 시설의 설치는 건축물에 포함되어 취득세가 과세되기 때문입니다. 결국 특정 시설과 특정 시설물은 설치하고 수선하는 것 모두 취득세가 과세됩니다.

구분	특정시설	특정시설물
설치	취득세 과세(건축물에 포함)	취득세 과세(개수에 포함)
수선	취득세 과세(개수에 포함)	

(2) 부동산 외 과세물건

부동산을 제외한 취득세 과세물건은 총 13가지가 있다.

1) 차량

　차량은 ① 원동기를 장치한 모든 차량과 ② 피견인차 및 궤도로 승객 또는 화물을 운반하는 모든 기구다. 취득세 과세물건으로서의 차량은 승용차 등 일반적으로 생각하는 자동차보다는 넓은 범위이다.

| 차량의 범위 |

구분			내용
1	원동기를 장치한 모든 차량	범위	• 원동기로 육상을 이동할 목적으로 제작된 모든 용구 • 태양열, 배터리 등 기타 전원을 이용하는 기구와 디젤기관차, 광차 및 축전차 등이 포함

구분			내용
		제외	총 배기량 50cc 미만 또는 최고정격출력 4kW 이하인 이륜자동차
2	피견인차 및 궤도	범위	피견인차 및 궤도[*]로 승객 또는 화물을 운반하는 모든 기구

[*]궤도

궤도는 사람이나 화물을 운송하는 데 필요한 궤도시설과 궤도차량 및 이와 관련된 운영 및 지원 체계가 유기적으로 구성된 운송 체계를 말하며, 삭도를 포함. 궤도를 이용한 운송은 다음과 같음

① 공중에 설치한 밧줄 등에 운반기를 달아 여객·화물을 운송
② 지상에 설치한 선로에 의하여 여객·화물을 운송

2) 기계장비

기계장비는 건설공사용, 화물하역용, 광업용으로 사용되는 기계장비로서 건설기계관리법에서 규정한 건설기계 및 이와 유사한 기계장비 중 지방세법 시행규칙 [별표1]에 규정된 기계장비를 말한다. 한편 단순히 생산설비에 고정부착되어 제조공정 중에 사용되는 공기압축기, 천정크레인, 호이스트, 컨베이어 등은 취득세 과세대상에서 제외한다.

취득세 과세물건으로서의 기계장비는 모든 기계장비가 아니라 좁은 개념의 기계장비를 의미한다.

| 과세대상 기계장비의 범위(지방세법 시행규칙 별표1) |

건설기계명	범위
1. 불도저	무한궤도 또는 타이어식인 것
2. 굴삭기	무한궤도 또는 타이어식으로 굴삭장치를 가진 것
3. 로더	무한궤도 또는 타이어식으로 적재장치를 가진 것
4. 지게차	들어올림장치를 가진 모든 것
5. 스크레이퍼	흙·모래의 굴삭 및 운반장치를 가진 자주식인 것
6. 덤프트럭	적재용량 12톤 이상인 것. 다만, 적재용량 12톤 이상 20톤 미만의 것으로 화물운송에 사용하기 위하여 자동차관리법에 따라 자동차로 등록된 것은 제외한다.
7. 기중기	강재의 지주 및 상하좌우로 이동하거나 선회하는 장치를 가진 모든 것
8. 모터그레이더	정지장치를 가진 자주식인 것
9. 롤러	① 전압장치를 가진 자주식인 것 ② 피견인 진동식인 것
10. 노상안정기	노상안정장치를 가진 자주식인 것
11. 콘크리트뱃칭플랜트	골재저장통·계량장치 및 혼합장치를 가진 모든 것으로서 이동식인 것
12. 콘크리트 피니셔	정리 및 사상장치를 가진 것
13. 콘크리트 살포기	정리장치를 가진 것으로 원동기를 가진 것
14. 콘크리트 믹서트럭	혼합장치를 가진 자주식인 것(재료의 투입·배출을 위한 보조장치가 부착된 것을 포함한다)
15. 콘크리트 펌프	콘크리트 배송능력이 시간당 5㎥ 이상으로 원동기를 가진 이동식과 트럭 적재식인 것
16. 아스팔트 믹싱프랜트	골재공급장치·건조가열장치·혼합장치·아스팔트 공급장치를 가진 것으로 원동기를 가진 이동식인 것
17. 아스팔트 피니셔	정리 및 사상장치를 가진 것으로 원동기를 가진 것
18. 아스팔트 살포기	아스팔트 살포장치를 가진 자주식인 것
19. 골재 살포기	골재 살포장치를 가진 자주식인 것
20. 쇄석기	20킬로와트 이상의 원동기를 가진 것

건설기계명	범위
21. 공기압축기	공기토출량이 분당 2.84세㎡(제곱센티미터당 7킬로그램 기준) 이상인 것
22. 천공기	크로라식 또는 굴진식으로서 천공장치를 가진 것
23. 항타 및 항발기	원동기를 가진 것으로서 해머 또는 뽑는 장치의 중량이 0.5톤 이상인 것
24. 자갈채취기	자갈채취장치를 가진 것으로 원동기를 가진 것
25. 준설선	펌프식·바켓식·딧퍼식 또는 그래브식으로 비자항식인 것
26. 노면측정장비	노면측정장치를 가진 자주식인 것
27. 도로보수트럭	도로보수장치를 가진 자주식인 것
28. 노면파쇄기	파쇄장치를 가진 자주식인 것
29. 선별기	골재 선별장치를 가진 것으로 원동기가 장치된 모든 것
30. 타워크레인	수직타워의 상부에 위치한 지브를 선회시켜 중량물을 상하, 전후 또는 좌우로 이동시킬 수 있는 정격하중 3톤 이상의 것으로서 원동기 또는 전동기를 가진 것
31. 그 밖의 건설기계	제1호부터 제30호까지의 기계장비와 유사한 구조 및 기능을 가진 기계류로서 행정안전부장관 또는 국토교통부장관이 따로 정하는 것

3) 항공기

항공기는 사람이 탑승·조종하여 항공에 사용하는 비행기, 비행선, 활공기, 회전익 항공기 및 그 밖에 이와 유사한 비행기구를 말한다. 다만, 사람이 탑승, 조정하지 않는 원격조정장치에 의한 항공기(농약살포 항공기 등)는 제외한다.

4) 선박

선박은 기선, 범선, 부선 및 그 밖에 명칭과 관계없이 모든 배를 말한다. 선박에는 해저관광 또는 학술연구를 위한 잠수캡슐의 모선으로 이용하는 부선과 석유시추선도 포함한다.

○ 차량, 기계장비, 항공기, 선박의 승계취득

차량, 기계장비, 항공기, 선박 중 주문건조 선박은 해당 과세물건을 매매 등으로 승계 취득하는 경우에만 취득세 납세의무가 있습니다. 따라서 차량, 기계장비, 항공기, 주문건조 선박을 원시취득(제조, 제작, 건조 등)할 때는 취득세 납세의무가 없습니다.

차량 중 자동차를 예로 들면, 자동차 제조회사가 공장에서 제작한 차량은 원시취득에 해당하므로 차량 제조회사는 취득세를 부담하지 않습니다. 이후 소비자가 제조가 완성된 자동차를 구매하는 것은 매매에 따른 승계취득이므로 소비자가 승계취득에 따른 취득세 납세의무자가 되어 취득세를 부담합니다.

차량, 기계장비, 항공기, 주문건조 선박의 원시취득에도 취득세를 부과한다면 제조자가 부담한 취득세가 소비자에게 전가될 가능성이 있습니다. 따라서 이러한 취득세 과세물건은 예외적으로 승계취득의 방법으로 취득한 경우에만 취득세를 과세하고 있습니다.

5) 입목

입목은 지상의 과수, 임목과 죽목을 말한다. 다만, 묘목 등 이식을 전제로 잠정적으로 생립하고 있는 것은 제외한다.

6) 광업권

광업권은 광업법에 따른 광업권을 말한다.

7) 어업권

어업권은 수산업법 또는 내수면어업법에 따른 어업권을 말한다.

8) 양식업권

양식업권은 양식산업발전법에 따른 양식업권을 말한다.

9) 골프회원권

골프회원권은 체육시설의 설치·이용에 관한 법률에 따른 회원제 골프장의 회원으로서 골프장을 이용할 수 있는 권리를 말한다.

10) 승마회원권

승마회원권은 체육시설의 설치·이용에 관한 법률에 따른 회원제 승마장의 회원으로서 승마장을 이용할 수 있는 권리를 말한다.

11) 콘도미니엄 회원권

콘도미니엄 회원권은 관광진흥법에 따른 콘도미니엄과 이와 유사한 휴양시설로서 관광진흥법 시행령 제23조 제1항에 따라 휴양·피서·위락·관광 등의 용도로서 사용되는 것으로서 회원제로 운영하는 시설을 이용할 수 있는 권리를 말한다.

12) 종합체육시설 이용회원권

종합체육시설 이용회원권은 체육시설의 설치·이용에 관한 법률에 따른 회원제 종합 체육시설업에서 그 시설을 이용할 수 있는 회원의 권리를 말한다.

13) 요트회원권

요트회원권은 체육시설의 설치·이용에 관한 법률에 따른 회원제 요트장의 회원으로서 요트장을 이용할 수 있는 권리를 말한다.

○ 개별법령의 검색(법제처 국가법령정보센터)

일부 취득세 과세물건은 광업법, 체육시설의 설치·이용에 관한 법률 등 (이하 '개별법령')에서 구체적인 범위를 정의하고 있습니다. 따라서 취득세 과세물건 해당 여부를 판단할 때는 각각의 개별법령도 검토해야 합니다. 개별법령은 법제처 국가법령정보센터(www.law.go.kr)에서 검색할 수 있습니다.

취득세뿐 아니라 지방세를 해석할 때는 개별법령을 확인해야 할 경우가 많습니다. 개별법령을 검색했을 때 우측 상단에는 관련 기관과 해당 기관 대표 전화번호가 기재되어 있습니다. 광업법을 예로 들면, 산업통상자원부 석탄광물산업과가 광업법 담당기관입니다. 개별법령의 이해에 의문점이 있다면 해당 기관에 직접 문의하면 도움을 받을 수 있습니다.

| 국가법령정보센터에서 검색한 광업법 |

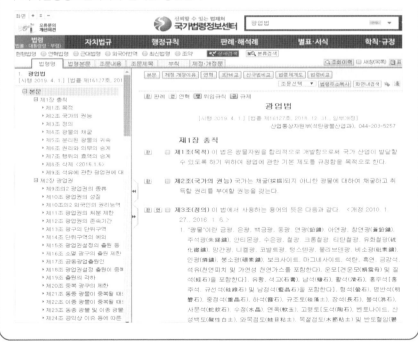

제4장 간주취득

취득하지 않았는데 취득한 것으로
본다고?

'간주'는 본질이 다른 것을 일정한 법률적 취급에 있어 동일한 효과를 부여하는 것이다. 취득세에서 '간주취득'은 취득자가 부동산 등 취득세 과세물건을 직접 취득한 것은 아니지만, 취득한 것으로 '보는' 취득을 말한다. 간주취득에 취득세를 과세하는 이유는 간주취득의 경제적 실질이 직접 취득과 유사하기 때문이다.

지방세법에 따른 주요 간주취득은 ① 토지의 지목변경 ② 선박, 차량, 기계장비 종류변경 ③ 과점주주 간주취득으로 구분할 수 있다.

| 간주취득 |

과세물건	간주취득의 종류
토지	토지의 지목변경
선박, 차량, 기계장비	선박, 차량, 기계장비의 종류변경
주식	과점주주의 간주취득

(1) 토지 지목변경

토지의 지목변경을 살펴보기에 앞서 지목부터 이해할 필요가 있다. 지목은 토지의 주된 사용 목적에 따라 토지의 종류를 구분하는 명칭이다. 지목은 전·답·과수원·목장용지·임야·광천지·염전·대·공장용지·학교용지·주차장·주유소용지·창고용지·도로·철도용지·제방·하천·구거·유지·양어장·수도용지·공원·체육용지·유원지·종교용지·사적지 · 묘지 · 잡종지로서 총 28가지로 구분된다.

　지방세법은 ① 토지의 지목을 사실상 변경함으로써 ② 그 가액이 증가한 경우에는 실제 토지를 취득한 것은 아니지만 토지를 취득한 것으로 보아 취득세를 과세한다. 토지의 소유자가 해당 토지의 지목을 변경해서 그 가액이 증가하였다면 경제적으로는 토지의 소유자가 더 높은 가치의 토지를 직접 취득한 것과 다름이 없기 때문이다.

　이때 단순히 지목만 변경하는 행위만으로 취득세가 과세되는 것은 아니며, 지목을 변경하고 그 결과 해당 토지의 가액도 증가해야 토지 지목변경에 따른 취득세 납세의무가 있다.

| 지목의 종류(공간정보의 구축 및 관리 등에 관한 법률 제67조) |

구분	지목	내용		부호
1	전	물을 상시적으로 이용하지 않고 곡물 · 원예작물(과수류 제외) · 약초 · 뽕나무 · 닥나무 · 묘목 · 관상수 등의 식물을 주로 재배하는 토지와 식용으로 죽순을 재배하는 토지		전
2	답	물을 상시적으로 직접 이용하여 벼 · 연 · 미나리 · 왕골 등 식물을 주로 재배하는 토지		답
3	과수원	사과 · 배 · 밤 · 호두 · 귤나무 등 과수류를 집단적으로 재배하는 토지와 이에 접속된 저장고 등 부속시설물의 부지		과
4	목장용지	① 축산업 및 낙농업을 하기 위하여 초지를 조성한 토지 ② 축산법 제2조 제1호에 따른 가축을 사육하는 축사 등의 부지 ③ 위 ① 및 ②의 토지와 접속된 부속시설물의 부지		목
5	임야	산림 및 원야를 이루고 있는 수림지 · 죽림지 · 암석지 · 자갈땅 · 모래땅 · 습지 · 황무지 등의 토지		임
6	광천지	포함	지하에서 온수 · 약수 · 석유류 등이 용출되는 용출구와 그 유지에 사용되는 부지	광

구분	지목		내용	부호
		제외	온수·약수·석유류 등을 일정한 장소로 운송하는 송수관·송유관 및 저장시설의 부지	
7	염전	포함	바닷물을 끌어들여 소금을 채취하기 위하여 조성된 토지와 이에 접속된 제염장 등 부속시설물의 부지	염
		제외	천일제염 방식으로 하지 아니하고 동력으로 바닷물을 끌어들여 소금을 제조하는 공장시설물의 부지	
8	대		① 영구적 건축물 중 주거·사무실·점포와 박물관·극장·미술관 등 문화시설과 이에 접속된 정원 및 부속시설물의 부지 ② 국토의 계획 및 이용에 관한 법률 등 관계 법령에 따른 택지조성공사가 준공된 토지	대
9	공장용지		① 제조업을 하고 있는 공장시설물의 부지 ② 산업집적활성화 및 공장설립에 관한 법률 등 관계 법령에 따른 공장부지 조성공사가 준공된 토지 ③ 위 ① 및 ②의 토지와 같은 구역에 있는 의료시설 등 부속시설물의 부지	장
10	학교용지		학교의 교사와 이에 접속된 체육장 등 부속시설물의 부지	학
11	주차장	포함	자동차 등의 주차에 필요한 독립적인 시설을 갖춘 부지와 주차전용 건축물 및 이에 접속된 부속시설물의 부지	차
		제외	① 주차장법 제2조 제1호 가목 및 다목에 따른 노상주차장 및 부설주차장(주차장법 제19조 제4항에 따라 시설물의 부지 인근에 설치된 부설주차장은 제외) ② 자동차 등의 판매 목적으로 설치된 물류장 및 야외전시장	
12	주유소용지	포함	① 석유·석유제품 또는 액화석유가스 등의 판매를 위하여 일정한 설비를 갖춘 시설물의 부지 ② 저유소 및 원유저장소의 부지와 이에 접속된 부속시설물의 부지	주

구분	지목		내용	부호
		제외	자동차·선박·기차 등의 제작 또는 정비공장 안에 설치된 급유·송유시설 등의 부지는 제외	
13	창고용지		물건 등을 보관하거나 저장하기 위하여 독립적으로 설치된 보관시설물의 부지와 이에 접속된 부속시설물의 부지	창
14	도로	포함	① 일반 공중의 교통 운수를 위하여 보행이나 차량운행에 필요한 일정한 설비·형태를 갖추어 이용되는 토지 ② 도로법 등 관계 법령에 따라 도로로 개설된 토지 ③ 고속도로의 휴게소 부지 ④ 2필지 이상에 진입하는 통로로 이용되는 토지	도
		제외	아파트·공장 등 단일 용도의 일정한 단지 안에 설치된 통로 등	
15	철도용지		교통 운수를 위하여 일정한 궤도 등의 설비와 형태를 갖추어 이용되는 토지와 이에 접속된 역사·차고·발전시설 및 공작창 등 부속시설물의 부지	철
16	제방		조수·자연유수·모래·바람 등을 막기 위하여 설치된 방조 제·방수제·방사제·방파제 등의 부지	제
17	하천		자연의 유수가 있거나 있을 것으로 예상되는 토지	천
18	구거		용수 또는 배수를 위하여 일정한 형태를 갖춘 인공적인 수로·둑 및 그 부속시설물의 부지와 자연의 유수가 있거나 있을 것으로 예상되는 소규모 수로부지	구
19	유지		물이 고이거나 상시적으로 물을 저장하고 있는 댐·저수지·소류지·호수·연못 등의 토지와 연·왕골 등이 자생하는 배수가 잘 되지 아니하는 토지	유
20	양어장		육상에 인공으로 조성된 수산생물의 번식 또는 양식을 위한 시설을 갖춘 부지와 이에 접속된 부속시설물의 부지	양
21	수도용지		물을 정수하여 공급하기 위한 취수·저수·도수·정수·송수 및 배수 시설의 부지 및 이에 접속된 부속시설물의 부지	수

구분	지목		내용	부호
22	공원		일반 공중의 보건·휴양 및 정서생활에 이용하기 위한 시설을 갖춘 토지로서 국토의 계획 및 이용에 관한 법률에 따라 공원 또는 녹지로 결정·고시된 토지	공
23	체육용지	포함	국민의 건강증진 등을 위한 체육활동에 적합한 시설과 형태를 갖춘 종합운동장·실내체육관·야구장·골프장·스키장·승마장·경륜장 등 체육시설의 토지와 이에 접속된 부속시설물의 부지	체
		제외	체육시설로서의 영속성과 독립성이 미흡한 정구장·골프연습장·실내수영장 및 체육도장, 유수를 이용한 요트장 및 카누장, 산림 안의 야영장 등의 토지	
24	유원지	포함	일반 공중의 위락·휴양 등에 적합한 시설물을 종합적으로 갖춘 수영장·유선장·낚시터·어린이놀이터·동물원·식물원·민속촌·경마장 등의 토지와 이에 접속된 부속시설물의 부지	원
		제외	이들 시설과의 거리 등으로 보아 독립적인 것으로 인정되는 숙식시설 및 유기장의 부지와 하천·구거·유지(공유인 것으로 한정)로 분류되는 것	
25	종교용지		일반 공중의 종교의식을 위하여 예배·법요·설교·제사 등을 하기 위한 교회·사찰·향교 등 건축물의 부지와 이에 접속된 부속시설물의 부지	종
26	사적지	포함	문화재로 지정된 역사적인 유적·고적·기념물 등을 보존하기 위하여 구획된 토지	사
		제외	학교용지·공원·종교용지 등 다른 지목으로 된 토지에 있는 유적·고적·기념물 등을 보호하기 위하여 구획된 토지는 제외한다.	
27	묘지	포함	사람의 시체나 유골이 매장된 토지, 도시공원 및 녹지 등에 관한 법률에 따른 묘지공원으로 결정·고시된 토지 및 장사 등에 관한 법률 제	묘

구분	지목		내용	부호
			2조 제9호에 따른 봉안시설과 이에 접속된 부속시설물의 부지	
		비고	묘지의 관리를 위한 건축물의 부지는 '대'로 함	
28	잡종지	포함	① 갈대밭, 실외에 물건을 쌓아두는 곳, 돌을 캐내는 곳, 흙을 파내는 곳, 야외시장, 비행장, 공동우물 ② 영구적 건축물 중 변전소, 송신소, 수신소, 송유시설, 도축장, 자동차운전학원, 쓰레기 및 오물처리장 등의 부지 ③ 다른 지목에 속하지 않는 토지	잡
		제외	원상회복을 조건으로 돌을 캐내는 곳 또는 흙을 파내는 곳으로 허가된 토지	

(2) 선박, 차량, 기계장비의 종류변경

선박, 차량, 기계장비의 종류를 변경하여 그 가액이 증가하는 경우에는 실제 선박, 차량, 기계장비를 취득한 것은 아니지만 해당 과세물건을 취득한 것으로 보아 취득세를 과세한다. 선박, 차량, 기계장비의 종류변경은 토지의 지목변경과 동일한 논리에 따른 간주취득이다.

(3) 과점주주 간주취득

법인의 주식 또는 지분을 취득하여 과점주주가 되었을 때에는 해당 과점주주가 주식발행 법인이 소유한 부동산 등 취득세 과세물건을 취득한 것으로 보아 해당 과점주주에게 취득세를 부과한다. 이것을 과점주주의 간주취득 규정이라고 한다.

주식은 부동산 등 14가지 취득세 과세물건에 포함되지 않는다. 하지만 취득자가 ① 주식을 취득하여 ② 과점주주가 되고 ③ 주식발행법인이 취득세 과세물건을 보유하면, 취득자가 주식발행법인이 보유한 취득세 과세물건을 직접 취득한 것으로 간주하여 취득자에게 취득세를 부과한다.

과점주주는 주식을 취득한 것이지 주식발행법인의 취득세 과세물건을 직접 취득한 것은 아니다. 그러나 과점주주가 되면 주식발행법인을 실질적으로 지배할 수 있는 위치에 있으므로 주식발행법인이 보유한 취득세 과세물건을 직접 취득한 것과 경제적 실질이 같다는 논리에 따라 과점주주에게 취득세 납세의무가 발생한다.

| 과점주주 간주취득세 기본개념 |

과점주주 간주취득 규정은 기업 인수 및 지분투자 등과 관련하여 발생한다. 과점주주 간주취득 규정은 'PART 2. 취득세를 신고합니다'의 '2장. 과점주주 간주취득세'에서 상세히 다루기로 한다.

> 김회계사의 Tip
>
> ○ 사실상 vs 공부상
>
> 취득세에서는 '사실상'이라는 법 표현이 자주 등장합니다. '사실상'이라는 의미를 알기 위해서 취득세의 중요한 원칙을 언급하고 있는 지방세법 시행령 제13조의 내용을 살펴보겠습니다.

> **지방세법 시행령 제13조 [취득 당시의 현황에 따른 부과]**
>
> 부동산, 차량, 기계장비 또는 항공기는 이 영에서 특별한 규정이 있는 경우를 제외하고는 해당 물건을 취득하였을 때의 사실상의 현황에 따라 부과한다. 다만, 취득하였을 때의 사실상 현황이 분명하지 아니한 경우에는 공부상의 등재 현황에 따라 부과한다.

지방세법시행령 제13조는 부동산, 차량, 기계장비, 항공기의 취득세는 사실상의 현황에 따라 부과하고, 그 사실상의 현황이 분명하지 않으면 공부상의 현황에 따라 부과한다는 규정입니다.

'공부상'의 사전적 의미는 관청이나 관공서에서 법규에 따라 작성, 비치하는 문서에 따른다는 것을 말합니다. 부동산, 차량, 기계장비, 항공기의 공부상 등재 현황의 예시는 다음과 같습니다.

구분		공부상 등재 현황의 주요 예
부동산	토지	토지대장, 토지등기부등본 등에 따른 현황
	건축물	건축물대장, 건축물등기부등본 등에 따른 현황
차량, 기계장비, 항공기		등록증 또는 등록원부 등에 따른 현황

반면 '사실상'의 현황은 공부상 자료와 관계없이 그것이 '실제 어떻다'라는 것을 말합니다. 취득세에서도 '사실상'의 개념은 매우 중요합니다. 취득세는 어떠한 현황에 따르는지에 따라 지방세 납세의무의 성립 여부, 적용되는 과세표준과 세율, 중과세율 또는 감면의 적용 등 세금부담에 차이가 발생할 수 있기 때문입니다. 그래서 취득세의 '사실상'의 개념은 국세(국세기본법)의 실질과세 원칙과 유사합니다.

예를 들어, A의 현황에 따르면 10%, B의 현황에 따르면 20%의 취득세를 부담한다고 가정해 봅시다. 이 경우 취득자는 공부상 현황은 A로 하고 실제는 B의 현황으로 사용하여 10%의 취득세를 회피할 수 있습니다. 이렇게 공부상 현황을 실제의 현황과 다르게 기재하여 세금을 회피하는 행위를 막기 위하여 사실상의 현황에 따라 취득세를 부과하고, 그 사실상의 현황이 분명하지 않을 때만 공부상의 현황에 따라 취득세를 부과하고 있습니다. 지방자치단체는 공부상 현황과 사실상 현황을 비교 확인하는 '현황조사'를 수행하여 취득세 회피행위를 엄격히 조사하고 있습니다.

다만, 사실상의 현황이 우선하더라도 납세의무자는 공부상 현황을 기본적으로 확인해야 합니다. 공부상 현황과 관련된 각종 기재사항은 사실상 현황을 반영할 것이기 때문입니다. 즉, 공부상 현황을 먼저 확인하고 사실상의 현황이 그와 일치하는지를 확인하는 접근이 필요합니다.

지방세법 시행령 제13조 규정에서 사실상의 현황을 우선한 것은, 공부상 현황을 허위로 기재하여 취득세를 회피하는 행위를 막기 위함이지, 공부상 현황을 볼 필요가 없다는 뜻이 아닙니다.

이제 토지의 지목변경 규정을 다시 보겠습니다. '토지의 지목을 사실상 변경하여'라고 규정하고 있습니다. 취득자가 지목변경과 관련한 절차를 밟지 않아 토지대장 등에 따른 공부상 현황에 따른 지목은 변동이 없더라도, 해당 토지가 실제로는 공부상 지목과 다르게 사용되고 있다면 토지의 지목을 사실상 변경한 것입니다.

제 5 장

과세표준

취득세를 계산하는 첫 번째 관문에
오셨습니다!

취득세 과세표준에 취득세율을 곱한 것이 취득세액이다. 따라서 취득세
과세표준을 구하는 것은 취득세를 계산하는 첫 단계다.

| 취득세 과세표준의 구성 |

구분			과세표준
	원칙		과세표준 = ① (단, ①이 ②보다 적을 때에는 ②) ① 취득자가 신고한 취득 당시의 가액 ② 지방세법(§4)에 따른 시가표준액(개별공시지가, 주택공시가격 등)
일반적 취득	예외	대상	아래의 취득(증여 등 무상취득과 부당행위계산규정 적용 취득 제외) ① 국가, 지방자치단체 또는 지방자치단체조합으로부터의 취득 ② 외국으로부터의 수입에 의한 취득 ③ 판결문·법인장부 중 취득가격이 증명되는 취득 ④ 공매방법에 의한 취득 ⑤ 부동산 거래신고 등에 관한 법률에 따른 신고서로 검증된 취득
		과세표준	사실상의 취득가격(=취득시기를 기준으로 그 이전에 해당 물건을 취득하기 위하여 거래 상대방 또는 제3자에게 지급하였거나 지급하여야 할 직접비용과 간접비용의 합계액)
법인이 아닌 자의 건축 또는 대수선	대상		법인이 아닌 자가 건축물을 건축 또는 대수선하여 취득하는 경우로서 취득가격 중 90%를 넘는 가격이 법인장부에 따라 입증되는 취득

구분		과세표준
법인이 아닌 자의 건축 또는 대수선	과세 표준	과세표준 = ① + ② + ③ ① 법인장부로 증명된 금액 ② 법인장부로 증명되지 않은 금액 중 계산서(소득세법) 또는 세금계산서(부가가치세법)로 증명된 금액 ③ 국민주택채권 매각차손(한도있음)
• 건축(신축, 재축 제외)과 개수 • 선박, 차량, 기계장비의 종류변경	대상	• 신축과 재축을 제외한 건축(=증축, 개축, 이전)과 개수 • 선박, 차량, 기계장비의 종류변경
	과세 표준	과세표준 = ① (단, ①이 ②보다 적을 때에는 ②) ① 건축과 개수/선박·차량·기계장비의 종류변경으로 증가한 가액 ② 취득세 납세의무자나 그 취득물건에 관하여 그와 거래관계가 있었던 자가 관련 장부나 그 밖의 증명서류를 갖추고 있는 경우에는 이에 따라 계산한 가액
토지의 지목변경	원칙	토지의 지목이 사실상 변경됨으로 인하여 증가한 가액
	예외	법인장부 등으로 입증됨 / 판결문·법인장부로 토지의 지목변경에 든 비용이 입증되는 경우 그 비용
		법인장부 등으로 입증되지 않음 / =①-②(토지의 지목이 사실상 변경된 때 기준) ① 지목 변경 이후의 토지에 대한 시가표준액 ② 지목 변경 전의 시가표준액
부동산 일괄취득	주택 없음 대상	부동산 등을 일괄취득하여 부동산 등의 취득가격이 구분되지 않는 경우
	과세 표준	일괄 취득가격을 부동산 등의 시가표준액 비율로 나눈 금액

구분			과세표준
부동산 일괄취득	주택 있음	원칙	일괄 취득가격이 주택과 주택 외 부분으로 구분되는 경우 그 가격
		예외	일괄 취득가격이 주택과 주택 외 부분으로 구분되지 않는 경우 일괄 취득가격을 주택 부분과 주택 외 부분의 시가표준액 비율로 나눈 금액
과점주주 간주취득			주식발행법인이 보유한 취득세 과세물건의 가액 × 과점주주지분율

(1) 취득 당시의 가액(원칙)

법인세 과세표준은 법인이 법인의 해당 사업연도에 벌어들인 소득에 근거하여 계산한다. 소득세 과세표준은 개인이 1년 동안 벌어들인 소득을 근거로 계산한다. 법인세와 소득세는 기본적으로 '소득'에 대한 세금이기 때문이다. 반면 취득세는 '취득행위'에 대한 세금이다. 따라서 취득세 과세표준은 취득행위와 관련하여 지급한 금액을 근거로 계산한다. 지방세법에서는 취득세 과세표준을 '취득 당시의 가액'이라는 표현으로 정의하고 있다.

취득 당시의 가액은 취득자가 신고한 취득 당시의 가액을 원칙으로 한다. 하지만 부동산을 매도하는 자가 양도소득세를 탈세하려는 목적에서 매매가격을 실제 계약한 금액보다 낮게 신고하는 것(다운계약서)처럼, 취득자가 취득세를 덜 낼 생각으로 취득세 과세표준을 실제 취득한 금액보다 낮게 신고할 유인이 있다. 그래서 취득자가 취득 당시의 가액을 신고하지 않거나 그 신고한 가액이 시가표준액보다 적을 때에는 시가표준액을 취득세 과세표준으로 한다. 납세의무자가 신고한 금액과 관계없이 최소 시가표준액만큼은 취득세 과세표준으로 보아 취득세를 과세하겠다라는 의미다.

취득세 과세표준의 원칙은 취득 당시의 가액이므로 우선 취득 당시가 언제인지, 즉 취득의 시기를 파악해야 한다. 지방세법에서는 취득세 과세물건의 종류, 취득의 방법 등에 따라 다음과 같이 취득의 시기를 규정하고 있다.

| 취득의 시기 |

취득 구분		취득 시기

건축물의 건축 또는 개수		다음 중 빠른 날
		① 사용승인일 또는 임시사용승인일
		  (사용승인을 받을 수 없는 경우 사실상 사용
		  이 가능한 날)
		② 사실상의 사용일
		③ 등기 또는 등록일

유상 승계 취득	법인장부 등에 따라 취득가격이 입증되는 취득	다음 중 빠른 날 ① 사실상 잔금지급일 ② 등기 또는 등록일

	위 외 유상승계취득	다음 중 빠른 날
		① 계약상 잔금지급일
		  (명시되지 않았다면 계약일로부터 60일이 경
		  과한 날)
		② 등기 또는 등록일

무상 승계 취득	상속, 유증	다음 중 빠른 날 ① 상속 또는 유증 개시일 ② 등기 또는 등록일
	위 외 무상승계취득	다음 중 빠른 날 ① 계약일 ② 등기 또는 등록일
연부취득		다음 중 빠른 날 ① 사실상 연부금 지급일 ② 등기 또는 등록일
차량, 기계장비, 항공기 주문건조 선박		다음 중 빠른 날 ① 제조, 조립, 건조 등이 완성되어 실수요자가 인도받는 날 ② 계약상 잔금지급일
수입에 따른 취득	일반적인 수입	해당 물건을 우리나라에 반입하는 날 (보세구역을 경유하는 것은 수입신고필증 교부일)
	예외 1	차량·기계장비·항공기, 선박의 실수요자가 따 로 있는 경우에는 다음 중 빠른 날 ① 실수요자가 인도받는 날 ② 계약상 잔금지급일

취득 구분		취득 시기
예외 2		취득자의 편의에 따라 수입물건을 우리나라에 반입하지 않거나 보세구역을 경유하지 아니하고 외국에서 직접 사용하는 경우에는 그 수입물건의 등기 또는 등록일
토지 원시취득(매립, 간척 등)	원칙	공사준공인가일
	예외	공사준공인가일 전에 사용승낙·허가를 받거나 사실상 사용하는 경우에는 다음 중 빠른 날 ① 사용승낙일·허가일 ② 사실상 사용일
토지 지목변경	원칙	다음 중 빠른 날 ① 토지의 지목이 사실상 변경된 날 ② 토지의 지목이 공부상 변경된 날
	예외	토지의 지목변경일 이전에 사용하는 부분은 그 사실상의 사용일
차량, 기계장비, 선박 종류변경		다음 중 빠른 날 ① 사실상 변경한 날 ② 공부상 변경한 날
재산분할에 따른 취득		취득물건의 등기일 또는 등록일
조합원에게 귀속되지 않는 토지의 취득	주택조합의 주택건설사업	사용검사를 받은 날
	재건축조합의 재건축사업	소유권이전고시일의 다음 날

(2) 시가표준액

시가표준액은 취득자가 취득 당시의 가액을 신고하지 않거나 신고한 취득가액이 시가표준액에 미달하는 경우 적용하는 과세표준이다. 시가표준액은 취득세뿐 아니라 재산세 등 지방세의 다른 세목에서도 많이 사용된다. 그래서 시가표준액은 지방세법에서 취득세를 다루고 있는 '2장. 취득세'가 아니라, 지방세 전체를 다루고 있는 '1장. 총칙'에서 그 내용을 규정하고 있다.

| 시가표준액 |

구분			시가표준액	확인 방법
토지		원칙	개별공시지가(매년 5월말 공시)	열람
		예외	지방자치단체가 별도로 산정한 가액	개별 문의
건축물	주택	원칙	개별주택가격 또는 공동주택가격 (매년 4월말 또는 9월말 공시)	열람
		예외	지방자치단체가 별도로 산정한 가액	개별 문의
	주택 외		건물의 특성 등을 고려하여 산정한 다음의 가액 건축물 시가표준액 = ① × ② × ③ × ④ × ⑤ × ⑥ ① 건축물신축가격기준액 ② 건물의 구조별 지수 ③ 건물의 용도별 지수 ④ 건물의 위치별 지수 ⑤ 건물의 경과연수별 잔존가치율 ⑥ 개별건물 가감산율(규모, 형태, 특수부대설비 등을 반영)	직접 계산
토지에 정착한 시설			시설 종류별 법소정가액 × 경과연수별 잔존가치율	
건축물에 딸린 시설물			시설물 종류별 법소정가액 × 경과연수별 잔존가치율	
차량			차량별 기준가격 × 경과연수별 잔존가치율	
기계장비			기계장비별 기준가격 × 경과연수별 잔존가치율	
입목			입목 종류별 기준가격 × 입목의 목재 부피, 그루수 등	
항공기			항공기별 기준가격 × 경과연수별 잔존가치율	검색
광업권			광구 등을 고려한 기준가격 − 광산의 기계 및 시설취득비 등	
어업권			어장 등을 고려한 기준가격에 어업 종류 등을 고려한 가액	
회원권(골프, 승마, 콘도, 체육시설, 요트)			분양 및 거래가격을 고려하여 정한 기준가격에 소득세법에 따른 기준시가 등을 고려한 가액	

김회계사의 Tip

○ **취득시기의 중요성**

취득의 시기는 3가지 측면에서 중요합니다.

① **신고납부기한의 기산점**

취득세는 취득의 시기(취득일)로부터 60일 이내에 취득세를 신고납부해야 합니다. 즉. 취득의 시기는 취득세 신고납부기한의 기산점이 됩니다. 납세의무자가 취득세 신고납부를 준비할 수 있도록 60일의 시간을 주는 것인데, 취득의 시기를 잘못 파악한다면 이 기간이 40일이 될 수도 있고, 10일이 될 수도 있어 취득세 신고납부 준비를 효과적으로 하기 어렵습니다. 만약 취득의 시기를 60일 넘게 모르고 있다면 신고불성실가산세 및 납부불성실가산세도 부담해야 합니다.

② **지방세법 판단의 기준점**

지방세기본법(§34)에 따르면 취득세를 납부할 의무는 과세물건을 취득하는 때 성립합니다. 지방세는 납세의무 성립시점을 기준으로 각종 요건을 판단하는 규정이 많습니다. 과점주주 간주취득을 예로 들면, 과점주주의 판정은 지방세 납세의무성립일 현재의 과점주주로 보고 있습니다. 지방세 납세의무가 성립한 이후 새로운 법이 나오더라도 소급하여 과세하지 않는 소급과세금지의 원칙도 납세의무 성립시점을 기준으로 판단하고 있습니다. 취득세는 납세의무 성립시점이 취득시기이므로, 취득시기의 판단에 착오가 있다면 취득세 전체적인 계산에 영향을 미칠 수 있습니다.

③ **취득가격 산정의 기준시점**

이후 내용에서 알아보겠지만, 취득세 과세표준으로서의 취득가격은 취득시기 이전에 발생한 직·간접비용의 합계액입니다. 따라서 취득의 시기는 취득가격을 계산하는 기준시점이 됩니다. 취득의 시기가 달라지면 취득세 과세표준에 포함할 비용의 범위도 변동되므로 결과적으로 취득세 계산에도 영향을 미칩니다.

그래서 취득의 시기는 정확히 파악해야 합니다.

1) 토지(개별공시지가)

토지의 시가표준액은 토지의 개별공시지가를 말한다. 개별공시지가는 부동산 공시가격 알리미 사이트(www.realtyprice.kr) 또는 공부상 자료인 토지대장에서 직접 확인할 수 있다.

토지의 시가표준액은 취득 시점을 기준으로 가장 최근에 공시된 개별공시지가를 적용해야 한다. 토지의 개별공시지가는 매년 5월 말에 공시되므로 2020년의 취득을 예로 들면 취득 시점별 토지의 시가표준액은 다음과 같다.

[예시] 2020년에 취득한 토지의 시가표준액

취득시점	토지의 시가표준액
2020년 5월말 이전의 취득	2019년 5월말에 공시된 개별공시지가
2020년 5월말 이후의 취득	2020년 5월말에 공시된 개별공시지가

2) 주택(개별주택가격 또는 공동주택가격)

시가표준액 규정에서는 건축물을 ① 주택과 ② 주택이 아닌 건축물로 구분한다. 주택의 시가표준액은 개별주택가격 또는 공동주택가격을 적용한다. 개별주택가격과 공동주택가격 역시 부동산공시가격 알리미사이트(www.realtyprice.kr)에서 확인할 수 있다. 주택의 규정은 주택법과 건축법에 따르며 단독주택과 공동주택으로 구분한다.

│ 주택의 시가표준액 │

구분			시가표준액
주택	단독주택	① 단독주택 ② 다중주택 ③ 다가구주택	개별주택가격
	공동주택	① 아파트 ② 연립주택 ③ 다세대주택	공동주택가격

주택의 개별주택가격과 공동주택가격은 매년 4월 말과 9월 말에 공시된다. 토지와 마찬가지로 주택의 시가표준액 역시 취득 시점을 기준으로 가장 최근에 공시된 개별주택가격 또는 공동주택가격을 적용해야 한다.

김회계사의 Tip

○ 주택의 정의

주택의 시가표준액과 관련하여 주택의 규정은 주택법과 건축법에 따릅니다. 지방세를 포함한 많은 법에서 주택법과 건축법에 따른 주택의 정의를 전부 또는 일부 사용하고 있습니다. 따라서 주택법과 건축법상 주택의 정의를 이해하는 것은 다른 법을 이해할 때도 도움이 됩니다.

① 주택의 구분

주택은 세대의 구성원이 장기간 독립된 주거생활을 할 수 있는 구조로 된 건축물의 전부 또는 일부 및 그 부속토지를 말하며, 단독주택과 공동주택으로 구분합니다.

구분	정의	범위
단독주택	1세대가 하나의 건축물 안에서 독립된 주거생활을 할 수 있는 구조로 된 주택	① 단독주택 ② 다중주택 ③ 다가구주택
공동주택	건축물의 벽·복도·계단이나 그 밖의 설비 등의 전부 또는 일부를 공동으로 사용하는 각 세대가 하나의 건축물 안에서 각각 독립된 주거생활을 할 수 있는 구조로 된 주택	① 아파트 ② 연립주택 ③ 다세대주택

② 주택의 정의

주택의 구분별 정의는 다음과 같습니다.

구분		정의
단독 주택	단독주택	단독주택에 대한 별도의 정의는 없음
	다중 주택	다음의 요건을 모두 갖춘 주택 ① 학생·직장인 등 여러 사람이 장기간 거주할 수 있는 구조인 것 ② 독립된 주거의 형태를 갖추지 않은 것(각 실별로 욕실은 설

구분		정의
		치할 수 있으나, 취사 시설은 설치하지 않은 것) ③ 1개 동의 주택으로 쓰이는 바닥면적의 합계가 330㎡ 이하이고 주택으로 쓰는 층수(지하층 제외)가 3개 층 이하일 것
	다가구 주택	다음의 요건을 모두 갖춘 주택으로서 공동주택에 해당하지 않는 것 ① 주택으로 쓰는 층수(지하층 제외)가 3개 층 이하(단, 1층의 전부 또는 일부를 필로티 구조로 하여 주차장으로 사용하고 나머지 부분을 주택 외의 용도로 쓰는 경우 해당 층을 주택의 층수에서 제외) ② 1개 동의 주택으로 쓰이는 바닥면적(부설 주차장 면적 제외)의 합계가 660㎡ 이하일 것 ③ 19세대(대지 내 동별 세대수를 합한 세대)이하가 거주할 수 있을 것
공동 주택	아파트	주택으로 쓰는 층수가 5개 층 이상인 주택
	연립주택	다음의 요건을 모두 갖춘 주택 ① 주택으로 쓰는 1개 동의 바닥면적 합계가 660㎡를 초과할 것(2개 이상의 동을 지하주차장으로 연결하는 경우 각각의 동으로 봄) ② 층수가 4개 층 이하일 것
	다세대 주택	다음의 요건을 모두 갖춘 주택 ① 주택으로 쓰는 1개 동의 바닥면적 합계가 660㎡ 이하일 것 ② 층수가 4개 층 이하일 것(2개 이상의 동을 지하주차장으로 연결하는 경우에는 각각의 동으로 봄)

[비고1] 단독주택과 공동주택의 차이

단독주택은 1인이 단독으로 소유하고 있고 각 호수별로 소유권이 구분되어 있지 않습니다. 공동주택은 2인 이상이 구분하여 소유하고 있습니다.

[비고2] 다가구주택과 다세대주택

다가구주택과 다세대주택은 용어가 비슷하여 혼동하기 쉽습니다. '가구'는 소유권이 별도로 구분되지 않은 개념입니다. 그래서 다가구주택은 여러 가구가 생활하고 있으나 소유권은 1인에게 있습니다. '세대'는 소유권이 구분된 개념입니다. 따라서 다세대주택은 각각의 세대에게 소유권이 있습니다. 아파트를 떠올리면 이해가 쉽습니다. 다가구주택과 다세대주택의 공통점과 차이점은 다음과 같습니다.

구분		다가구주택	다세대주택
주택의 구분	차이점	단독주택	공동주택
바닥면적	공통점	660㎡ 이하	좌동
층수	차이점	3층 이하	4층 이하
거주요건	차이점	19세대 이하가 거주 가능할 것	별도요건 없음

[비고3] 바닥면적, 층수로 보는 주택의 구분

단독주택과 공동주택을 구성하는 주택별로 바닥면적과 층수에 대한 요건이 있습니다. 암기할 필요는 없겠지만 주택별로 요건에 차이가 있다는 사실 정도는 알아둘 필요가 있습니다.

구분		바닥면적	층수
단독주택	단독주택	별도요건 없음	별도요건 없음
	다중주택	330㎡ 이하	3층 이하
	다가구주택	660㎡ 이하	3층 이하
공동주택	아파트	별도요건 없음	5층 이상
	연립주택	660㎡ 초과	4층 이하
	다세대주택	660㎡ 이하	4층 이하

3) 주택 외 건축물

주택이 아닌 건축물의 시가표준액은 건축물의 특성을 고려하여 계산한 가액이다. 토지의 개별공시지가, 주택의 개별주택가격과 같이 공시되는 가액이 아니라 건축물 특성을 수치화하여 직접 계산하는 방식이라 다소 어렵게 느껴질 수 있다. 주택 외 건축물 시가표준액을 계산하는 개념[4]은 다음과 같다.

| 주택 외 건축물 시가표준액 |

구분	내용
건축물 시가표준액	건축물 시가표준액 = ① × ② × ③ × ④ × ⑤ × ⑥ ① 건물신축가격기준액

---

4) 자세한 내용은 국세청홈페이지 〉 국세정보 〉 국세청 발간책자 〉 기타참고책자 〉 건물기준시가 산정방법해설서(PDF)에서 확인할 수 있음.

구분	내용	
	② 건물의 구조별 지수 ③ 건물의 용도별 지수 ④ 건물의 위치별 지수 ⑤ 건물의 경과연수별 잔존가치율 ⑥ 개별건물 가감산율(규모, 형태, 특수부대설비 등을 반영)	
① 건물신축 가격기준액	건물의 신축가격, 구조, 용도, 위치, 신축연도 등을 고려하여 매년 1회 이상 국세청장이 산정·고시하는 가액(2020년은 730,000원/㎡을 적용)	
② 구조지수	정의	건축물의 구조에 따른 지수
	예시	철골콘크리트조=115, 시멘트벽돌조=92
	확인방법	건축물대장의 '건축물현황' 및 '주구조'에 기재
③ 용도지수	정의	주거용, 상업용, 산업용 등 건축물 용도에 따른 지수
	예시	주거용 중 아파트=110, 상업용 중 호텔=130 등
	확인방법	건축물대장의 '주용도'란에 기재됨
④ 위치지수	정의	건축물이 소재한 토지가치(개별공시지가)에 따른 지수
	예시	건축물이 위치한 토지의 개별공시지가가 '1백만원 이상~1백2십만원 미만'에 해당하면 위치지수는 105
	확인방법	건축물 부속토지의 개별공시지가를 검색하여 적용
⑤ 경과연수별 잔가율	정의	건축물 주요구조(4개 그룹)와 신축연도를 고려한 잔존가치율
	예시	2010년에 신축한 철근콘크리트조(1그룹) 건축물은 0.82를 적용
	확인방법	건축물 주요구조는 위 ② 구조지수의 정보를 활용하고, 건축물의 신축연도는 건축물대장의 신축연도, 사용승인일, 소유자현황 등의 정보에 근거하여 확인
⑥ 개별건물 조정률	정의	지붕재료, 최고층수 등 개별건물의 특수성을 반영한 조정률
	예시	최고층수 5층 이하 건물 = 90(단, 다른 특성도 적용된다면 조정률은 변동될 수 있음)
	확인방법	위 ②에서 ⑤의 지수와는 달리 개별건물 조정률 규정은 개별적으로 확인해야 함

철근콘크리트로 소재로 건축된 4층 건축물을 가정하고 건축물 시가표준액을 직접 구한다면 엑셀 프로그램을 활용하여 다음과 같이 계산할 수 있다.

(단위 : 만원)

층	구조	용도	A	B = ①x②x③x④x⑤x⑥						B	AxB
				①	②	③	④	⑤	⑥		
			면적 (㎡)	신축 가격	구조 지수	용도 지수	위치 지수	잔존 가치율	가감 산율	㎡당 평가액	시가 표준액
4층	철근 콘크 리트	연구소	100	73	95%	100%	86%	0.82	80%	39	3,900
3층		사무실	100	73	95%	100%	86%	0.82	80%	39	3,900
2층		공장	100	73	95%	80%	86%	0.82	90%	35	3,500
1층		공장	100	73	95%	80%	86%	0.82	90%	35	3,500
계			400								14,800

4) 기타의 시가표준액

토지와 주택, 건축물이 아닌 취득세 과세물건(차량, 기계장비, 회원권 등)의 시가표준액은 지방세법에서 각각의 계산 방법을 규정하고 있다. 다만 지방자치단체에서는 '시가표준액결정사항', '시가표준액조정기준' 등으로 해당 과세물건에 대한 시가표준액을 고시하고 있다. 따라서 시가표준액을 직접 계산하기 전에 관할 지방자치단체에 해당 가액이 고시되어 있는지를 먼저 확인하는 것이 효율적이다.

(3) 사실상의 취득가격(시가표준액이 요구되지 않는 취득)

취득 당시의 가액은 취득자가 신고한 취득 당시의 가액을 원칙으로 한다. 다만, 취득자가 취득 당시의 가액을 신고하지 않거나 그 가액이 시가표준액보다 적을 때에는 시가표준액을 취득세 과세표준으로 한다. 이 내용이 취득세 과세표준의 일반적인 원칙이다. 하지만 다음의 취득에 대하여는 시가표준액을 고려하지 않고 사실상의 취득가격 또는 연부금액을 취득세 과세표준으로 한다.

① 국가, 지방자치단체 또는 지방자치단체조합으로부터의 취득
② 외국으로부터의 수입에 의한 취득
③ 판결문·법인장부에 따라 취득가격이 증명되는 취득
④ 공매방법에 의한 취득
⑤ 부동산 거래신고 등에 관한 법률 제3조에 따른 신고서를 제출하여 같
　은 법 제5조에 따라 검증이 이루어진 취득

①에서 ⑤의 취득은 취득가격이 객관적인 자료 등에 따라 입증되기 때문에 취득자가 취득가격을 임의로 조작할 염려가 낮다. 따라서 해당 취득에 대하여는 시가표준액을 고려하지 않고 사실상의 취득가격을 그대로 적용한다. 특히 취득자가 법인이라면 일반적으로 ③의 규정에 따라 판결문 및 법인장부로 취득가격이 증명되므로 시가표준액을 고려하지 않고 법인의 취득가격을 취득세 과세표준으로 한다.

다만 증여, 기부 등의 무상취득은 그 취득가격을 입증하기 어렵고 법인세법 및 소득세법에 따른 부당행위계산부인규정[5]이 적용되는 취득은 그 취득가격의 진실성이 의심된다. 따라서 해당 취득에 대한 취득세 과세표준은 위 사실상의 취득가격 규정을 적용하지 않는다. 즉, 취득자가 신고한 가액으로 하되 그 가액이 시가표준액보다 적을 때에는 시가표준액으로 하는 취득세 과세표준의 원칙을 적용한다.

---

5) 법인과 개인의 행위 또는 소득금액의 계산이 특수관계인과의 거래로 인하여 조세의 부담을 부당하게 감소시킨 것으로 인정되는 경우 특수관계인이 아닌 자와의 정상적인 거래에 근거한 소득금액을 다시 계산하여 과세하는 제도(법인세법 §52 ① 및 소득세법 §101 ①)

| 사실상의 취득가격을 적용하는 취득 |

구분	내용
범위	① 국가, 지방자치단체 또는 지방자치단체조합으로부터의 취득 ② 외국으로부터의 수입에 의한 취득 ③ 판결문[*1]·법인장부[*2]에 따라 취득가격이 증명되는 취득 ④ 공매방법에 의한 취득 ⑤ 부동산 거래신고 등에 관한 법률 제3조에 따른 신고서를 제출하여 같은 법 제5조에 따라 검증이 이루어진 취득
제외	① 증여, 기부 등의 무상취득 ② 부당행위계산부인규정이 적용되는 취득(법인세법 §52 ① 및 소득세법 §101 ①)

[*1] 판결문
　　민사소송 및 행정소송에 의하여 확정된 판결문(화해·포기·인낙 또는 자백간주에 의한 것은 제외)
[*2] 법인장부
　　금융회사의 금융거래 내역, 감정평가서 등 객관적 증거서류에 의하여 법인이 작성한 원장·보조장·출납전표·결산서

　지방세법에서는 사실상의 취득가격의 범위를 규정하고 있다. 취득가격은 취득시기를 기준으로 그 이전에 해당 과세물건을 취득하기 위하여 거래 상대방 또는 제3자에게 지급하였거나 지급하여야 할 직접비용과 간접비용의 합계액으로 한다. 취득대금을 일시급 등으로 지급하여 일정액을 할인받은 경우에는 그 할인된 금액이 취득가격이다.

　직접비용은 그 취득에 직접적으로 소요된 비용을 말한다. 신축 등 원시취득이라면 공사에 들어간 비용을, 매매 등 승계취득이라면 거래상대방에게 지급한 매매대금을 직접비용으로 볼 수 있을 것이다. 간접비용은 간접이라는 단어의 특성상 어떤 비용이 취득세 과세표준에 포함할 간접비용인지에 관한 판단이 모호할 수 있다. 지방세법에서는 간접비용 중 취득세 과세표준에 포함되는 것과 포함되지 않는 것을 다음과 같이 열거하고 있다.

| 간접비용의 범위 |

취득가격에 포함되는 간접비용	취득가격에 포함하지 않는 간접비용
① 건설자금에 충당한 차입금의 이자 또는 이와 유사한 금융비용	① 취득하는 물건의 판매를 위한 광고선전비 등의 판매비용과 그와 관련한 부대비용
② 할부·연부 계약에 따른 이자 상당액·연체료(취득자가 법인이 아니면 취득가격에서 제외)	② 전기사업법, 도시가스사업법, 집단에너지사업법, 그 밖의 법률에 따라 전기·가스·열 등을 이용하는 자가 분담하는 비용
③ 관계 법령에 따라 의무적으로 부담하는 비용 • 농지보전부담금(농지법) • 미술작품의 설치 또는 문화예술진흥기금에 출연하는 금액(문화예술진흥법) • 대체산림자원조성비(산지관리법) 등	③ 이주비, 지장물 보상금 등 취득물건과는 별개의 권리에 관한 보상 성격으로 지급되는 비용 ④ 부가가치세 ⑤ ①부터 ④까지의 비용에 준하는 비용
④ 취득에 필요한 용역을 제공받은 대가로 지급하는 용역비·수수료	
⑤ 취득대금 외에 당사자의 약정에 따른 취득자 조건 부담액과 채무인수액	
⑥ 부동산을 취득하는 경우 매입한 국민주택채권을 해당 부동산의 취득 이전에 양도함으로써 발생하는 매각차손(한도 : 금융회사 등 외의 자에게 양도한 경우 동일한 날에 금융회사 등에 양도하였을 경우 발생하는 매각차손)	
⑦ 공인중개사에게 지급한 중개보수 (취득자가 법인이 아니면 취득가격에서 제외)	
⑧ 건축물에 부착되거나 일체를 이루며 건축물의 효용을 유지 또는 증대시키기 위한 설비·시설 등의 설치비용 (붙박이가구·가전제품 등)	
⑨ 정원·부속시설물 등을 조성·설치하는 비용	
⑩ ①부터 ⑨까지의 비용에 준하는 비용	

다만, 간접비용 중 과세표준에 포함하는 것과 포함하지 않는 것의 마지막 항목은 '～의 비용에 준하는 비용'이라는 포괄주의적 표현을 사용하고 있다. 따라서 간접비용은 열거된 항목 외의 비용도 과세표준에 포함될 수 있어서 결국 간접비용의 범위는 납세의무자가 개별적으로 판단해야 할 것이다.

(4) 기타의 과세표준

1) 법인이 아닌자의 건축 또는 대수선

법인이 아닌 자가 건축물을 건축하거나 대수선하여 취득하는 경우로서 취득가격 중 90%를 넘는 가격이 법인장부에 따라 입증되는 경우에는 ①에서 ③의 금액을 합한 금액을 취득세 과세표준으로 한다.

① 법인장부로 증명된 금액
② 법인장부로 증명되지 않은 금액 중 계산서(소득세법) 또는 세금계산서(부가가치세법)로 증명된 금액
③ 부동산을 취득하는 경우 주택도시기금법 제8조에 따라 매입한 국민주택채권을 해당 부동산의 취득 이전에 양도함으로써 발생하는 매각차손(금융회사등 외의 자에게 양도한 경우에는 동일한 날에 금융회사등에 양도하였을 경우 발생하는 매각차손 한도)

즉, 법인의 취득뿐 아니라 개인의 취득도 취득가격의 90% 이상이 거래 상대방인 법인의 법인장부로 입증되는 경우에는 사실상의 취득가격과 유사한 금액을 취득세 과세표준으로 인정하고 있다.

2) 증축 등 및 개수

건축물을 건축(신축과 재축은 제외)하거나 개수한 경우의 취득세 과세표준은 다음과 같다.

| 증축 등 과세표준 |

구분		내용
과세표준	원칙	건축 등으로 증가한 가액
	예외	신고 또는 신고가액의 표시가 없거나 신고가액이 시가표준액보다 적을 때에는 시가표준액
시가표준액		아래의 구분에 따른 가액 ① 취득세 납세의무자나 그 취득물건에 관하여 그와 거래관계가 있었던 자가 관련 장부나 그 밖의 증명서류를 갖추고 있는 경우에는 이에 따라 계산한 가액 ② 위 ①에 따른 관련 장부나 증명서류를 갖추고 있지 않거나 그 내용 중 취득경비 등의 금액이 해당 취득물건과 유사한 물건을 취득하는 경우에 일반적으로 드는 것으로 인정되는 자재비, 인건비, 그 밖에 취득에 필요한 경비 등을 기준으로 시장·군수·구청장이 산정한 가액보다 부족한 경우 시장·군수·구청장이 산정한 가액

건축 중에서는 신축과 재축을 제외한 증축, 개축, 건축물의 이전이 본 과세표준 규정의 적용대상이다.

3) 선박, 차량, 기계장비의 종류변경

선박, 차량, 기계장비의 종류를 변경한 경우의 취득세 과세표준은 위 2)의 과세표준과 동일한 방법을 적용한다.

| 선박, 차량, 기계장비 종류변경 과세표준 |

구분		내용
과세표준	원칙	선박, 차량, 기계장비 종류변경으로 증가한 가액
	예외	신고 또는 신고가액의 표시가 없거나 신고가액이 시가표준액보다 적을 때에는 시가표준액
시가표준액		아래의 구분에 따른 가액 ③ 취득세 납세의무자나 그 취득물건에 관하여 그와 거래관계가 있었던 자가 관련 장부나 그 밖의 증명서류를 갖추고 있는 경우에

구분	내용
	는 이에 따라 계산한 가액
	④ 위 ①에 따른 관련 장부나 증명서류를 갖추고 있지 않거나 그 내용 중 취득경비 등의 금액이 해당 취득물건과 유사한 물건을 취득하는 경우에 일반적으로 드는 것으로 인정되는 자재비, 인건비, 그 밖에 취득에 필요한 경비 등을 기준으로 시장·군수·구청장이 산정한 가액보다 부족한 경우 시장·군수·구청장이 산정한 가액

4) 토지의 지목변경

토지의 지목을 사실상 변경한 경우의 취득세 과세표준은 다음과 같다.

| 토지 지목 변경 과세표준 |

구분		내용
과세표준	원칙	토지의 지목변경으로 증가한 가액
	예외	신고 또는 신고가액의 표시가 없거나 신고가액이 시가표준액보다 적을 때에는 시가표준액
시가표준액	**구분**	**내용**
	법인장부로 입증되는 경우	판결문·법인장부로 토지의 지목변경에 든 비용이 입증되는 경우 그 비용
	법인장부로 입증되지 않는 경우	과세표준 = ① - ②(토지의 지목이 사실상 변경된 때 기준) ① 지목변경 이후의 토지에 대한 시가표준액(해당 토지에 대한 개별공시지가의 공시기준일이 지목변경으로 인한 취득일 전인 경우에는 인근 유사 토지의 가액을 기준으로 부동산 가격공시에 관한 법률에 따라 국토교통부장관이 제공한 토지가격비준표를 사용하여 시장·군수·구청장이 산정한 가액) ② 지목변경 전의 시가표준액(지목변경 공사착공일 현재 공시된 개별공시지가)

김회계사의 Tip

○ **시가표준액**

지방세법은 시가표준액을 두 가지 의미로 사용하고 있습니다. 첫 번째는 지방세법 §4에 따른 시가표준액으로 개별공시지가(토지), 개별주택가격 또는 공동주택가격(주택), 건축물 기준시가(주택 외 건축물) 등을 말합니다. 두 번째는 지방세법시행령 §16, §17에 따른 시가표준액으로 증축 등 개수, 토지 지목변경 등에 적용되는 개념입니다.

토지 지목변경 등 과세표준 규정에서 지방세법시행령 §16, §17에 따른 시가표준액이라는 표현이 나오기 때문에 시가표준액 개념에 혼란이 있을 수 있습니다. 취득세를 포함한 지방세에서 시가표준액이라고 하면 대부분은 개별공시지가 등 지방세법 §4의 시가표준액을 의미합니다. 다만, 법 이해의 혼란을 피하기 위해서는 시가표준액의 근거 법령이 지방세법 §4인지 또는 지방세법시행령 §16, §17인지를 확인하는 것이 필요합니다.[6]

구분	관련법령	내용
시가표준액	지방세법 §4	• 개별공시지가(토지) • 개별주택가격 또는 공동주택가격(주택) • 건축물 기준시가(주택 외 건축물)
시가표준액	지방세법시행령 §16, §17	• 증축 등 및 개수의 시가표준액 • 선박, 차량, 기계장비 종류변경의 시가표준액 • 토지 지목변경의 시가표준액

5) 부동산의 일괄취득(주택이 없음)

부동산 등을 한꺼번에 취득하여 부동산등의 취득가격이 구분되지 않는 경우에는 한꺼번에 취득한 가격을 부동산 등의 시가표준액 비율로 나눈 금액을 각각의 취득가격으로 한다.

유의할 것은 일괄취득가격이 구분되지 않는 경우에만 시가표준액 비율로

---

6) 다만, 용어의 혼동이 없도록 지방세법 시행령 §16, §17에 따른 시가표준액은 '시가참고액' 등 별도 용어를 마련하는 것이 좋을 것으로 생각함.

나누는 것이며, 구분된다면 각각 구분된 취득가격을 적용한다.

6) 부동산의 일괄취득(주택을 포함)

주택, 건축물과 그 부속토지를 한꺼번에 취득한 경우에는 주택과 주택 외 부분의 취득가격을 구분하여 산정한다. 주택과 주택 외 부분은 시가표준액 비율로 나눈 금액으로 한다. 다만 아래의 취득으로서 주택 부분과 주택 외 부분의 취득가격이 구분되는 경우에는 그 가격을 각각의 취득가격으로 한다.

① 국가, 지방자치단체 또는 지방자치단체조합으로부터의 취득
② 외국으로부터의 수입에 의한 취득
③ 판결문·법인장부 중 대통령령으로 정하는 것에 따라 취득가격이 증명되는 취득
④ 공매방법에 의한 취득

7) 과점주주 간주취득

과점주주 간주취득세의 과세표준은 주식발행법인이 보유한 취득세 과세물건의 총가액에 과점주주의 지분율을 곱한 금액으로 한다. 과점주주 간주취득에 대한 과세표준은 'PART 2. 취득세를 신고합니다'의 '2장. 과점주주 간주취득세'에서 자세히 살펴본다.

제6장   세율

이 책에서 가장 내용이 많습니다.
그만큼 중요합니다!

취득세의 세율은 국세와 지방세를 구성하는 모든 세목의 세율 중 가장 어렵다고 느껴진다. 세율도 다양하고 각각의 세율을 적용하는 요건도 복잡하기 때문이다.

취득세의 세율은 크게 3가지 개념으로 구분할 수 있다.

첫 번째는 일반세율[7]이다. 일반세율은 취득세 과세물건 종류와 취득 방법 등에 따라 정하고 있는 취득세의 기본적인 세율이다.

두 번째는 중과세율이다. 중과세율은 ① 대도시 내 인구 및 산업 밀집 억제와 지방분산 촉진 ② 사치성 재산의 취득을 억제하는 목적 ③ 법인 및 다주택자의 주택 취득을 억제하는 목적으로 일반세율보다 더 높은 세율을 적용하는 것이다. 중과세율은 주로 부동산에 적용된다. 따라서 부동산을 취득할 때는 중과세율 적용 여부는 필수적으로 확인해야 한다.

마지막은 특례세율[8]이다. 2010년 이전 지방세법은 취득에 따른 세금이 ① 취득세와 ② 등록세로 구분되어 있었다. 2011년 지방세법 전면 개정으로 취득세와 등록세가 취득세라는 단일의 세목으로 통합되었다. 2010년 이전의 지방세법에서 취득세는 과세하고 등록세는 비과세하거나, 취득세는 비과세하고 등록세는 과세하는 항목이 있었다. 2011년 지방세법을 개정하며 이러한 항목에 대하여 개정 전 지방세법과 동일한 세부담을 유지할 수 있도록

---

7) 지방세법에 따른 용어는 아니며 본서에서는 중과세율에 대비한 개념으로 칭함(이하 동일)
8) 지방세법에 따른 용어는 세율의 특례이나 본서에서는 편의상 특례세율로 칭함(이하 동일).

별도의 세율을 규정하였는데, 이것이 특례세율이다.

| 취득세 |

2010년 이전	2011년 이후
① 취득세 ② 등록세	취득세(통합)

취득세 과세물건을 취득하면 취득세뿐 아니라 지방세의 다른 세목인 지방교육세와 국세인 농어촌특별세도 함께 부담해야 한다. 따라서 취득세 부담세율은 취득세뿐 아니라 지방교육세와 농어촌특별세를 포함하여 설명하고자 한다.

한편, 주택의 세율은 '7장. 주택 취득세율'에서 별도로 살펴보기로 한다.

| 취득세율 체계 |

구분	세율체계	내용	관련법령
1	일반세율	① 부동산 과세물건의 세율	지방세법 §11
		② 부동산 외 과세물건의 세율	지방세법 §12
2	중과세율	① 대도시 내 본점 등 중과세율 ② 대도시 내 지점 등 중과세율 ③ 사치성 재산 중과세율 ④ ①과 ② 또는 ②와 ③이 동시에 적용되는 중과세율	지방세법 §13
3	특례세율	① 특례세율 1(적격합병에 따른 취득 등) ② 특례세율 2(과점주주 간주취득, 토지 지목변경 등)	지방세법 §15

(1) 일반세율

1) 부동산 과세물건의 세율

부동산 취득에 따른 부담세율은 다음과 같다. 부동산 종류 및 취득 방법

에 따라 2.56%에서 4.6% 범위의 세율을 적용한다. 취득세에서 가장 많이
보게 될 세율이다.

| 부동산 과세물건의 부담세율 |

구분		부담세율			
		취득세	지방교육세	농어촌특별세	계
원시취득 (건축 등)		2.8%	0.16%	0.2%	3.16%
유상 취득	일반 유상취득(토지, 건물 등)	4.0%	0.4%	0.2%	4.60%
	농지 유상취득(논, 밭, 과수원, 목장용지)	3.0%	0.2%	0.2%	3.40%
무상 취득	상속으로 인한 무상 취득 — 농지[9]	2.3%	0.06%	0.2%	2.56%
	상속으로 인한 무상 취득 — 농지 외	2.8%	0.16%	0.2%	3.16%
	상속 외 무상취득 (증여 등) — 일반	3.5%	0.3%	0.2%	4.00%
	상속 외 무상취득 (증여 등) — 비영리사업자[10]	2.8%	0.16%	0.2%	3.16%
공유물 분할 및 해소로 인한 취득		2.3%	0.06%	0.2%	2.56%
합유물 및 총유물의 분할로 인한 취득		2.3%	0.06%	0.2%	2.56%

---

9) 농지의 범위(지방세법시행령 §21)
   ① 취득 당시 공부상 지목이 논, 밭 또는 과수원인 토지로서 실제 농작물의 경작이나 다년생식물의 재배로 이용되는 토지(농지 경영에 직접 필요한 농막·두엄간·양수장·못·늪·농도·수로 등이 차지하는 토지 부분을 포함)
   ② 취득 당시 공부상 지목이 논, 밭, 과수원 또는 목장용지인 토지로서 실제 축산용으로 사용되는 축사와 그 부대시설로 사용되는 토지, 초지 및 사료밭

10) 비영리사업자의 범위(지방세법시행령 §22)
   ① 종교 및 제사를 목적으로 하는 단체
   ② 초·중등교육법 및 고등교육법에 따른 학교
   ③ 경제자유구역 및 제주국제자유도시의 외국교육기관 설립·운영에 관한 특별법 또는 기업도시개발 특별법에 따른 외국교육기관을 경영하는 자
   ④ 평생교육법에 따른 교육시설을 운영하는 평생교육단체
   ⑤ 사회복지사업법에 따라 설립된 사회복지법인
   ⑥ 지방세특례제한법 제22조 제1항에 따른 사회복지법인 등
   ⑦ 정당법에 따라 설립된 정당

취득과 관련한 지방교육세와 농어촌특별세의 도출방식은 다음과 같다.

구분	① 과세표준	② 세율	부담세율(=① × ②)	관련법령
지방교육세	취득세율 - 2%	20%	(취득세율 - 2%) × 20%	지방세법 §151 ①
농어촌특별세	2% (단일)	10%	2% × 10% - 0.2%	농어촌특별세법 §5 ①

2) 부동산 외 과세물건의 부담세율

부동산 외 과세물건의 취득에 따른 부담세율은 다음과 같다.

| 부동산 외 과세물건의 부담세율 |

구분			취득세	지방교육세	농어촌특별세	계
선박	① 등기·등록 대상 선박 (소형선박 제외)	상속	2.50%	0.10%	0.20%	2.80%
		상속 외 무상취득	3.00%	0.20%	0.20%	3.40%
		원시취득	2.02%	0.004%	0.20%	2.224%
		수입·주문건조	2.02%	0.004%	0.20%	2.224%
		기타원인의 취득	3.00%	0.20%	0.20%	3.40%
	② 소형선박(소형선박, 동력수상레저기구)[*1]		2.02%	0.004%	0.20%	2.224%
	③ 위 ①과 ② 이외의 선박		2.00%	-	0.20%	2.20%
차량 [*2]	① 비영업용 승용자동차	일반 자동차	7.00%	-	비과세	7.00%
		경자동차	4.00%	-	비과세	4.00%
	② 특정 이륜자동차(배기량 125cc 이하 등)		2.00%	-	비과세	2.00%
	③ 위 ①과 ② 외 자동차	비영업용 일반	5.00%	-	비과세	5.00%
		비영업용 경자동차	4.00%	-	비과세	4.00%
		영업용	4.00%	-	비과세	4.00%
	④ 위 ①~③외의 차량		2.00%	-	비과세	2.00%

구분		세율			
		취득세	지방교육세	농어촌특별세	계
기계장비	① 건설기계관리법 등록대상	3.00%	0.20%	0.20%	3.40%
	② 건설기계관리법 비등록대상	2.00%	-	0.20%	2.20%
항공기	① 항공안전법 §7 단서에 따른 항공기[*3]	2.00%	-	0.20%	2.20%
	② 위 ①외 항공기 / 최대이륙중량 / 5,700kg 미만	2.02%	0.004%	0.20%	2.224%
	최대이륙중량 5,700kg 이상	2.01%	0.002%	0.20%	2.212%
입목		2.00%	-	0.20%	2.20%
광업권, 어업권, 양식업권		2.00%	-	0.20%	2.20%
회원권 (골프, 승마, 콘도, 종합체육시설, 요트)		2.00%	-	0.20%	2.20%

[*1] 소형선박

구분	범위
소형선박 (선박법 §1의 2 ②)	① 총톤수 20톤 미만인 기선 및 범선 ② 총톤수 100톤 미만인 부선
동력수상레저기구 (수상레저안전법 §30)	① 수상오토바이 ② 선내기 또는 선외기인 모터보트로서 총톤수 20톤 미만 ③ 추진기관 30마력 이상의 고무보트(공기를 넣으면 부풀고 접어서 운반할 수 있는 고무보트 제외) ④ 총톤수 20톤 미만의 세일링요트

[*2] 자동차의 구분

구분		내용
용도	영업용	여객자동차 운수사업법 또는 화물자동차 운수사업법에 따라 면허(등록을 포함)를 받거나 건설기계관리법에 따라 건설기계대여업의 등록을 하고 일반의 수요에 제공하는 것
	비영업용	개인 또는 법인이 영업용 외의 용도에 제공하거나 국가 또는 지방공공단체가 공용으로 제공하는 것
목적	승용자동차	10인 이하를 운송하기에 적합하게 제작된 자동차
	승합자동차	11인 이상을 운송하기에 적합하게 제작된 자동차

구분		내용
	화물자동차	화물을 운송하기에 적합한 화물적재공간을 갖추고, 화물적재공간의 총적재화물의 무게가 운전자를 제외한 승객이 승차공간에 모두 탑승했을 때의 승객의 무게보다 많은 자동차
	특수자동차	다른 자동차를 견인하거나 구난작업 또는 특수한 용도로 사용하기에 적합하게 제작된 자동차로서 승용자동차·승합자동차 또는 화물자동차가 아닌 자동차
	이륜자동차	총배기량 또는 정격출력의 크기와 관계없이 1인 또는 2인의 사람을 운송하기에 적합하게 제작된 이륜의 자동차 및 그와 유사한 구조로 되어 있는 자동차
크기	경자동차	① 배기량이 1000cc 미만이고 ② 길이 3.6m, 너비 1.6m, 높이 2.0m 이하인 차량(국토교통부령)
	이륜자동차	① 총 배기량 125cc 이하 또는 ② 최고정격출력 12kW 이하인 이륜자동차
	위 외	위 경자동차 또는 이륜자동차가 아닌 자동차

[*3] 등록을 필요로 하지 않는 항공기(항공안전법 §7, 항공안전법시행령 §4)
　① 군 또는 세관에서 사용하거나 경찰업무에 사용하는 항공기
　② 외국에 임대할 목적으로 도입한 항공기로서 외국 국적을 취득할 항공기
　③ 국내에서 제작한 항공기로서 제작자 외의 소유자가 결정되지 아니한 항공기
　④ 외국에 등록된 항공기를 임차하여 법 제5조에 따라 운영하는 경우 그 항공기

　부동산 외 과세물건을 취득하는 경우 과세물건의 종류와 해당 과세물건의 세부 요건 등에 따라 2%에서 7%의 범위의 세율을 부담한다. 부동산 외 과세물건에 대한 지방교육세와 농어촌특별세의 적용은 부동산의 경우와 같다. 다만, 계산 결과가 0%이거나 농어촌특별세 비과세가 적용되어 위 표와 같이 과세물건 별로 부담세율에 차이가 있다.

(2) 중과세율

　취득세 중과세율은 일반세율보다 고율의 세금을 적용하는 것이며, 중과세율의 구성은 다음과 같다.

| 중과세율의 구성 |

중과세 사유	중과세율
1) 본점 등 중과세(지법 §13 ①) 　① 과밀억제권역 내 본점 사업용 건축물 신·증축 　② 과밀억제권역 등 내 공장 신·증설	표준세율 + 중과기준세율(2%) × 2
2) 지점 등 중과세(지법 §13 ②) 　① 대도시 내 법인설립·지점설치·대도시 전입 　② 대도시 내 공장 취득	표준세율 × 3 - 중과기준세율(2%) × 2
3) 사치성 재산 중과세(지법 §13 ⑤) 　① 별장(주거용 건축물 중 휴양·피서 등 용도) 　② 골프장(회원제 골프장용 부동산) 　③ 고급주택(특정 기준 초과 주거용 건축물) 　④ 고급오락장(도박장, 유흥주점영업장 등) 　⑤ 고급선박(특정 비업무용·자가용 선박)	표준세율 + 중과기준세율(2%) × 4
4) 중과세 동시 적용 　① 본점 중과세 + 지점 중과세(지법 §13 ⑥)	표준세율 × 3
② 지점 중과세 + 사치성 재산 중과세(지법 §13 ⑦)	표준세율 × 3 + 중과기준세율(2%) × 2

현행 취득세 중과세율 제도는 취득세와 등록세가 분리되었던 때의 취득세 중과대상과 등록세 중과대상을 통합하여 구성한 것이다.

1) 본점 등 중과세

지방세법 제13조 제1항에 따른 중과세율 적용대상은 ① 과밀억제권역 내 본점 사업용 건축물 신·증축에 따른 중과세와 ② 과밀억제권역 내 공장 신·증설에 따른 중과세로 구분할 수 있다.(이하 편의상 '본점 등 중과세'로 한다)

① 과밀억제권역 내 본점 사업용 건축물 신·증축 중과세

수도권정비계획법 제6조에 따른 과밀억제권역에서 본점·주사무소[11]의

---

11) 영리법인은 본점, 비영리법인은 주사무소라 함(이하 편의상 통칭하여 본점으로 칭함).

사업용으로 신축하거나 증축하는 건축물과 그 부속토지를 취득하는 경우 취득세 표준세율에 중과기준세율의 2배를 합한 세율을 적용한다.

중과기준세율은 지방세법에서 정하고 있는 용어로서 취득세 일반세율에 가감하거나 추후 설명할 특례세율의 기준이 되는 세율로서 2%의 세율을 말한다.

과밀억제권역 내 본점 사업용 건축물 신·증축 중과세 규정의 주요 내용은 다음과 같다.

| 과밀억제권역 내 본점 사업용 건축물 신·증축 중과세 |

구분		내용	비고
중과대상지역		수도권정비계획법 제6조에 따른 과밀억제권역 ① 서울특별시 전체 ② 인천광역시(인천경제자유지역, 남동 국가산업단지 등 일부 지역 제외) ③ 경기도(의정부시 등 경기도 중 14개 시에 한함)	[*1]
본점의 의미		경리, 인사, 연구, 연수, 재산관리업무 등 대외적인 거래와 직접적인 관련이 없는 내부적 업무만을 처리하는 장소	[*2]
중과세 대상	범위	① 본점의 사무소로 사용하는 부동산과 ② 그 부대시설용 부동산	[*3]
	제외	기숙사, 합숙소, 사택, 연수시설, 체육시설 등 복지후생시설과 예비군 병기고 및 탄약고는 본점 사업용 부동산 제외	
신축·증축		신축·증축하는 하는 원시취득에만 중과세 적용(매매 등 승계취득은 제외)	[*4]

[*1] 중과대상지역
　　본점 등 중과세 대상지역은 수도권정비계획법 제6조에 따른 과밀억제권역이다. 과밀억제권역은 인구와 산업이 지나치게 집중되었거나 집중될 우려가 있어 이전하거나 정비할 필요가 있는 지역이다. 과밀억제권역을 포함한 수도권의 구분은 다음과 같으며, 중과세율 규정에서 자주 사용된다.

| 수도권정비계획법 제6조 및 별표1에 따른 수도권 |

지역	수도권		
	과밀억제권역	성장관리권역	자연보전권역
서울특별시	전체	해당없음	해당없음
인천광역시	인천광역시 중 성장관리권역을 제외한 지역	강화군, 옹진군, 서구(대곡동, 블로동, 마전동, 금곡동, 오류동,왕길동, 당하동, 원당동), 인천경제자유구역(경제자유구역에서 해제된 지역을 포함), 남동 국가산업단지	해당없음
경기도	의정부시, 구리시, 하남시, 고양시, 수원시, 성남시, 안양시, 부천시, 광명시, 과천시, 의왕시, 군포시	동두천시, 안산시, 오산시, 평택시, 파주시, 연천군, 포천시, 양주시, 김포시, 화성시	이천시, 가평군, 양평군, 여주시, 광주시
용인시	해당없음	신갈동, 하갈동, 영덕동, 구갈동, 상갈동, 보라동, 지곡동, 공세동, 고매동, 농서동, 서천동, 언남동, 청덕동, 마북동, 동백동, 중동, 상하동, 보정동, 풍덕천동, 신봉동, 죽전동, 동천동, 고기동, 상현동, 성복동, 남사면, 이동면, 원삼면, 목신리, 죽릉리, 학일리, 독성리, 고당리, 문촌리	김량장동, 남동, 역북동, 삼가동, 유방동, 고림동, 마평동, 운학동, 호동, 해곡동, 포곡읍, 모현면, 백암면, 양지면, 원삼면 가재월리, 사암리, 미평리, 좌항리, 맹리, 두창리
남양주시	호평동, 평내동, 금곡동, 일패동, 이패동, 삼패동, 가운동, 수석동, 지금동, 도농동	별내동, 와부읍, 진전읍, 별내면, 퇴계원면, 진건읍, 오남읍	화도읍, 수동면, 조안면
시흥시	시흥시 중 성장관리권역을 제외한 지역	반월특수지역(반월특수지역에서 해제된 지역을 포함)	해당없음

지역	수도권		
	과밀억제권역	성장관리권역	자연보전권역
안성시	해당 없음	가사동, 가현동, 명륜동, 숭인동, 봉남동, 구포동, 동본동, 영동, 봉산동, 성남동, 창전동, 낙원동, 옥천동, 현수동, 발화동, 옥산동, 석정동, 서인동, 인지동, 아양동, 신흥동, 도기동, 계동, 중리동, 사곡동, 금석동, 당왕동, 신모산동, 신소현동, 신건지동, 금산동, 연지동, 대천동, 대덕면, 미양면, 공도읍, 원곡면, 보개면, 금광면, 서운면, 양성면, 고삼면, 죽산면, 두교리, 당목리, 칠장리, 삼죽면, 마전리, 미장리, 진촌리, 기솔리, 내강리	일죽면, 죽산면 죽산리, 용설리, 장계리, 매산리, 장릉리, 장원리, 두현리, 삼죽면, 용월리, 덕산리, 율곡리, 내장리, 배태리
지역의 의미	과밀억제권역	인구와 산업이 지나치게 집중되었거나 집중될 우려가 있어 이전하거나 정비할 필요가 있는 지역	
	성장관리권역	과밀억제권역으로부터 이전하는 인구와 산업을 계획적으로 유치하고, 산업의 입지와 도시의 개발을 적정하게 관리할 필요가 있는 지역	
	자연보전권역	한강 수계의 수질과 녹지 등 자연환경을 보전할 필요가 있는 지역	

[*2] 본점의 의미

본점은 경리, 인사, 연구, 연수, 재산관리업무 등 대외적인 거래와 직접적인 관련이 없는 내부적 업무만을 처리하는 장소를 의미한다. 본점 해당 여부를 판단할 때는 사업자등록증, 법인등기부등본 등 공부상 현황과 실제 어떻게 사용되는지 등 사실상 현황을 종합하여 법인의 본점으로서 주된 기능을 수행하는 장소인지를 판단해야 한다. 일반적으로 임직원이 상주하면서 기획, 재무, 경영전략, 총무, IT 등 법인의 전반적인 사업을 수행하고 있는 장소라면 본점 사업용 부동산으로 볼 수 있을 것이다.

> 지방세법 운영예규 법 13-5 [중과세 대상에 해당되지 않는 지점]
> 1. 본점 이외의 장소에서 경리, 인사, 연구, 연수, 재산관리업무 등 대외

> 적인 거래와 직접적인 관련이 없는 내부적 업무만을 처리하고 있는
> 경우는 지점이 아닌 본점에 해당된다.

지방세법에서는 본점 등 중과세 규정이 적용되는 본점 여부에 관하여 아래와 같이 예시하고 있다. 특히 건축물을 임차하여 본점으로 사용하는 경우는 취득자의 본점으로 사용하는 것이 아니므로 본점 등 중과세를 적용하지 않는다.

| 본점의 예시 |

본점 등 중과세 규정에 해당하는 본점	본점 등 중과세 규정에 해당하지 않는 본점
① 도시형공장을 영위하는 공장의 구내에서 본점용사무실을 증축하는 경우 ② 본점의 사무소전용 주차타워를 신·증축하는 경우 ③ 임대한 토지에 공장을 신설하여 운영하다가 같은 토지 내에 본점 사업용 건축물을 신·증축하는 경우 ④ 대도시 밖에 본점을 둔 법인이 대도시에 건축물을 건축물을 신·증축한 후 5년 이내에 법인의 경영에 필수적이고 중요한 본점의 부서 중 일부 부서가 입주하여 사무를 처리하는 경우 ⑤ 대도시 내에 본점을 가지고 있던 법인이 대도시 내에 건축물을 신·증축하여 기존 본점을 이전하는 경우	① 병원의 병실을 증축 취득하는 경우 ② 운수업체가 자동차운수사업법에 의한 차고용 토지만을 취득하는 경우 ③ 임대업자가 임대하기 위하여 취득한 부동산 ④ 당해 건축물을 임차하여 법인의 본점용으로 사용하는 경우

[*3] 중과세 대상(본점 사업용 부동산)

본점 등 중과세가 적용되는 본점의 사업용 부동산은 법인의 본점의 사무소로 사용하는 부동산과 그 부대시설용 부동산을 말한다. 부대시설은 주차장, 창고시설 등을 말하며 기숙사, 합숙소, 사택, 연수시설, 체육시설 등 복지후생시설과 예비군 병기고 및 탄약고는 중과세가 적용되는 본점의 부대시설용 부동산에 해당하지 않는다.

[*4] 신축 또는 증축

본점 등 중과세는 본점 사업용 건축물을 신축 또는 증축하는 원시취득의 경우에만 적용한다. 신축 또는 증축은 과밀억제권역 내 인구 및 산업의 밀집을 유발하기 때문이다. 반면 본점 사업용 건축물을 승계 취득할 때는 새로운 밀집을 유발하지 않으므로 본점 등 중과세를 적용하지 않는다.

② 과밀억제권역 등 내 공장 신·증설에 따른 중과세

과밀억제권역(산업집적활성화 및 공장설립에 관한 법률을 적용받는 산업단지 및 유치지역, 국토의 계획 및 이용에 관한 법률을 적용받는 공업지역은 제외)에서 공장을 신설하거나 증설하기 위하여 사업용 과세물건을 취득하는 경우 취득세 표준세율에 중과기준세율(2%)의 2배를 합한 세율을 적용한다.

과밀억제권역 등 내 공장 신·증설 중과세 규정의 주요 내용은 다음과 같다.

| 과밀억제권역 등 내 공장 신·증설 중과세 |

구분	내용		비고
중과대상지역	과밀억제권역(단, 산업단지, 유치지역, 공업지역은 제외)		[*1]
공장의 요건	요건	내용	[*2]
	업종	지방세법시행규칙 별표2의 업종을 영위(도시형 공장은 제외)	
	연면적	생산설비를 갖춘 건축물의 연면적이 500㎡ 이상	
중과세 대상	범위	① 신설하거나 증설하는 공장용 건축물과 그 부속토지 ② 과밀억제권역에서 공장을 신설·증설한 날부터 5년 이내에 취득하는 공장용 차량 및 기계장비	[*3]
	제외	① 기존 공장의 모든 생산설비를 포괄적으로 승계취득 ② 과밀억제권역의 기존 공장을 폐쇄하고 과밀억제권역의 다른 장소로 이전한 후 해당 사업을 계속 영위 ③ 기존 공장(승계 취득한 공장을 포함)의 업종을 변경 ④ 기존 공장을 철거 후 1년 이내에 같은 규모로 재축 ⑤ 새로 과밀억제권역으로 편입되는 지역은 편입	

구분	내용	비고
	되기 전에 공장설립 승인·건축허가를 받음 ⑥ 부동산 취득한 날부터 5년 이상 경과 후 공장을 신설·증설 ⑦ 차량 또는 기계장비를 노후 등의 사유로 대체 취득(기존의 차량 또는 기계장비를 매각하거나 폐기처분하는 날을 기준으로 그 전후 30일 이내에 취득하는 경우만 해당)	
신설·증설	공장을 신설·증설하는 원시취득에만 중과세 적용(매매 등 승계취득은 제외)	[*4]

[*1] 중과대상지역

과밀억제권역 내에서 공장을 신설 또는 증설하기 위하여 사업용 과세물건을 취득하는 경우 본점 등 중과세가 적용된다. 다만, ① 산업집적활성화 및 공장설립에 관한 법률을 적용받는 산업단지 및 ② 유치지역, ③ 국토의 계획 및 이용에 관한 법률을 적용받는 공업지역은 제외한다. 산업단지, 유치지역, 공업지역의 정의[12]는 다음과 같다.

| 산업단지, 유치지역, 공업지역의 의미 |

구분	내용		
개념	산업집적활성화 및 공장설립에 관한 법률(이하 '산업집적법') 및 산업입지 및 개발에 관한 법률(이하 '산업입지법')에 따라 지정 및 개발된 아래의 지역		
① 산업단지	구분	산업입지법	지정권자
	국가산업단지	§6	국토교통부장관
	일반산업단지	§7	① 대도시 시장 또는 시·도지사 ② 시장·군수·구청장(30만㎡ 미만)
	도시첨단산업단지	§7의 2	① 국토교통부장관 ② 대도시 시장 또는 시·도지사 ③ 시장·군수·구청장(10만㎡ 미만)
	농공단지	§8	① 특별자치도지사 ② 시장·군수·구청장

---

12) 산업단지, 유치지역, 공업지역은 수도권 과밀억제권역과 달리 법에서 별도로 지역을 열거하고 있지 않으므로 공부상 자료와 국토교통부, 산업통상자원부, 관할 시·군·구청의 자료 및 문의가 필요함.

구분	내용
② 유치지역	산업집적법에 따라 공장의 지방 이전 촉진 등 국가 정책상 필요한 산업단지를 조성하기 위한 목적으로 15만㎡ 규모 이상의 공장용지 조성이 필요한 경우, 산업통상자원부장관이 지정하여 고시하는 지역
③ 공업지역	국토의 계획 및 이용에 관한 법률에 따른 공업지역으로, 국토교통부장관, 시·도지사, 대도시 시장이 지정하는 지역

[*2] 공장의 요건

과밀억제권역 내 공장의 신·증설 중과세가 적용되는 공장은 업종요건과 연면적 요건을 모두 충족하는 공장을 말한다.

| 공장의 요건 |

요건	내용		
	구분	내용	비고
① 업종	범위	지방세법시행규칙 [별표2]에 규정된 업종의 공장	*
	제외	도시형 공장(산업집적법활성화 및 공장설립에 관한 법률 §28)	**
② 연면적	생산설비를 갖춘 건축물의 연면적(옥외에 기계장치 또는 저장시설이 있는 경우 그 시설의 수평투영면적을 포함)이 500㎡ 이상인 것		***

* 지방세법시행규칙 [별표2]에 규정된 업종

> 지방세법시행규칙 [별표2] 공장의 종류
> 1. 식료품 제조업
> 2. 음료 제조업
> 3. 담배 제조업
> 4. 섬유제품 제조업
> 5. 의복, 의복액세서리 및 모피제품 제조업
> 6. 가죽, 가방 및 신발 제조업
> 7. 목재 및 나무제품 제조업
> 8. 펄프, 종이 및 종이제품 제조업
> 9. 인쇄 및 기록매체 복제업
> 10. 코크스, 연탄 및 석유정제품 제조업
> 11. 화학물질 및 화학제품 제조업
> 12. 의료용 물질 및 의약품 제조업
> 13. 고무제품 및 플라스틱제품 제조업
> 14. 비금속 광물제품 제조업
> 15. 1차 금속 제조업
> 16. 금속가공제품 제조업

17. 전자부품, 컴퓨터, 영상, 음향 및 통신장비 제조업
18. 의료, 정밀, 광학기기 및 시계 제조업
19. 전기장비 제조업
20. 기타 기계 및 장비 제조업
21. 자동차 및 트레일러 제조업
22. 기타 운송장비 제조업
23. 가구 제조업
24. 기타 제품 제조업
25. 전기, 가스, 증기 및 공기조절 공급업
26. 수도사업
27. 비금속광물 광업
28. 자동차 및 모터사이클 수리업
29. 다음 각 목의 어느 하나에 해당하는 것은 제1호부터 제28호까지의 공장의 종류에서 제외한다.

다만, 가목부터 마목까지 및 아목은 법 제13조 제1항 및 제2항과 이 규칙 제7조에 따라 취득세를 중과세할 경우에는 국토의 계획 및 이용에 관한 법률 등 관계 법령에 따라 공장의 설치가 금지 또는 제한되지 아니한 지역에 한정하여 공장의 종류에서 제외하고, 법 제111조, 영 제110조 및 이 규칙 제55조에 따라 재산세를 중과세하는 경우, 법 제146조 · 영 제138조 및 이 규칙 제75조에 따라 지역자원시설세를 중과세하는 경우 및 지방세특례제한법 제78조에 따라 취득세 등을 감면하는 경우에는 공장의 종류에서 제외하지 아니한다.

가. 가스를 생산하여 도관에 의하여 공급하는 것을 목적으로 하는 가스업
나. 음용수나 공업용수를 도관에 의하여 공급하는 것을 목적으로 하는 상수도업
다. 차량 등의 정비 및 수리를 목적으로 하는 정비 · 수리업
라. 연탄의 제조 · 공급을 목적으로 하는 연탄제조업
마. 얼음제조업
바. 인쇄업(신문 등의 진흥에 관한 법률에 따라 등록된 신문 및 뉴스통신진흥에 관한 법률에 따라 등록된 뉴스통신사업에 한정)
사. 도관에 의하여 증기 또는 온수로 난방열을 공급하는 지역난방사업
아. 전기업 (변전소 및 송 · 배전소를 포함)

** 도시형 공장(중과세가 적용되지 않음) 범위

도시형 공장의 범위 (산업집적법 시행령 제34조)		
과밀억제권역 공장 중과세가 적용되지 않는 도시형 공장의 범위는 다음과 같다.		
구분	도시형 공장의 범위	비고
1	다음 중 어느 하나에 해당하는 공장 외의 공장(즉, 아래에 해당하면 중과세)	

구분	도시형 공장의 범위	비고
	① 대기환경보전법 제2조 제9호에 따른 특정대기유해물질을 배출하는 대기오염물질배출시설을 설치하는 공장	
	② 대기환경보전법 제2조 제11호에 따른 대기오염물질배출시설을 설치하는 공장으로서 같은 법 시행령 [별표 10]의 1종사업장부터 3종사업장까지에 해당하는 공장(단, 연료를 직접 사용하지 아니하는 공장은 제외)	(*1)
	③ 물환경보전법 제2조 제8호에 따른 특정수질유해물질을 배출하는 폐수배출시설을 설치하는 공장(단, 물환경보전법시행령 제33조 제2호에 따라 폐수를 전량 위탁처리하는 공장은 제외)	
	④ 물환경보전법 제2조 제10호에 따른 폐수배출시설을 설치하는 공장으로서 같은 법 시행령 [별표 13]의 1종사업장부터 4종사업장까지에 해당하는 공장	(*2)
2	별표 4에 해당하는 업종을 경영하는 공장으로서 위 1에 따른 공장에 해당하지 않는 공장(환경영향평가법 제22조에 따른 환경영향평가대상사업의 범위에 해당하는 공장만 해당)	(*3)

(*1) 대기환경보전법시행령 [별표10] 사업장별 환경기술인의 자격기준

구분	대기오염물질발생량 합계	환경기술인의 자격기준
1종 사업장	연간 80톤 이상	대가환경기사 이상 기술자격 소지자 1명 이상
2종 사업장	연간 20톤 이상 80톤 미만	대가환경기사 이상 기술자격 소지자 1명 이상
3종 사업장	연간 10톤 이상 20톤 미만	대기환경산업기사 이상 기술자격 소지자, 환경기능사 또는 3년 이상 대기분야 환경관련 업무에 종사한 자 1명 이상
4종 사업장	연간 2톤 이상 10톤 미만	배출시설 설치허가를 받거나 배출시설 설치신고가 수리된 자 또는 배출시설 설치허가를 받거나 수리된 자가 해당 사업장 배출시설 및 방지시설 업무에 종사하는 피고용인 중에서 임명하는 자 1명 이상
5종 사업장	1종사업장부터 4종사업장까지에 속하지 않는 사업장	

(*2) 대기환경보전법시행령 [별표13] 사업장별 환경기술인의 자격기준

종류	배출규모
제1종 사업장	1일 폐수배출량이 2,000㎥ 이상인 사업장
제2종 사업장	1일 폐수배출량이 700㎥ 이상, 2,000㎥ 미만인 사업장
제3종 사업장	1일 폐수배출량이 200㎥ 이상, 700㎥ 미만인 사업장

종류	배출규모
제4종 사업장	1일 폐수배출량이 50㎥ 이상, 200㎥ 미만인 사업장
제5종 사업장	위 제1종부터 제4종까지의 사업장에 해당하지 아니하는 배출시설

(*3) 산업집적활성화 및 공장설립에 관한 법률 시행령 [별표4] 해당 업종

분류번호	업종명
26110	전자집적회로 제조업
26120	다이오드, 트랜지스터 및 유사 반도체소자 제조업
26211	액정 평판 디스플레이 제조업
26294	전자카드 제조업
26296	전자접속카드 제조업
26322	컴퓨터 모니터 제조업
26323	컴퓨터 프린터 제조업
26329	기타 주변기기 제조업
26410	유선통신장비 제조업
26421	방송장비 제조업
26422	이동전화기 제조업
26429	기타 무선 통신장비 제조업
26511	텔레비전 제조업
26519	비디오 및 기타 영상기기 제조업
26521	라디오, 녹음 및 재생기기 제조업
26529	기타 음향기기 제조업
27329	기타공학기기 제조업
31310	항공기, 우주선 및 보조장치 제조업

***연면적의 범위

구분	내용
포함	해당 공장의 제조시설을 지원하기 위하여 공장 경계구역 안에 설치되는 부대시설을 포함
제외	아래의 시설은 연면적에 포함하지 않음 ① 식당, 휴게실, 목욕실, 세탁장, 의료실, 옥외 체육시설, 기숙사 등 종업원의 후생복지증진에 제공되는 시설 ② 대피소, 무기고, 탄약고, 교육시설

[*3] 중과세 대상
공장을 신설하거나 증설하기 위하여 사업용 과세물건을 취득하는 경우 본점 등 중과세 규정이 적용된다. 사업용 과세물건은 다음과 같다.

| 공장 신·증설 관련 사업용 과세물건 |

사업용 과세물건		범위
1	공장용 건축물과 부속토지	과밀억제권역(산업단지, 유치지역, 공업지역 제외)에서 공장을 신설하거나 증설하는 경우 신설하거나 증설하는 공장용 건축물과 그 부속토지
2	공장용 차량 및 기계장비	과밀억제권역에서 공장을 신설하거나 증설(건축물 연면적의 20% 이상을 증설하거나, 건축물 연면적 330㎡를 초과하여 증설하는 경우만 해당)[*]한 날부터 5년 이내에 취득하는 공장용 차량 및 기계장비

[*] 증설에 해당하는 경우
① 공장용으로 쓰는 건축물의 연면적 또는 그 공장의 부속토지 면적을 확장하는 경우
② 해당 과밀억제권역 안에서 공장을 이전하는 경우에는 종전의 규모를 초과하여 시설하는 경우
③ 레미콘제조공장 등 차량 또는 기계장비 등을 주로 사용하는 특수업종은 기존 차량 및 기계장비의 20% 이상을 증가하는 경우

단, 다음 중 어느 하나에 해당하는 경우 본점 등 중과세 규정을 적용하지 않는다.

| 공장 중과세 제외사유 |

구분	중과세 사유	내용
1	포괄적 승계취득	기존 공장의 기계설비 및 동력장치를 포함한 모든 생산설비를 포괄적으로 승계취득하는 경우
2	기존 공장 폐쇄 후 이전	해당 과밀억제권역에 있는 기존 공장을 폐쇄하고 해당 과밀억제권역의 다른 장소로 이전한 후 해당 사업을 계속하는 경우(타인 소유의 공장을 임차하여 경영하던 자가 그 공장을 신설한 날부터 2년 이내에 이전하는 경우 및 서울특별시 외의 지역에서 서울특별시로 이전하는 경우에는 중과세)
3	업종 변경	기존 공장(승계취득한 공장을 포함)의 업종을 변경하는 경우
4	기존 공장 철거 후 1년 이내 재축	기존 공장을 철거한 후 1년 이내에 같은 규모로 재축(건축공사에 착공한 경우를 포함)하는 경우

구분	중과세 사유	내용
5	과밀억제권역 편입 전 승인 등을 받은 공장	행정구역변경 등으로 새로 과밀억제권역으로 편입되는 지역은 편입되기 전에 산업집적활성화 및 공장설립에 관한 법률 제13조에 따른 공장설립 승인 또는 건축허가를 받은 경우
6	취득 후 5년 경과한 공장의 신설·증설	부동산을 취득한 날부터 5년 이상 경과한 후 공장을 신설거나 증설하는 경우
7	노후 등에 따른 대체취득	차량 또는 기계장비를 노후 등의 사유로 대체취득하는 경우(기존의 차량 또는 기계장비를 매각하거나 폐기처분하는 날을 기준으로 그 전후 30일 이내에 취득하는 경우만 해당)

[*4] 공장을 신설·증설하기 위한 취득(원시취득)
과밀억제권역 등 내 공장 중과세 규정은 공장을 신설·증설하기 위한 사업용 과세물건의 취득, 즉 원시취득에만 적용된다. 승계취득이 적용되지 않는 것은 본점 사업용 건축물 중과세 규정에서 설명한 논리와 같다.

2) 지점 등 중과세

지방세법 제13조 제2항에 따른 중과세율 적용대상은 ① 대도시 내 법인설립·지점설치·대도시 전입에 따른 부동산 취득과 ② 대도시 내 공장 취득으로 구분할 수 있다. 이하 편의상 지방세법 제 13조 제2항에 따른 중과세를 '지점 등 중과세'로 한다.

① 대도시 내 법인설립·지점설치·대도시 전입에 따른 부동산 취득

대도시에서 ① 법인을 설립(휴면법인 인수 포함)하거나 ② 지점·분사무소[13)]를 설치하는 경우 및 ③ 법인의 본점·지점을 대도시 밖에서 대도시로 전입함에 따라 대도시의 부동산을 취득(그 설립·설치·전입 이후의 부동산 취득을 포함)하는 경우 취득세 표준세율의 3배에서 중과기준세율(2%)의 2배를 뺀 세율을 적용한다.

대도시 내 법인설립·지점설치·대도시 전입 중과세 규정의 주요 내용은 다음과 같다.

---

13) 영리법인은 지점, 비영리법인은 분사무소라 함(이하 편의상 통칭하여 지점으로 칭함).

| 대도시 내 법인설립 · 지점설치 및 대도시 전입 중과세 |

구분	내용		비고
중과대상 지역	과밀억제권역에서 산업단지를 제외한 지역(이하 '대도시')		[*1]
중과세 대상	법인설립	대도시 내 법인설립(휴면법인 인수 포함)	[*2]
	지점설치	대도시 내 지점설치	[*3]
	대도시 전입	대도시 밖에서 대도시로 법인 본점 · 지점을 전입	[*4]
부동산 범위	설립 · 설치 · 전입이전의 취득	법인 본점 · 지점의 용도로 직접 사용하기 위한 부동산	[*5]
	설립 · 설치 · 전입이후의 취득	설립 · 설치 · 전입 이후 5년 이내에 하는 업무용 · 비업무용 또는 사업용 · 비사업용의 모든 부동산	
중과세 제외	① 대도시 중과 제외 업종에 직접 사용할 목적으로 취득하는 부동산 ② 사원주거용 목적 부동산(지방세법 개정으로 2020.8.2. 이후 삭제)		[*6]
중과세 추징	추징 사유	① 정당한 사유 없이 부동산 취득일부터 1년이 경과할 때까지 대도시 중과 제외 업종에 직접 사용하지 아니하는 경우 ② 정당한 사유 없이 부동산 취득일부터 1년이 경과할 때까지 사원주거용 목적 부동산으로 직접 사용하지 않는 경우(2020.8.2. 이후 삭제) ③ 부동산 취득일부터 1년 이내에 다른 업종 · 용도에 사용 · 겸용하는 경우 ④ 부동산 취득일부터 2년 이상 해당 업종 · 용도에 직접 사용하지 아니하고 매각하는 경우 ⑤ 부동산 취득일부터 2년 이상 해당 업종 · 용도에 직접 사용하지 않고 다른 업종 · 용도에 사용 · 겸용하는 경우	[*7]
	추징 예외	대도시 중과 제외 업종 중 임대가 불가피하다고 인정되는 아래 업종은 직접 사용하는 것으	

구분	내용	비고
	로 보아 중과세 추징하지 않음 ① 전기통신사업(전기통신사업법에 따른 전기통신사업자가 같은 법 제41조에 따라 전기통신설비 또는 시설을 다른 전기통신사업자와 공동으로 사용하기 위하여 임대하는 경우로 한정) ② 유통산업, 농수산물도매시장·농수산물공판장·농수산물종합유통센터·유통자회사 및 가축시장(유통산업발전법 등 관계법령에 따라 임대가 허용되는 매장 등의 전부 또는 일부를 임대하는 경우 임대하는 부분에 한정)	

[*1] 대도시

지방세법 제13조 제1항에서 사용되는 과밀억제권역과 지방세법 제13조 제2항에서 사용하는 대도시는 다른 용어이다. 대도시는 수도권정비계획법 제6조에 따른 과밀억제권역 중 산업집적활성화 및 공장설립에 관한 법률에 따른 산업단지를 제외한 지역이다. 즉, 대도시는 과밀억제권역보다 그 범위가 좁다.

| 과밀억제권역 vs 대도시 |

구분	본점 등 중과세	지점 등 중과세
중과대상지역	과밀억제권역	대도시(＝과밀억제권역 – 산업단지)
근거	지방세법 제13조 제1항	지방세법 제13조 제2항

[*2] 대도시 내 법인설립(휴면법인 인수 포함)

대도시에서 법인을 설립함에 따라 대도시 내 부동산을 취득하는 경우 지점 등 중과세가 적용된다. 이때 휴면법인을 인수하는 것도 법인의 설립으로 본다. 대도시 내에서 법인을 설립하지 않고 대도시 내 휴면법인을 인수하는 형식으로 취득세 중과세 부담을 회피하는 행위를 막기 위한 규정이다.

| 휴면법인 |

구분	내용
휴면법인 범위	다음 중 어느 하나에 해당하는 법인 ① 상법에 따라 해산한 법인(해산법인) ② 상법에 따라 해산한 것으로 보는 법인(해산간주법인) ③ 부가가치세법 시행령 제13조에 따라 폐업한 법인(폐업법인)

구분	내용
	④ 법인 인수일 이전 1년 이내에 상법 §229, §285, §521조의 2, §611에 따른 계속등기를 한 해산법인 또는 해산간주법인 ⑤ 법인 인수일 이전 1년 이내에 다시 사업자등록을 한 폐업법인 ⑥ 법인 인수일 이전 2년 이상 사업 실적이 없고, 인수일 전후 1년 이내에 인수법인 임원의 50% 이상을 교체한 법인
취득 시점	최초로 휴면법인의 과점주주가 된 때 휴면법인을 인수한 것으로 봄

중과세 적용 범위	구분	내용
	2018.1.1. 이후	휴면법인의 부동산 전체에 중과세 적용(과점주주 지분율 무관)
	2017.12.31. 이전	휴면법인의 부동산 중 과점주주 지분율만큼 중과세 적용

[*3] 지점의 요건

지점 등 중과세가 적용되는 지점은 법인세법 제111조, 소득세법 제168조, 부가가치세법 제8조에 따른 등록대상 사업장으로서, 인적 및 물적 설비를 갖추고 계속하여 사무 또는 사업이 행하여지는 장소이다. 다만, 다음 3가지 장소는 지점 등 중과세를 적용하는 지점으로 보지 않는다.

① 영업행위가 없는 단순한 제조 · 가공장소
② 물품의 보관만을 하는 보관창고
③ 물품의 적재와 반출만을 하는 하치장

지점의 첫 번째 요건은 '등록대상'이 되는 사업장 등이다. 취득 시점에 사업장으로 등록되어 있지 않더라도 등록의 대상이 된다면 지점에 해당한다. 2013.12.31. 이전에는 '등록된' 사업장만 지점 등 중과세를 적용하였다. 그런데 실제로는 사업장으로 사용하면서 사업자등록을 하지 않는 방법으로 지점 등 중과세 규정을 회피하는 경우가 발생하였다. 이에 따라 2014.1.1. 이후에는 사업장으로 등록되지 않았더라도 등록대상이 된다면 지점 등 중과세를 적용하는 것으로 지방세법이 개정되었다.

지점의 두 번째 요건은 인적 설비와 물적 설비를 갖추고 계속하여 사무 또는 사업을 수행하는 장소이다. 쉽게 말해 업무를 하는 사람과 업무에 필요한 물리적 시설을 갖추어야 한다는 것이다.

인적 설비는 계약 형태나 형식에 불구하고 해당 장소에서 그 사업에 종사 또는 근로를 제공하는 자이며, 고용형식이 반드시 해당 법인에 직속되는 형태가 아니라도 적어도 해당 법인의 지휘 및 감독 아래 인원이 상주하는 것을 의미한다.[14]

물적 설비는 허가와 관계없이 현실적으로 사업이 이루어지고 있는 건축물, 기계장치

---

14) 대법원 2008두18496, 2011.6.10. 참조

등이 있고 이러한 설비들이 사업장에 고착되어 현실적으로 사무 또는 사업에 이용되는 것을 말한다. 예를 들어 사무실 형태의 공간을 갖추고 해당 사무실 내에 책상, 컴퓨터 등 사무 또는 사업을 수행하기 위한 시설이 있다면 물적 설비를 갖춘 것이다.

| 지점의 범위 |

구분	내용		
지점의 요건	다음의 요건을 모두 갖춘 사업장 ① 등록대상이 되는 사업장으로서(등록된 사업장만 지점으로 중과세하는 것이 아님) ② 인적 설비와 물적 설비를 갖추고 계속하여 사무 또는 사업을 수행하는 장소		
	구분	**내용**	
	인적 설비	• 계약형식 등에 불구하고 사업장에서 그 사업에 종사 또는 근로를 제공하는 자 • 고용형식이 반드시 해당 법인에 직속되는 형태가 아니라도 적어도 해당 법인의 지휘·감독 아래 인원이 상주하는 것	
	물적 설비	• 실제 사업이 이루어지고 있는 건축물, 기계장치 등이 있고 이러한 설비들이 지상에 고착되어 사무 또는 사업에 이용되는 것	
지점으로 보지 않는 것	① 영업행위가 없는 단순한 제조·가공장소 ② 물품의 보관만을 하는 보관창고 ③ 물품의 적재와 반출만을 하는 하치장		
지점의 예시 (지방세법 운영예규)	**구분**	**내용**	
	중과세 대상 지점	① 설립 후 5년이 경과된 법인이 임차하여 사용하던 본점을 이전하고 그 임차건물에 지점을 설치한 후 그 임차건물을 취득한 경우 ② 법인이 자연인으로부터 영업 일체를 양수하여 그 사업장 위에 지점을 설치한 후 종전과 동일한 사업을 영위하는 경우	
	중과세 제외 지점	① 본점 이외의 장소에서 경리, 인사, 연구, 연수, 재산관리업무 등 대외적인 거래와 직접적인 관련이 없는 내부적 업무만을 처리하고 있는 경우는 지점이 아닌 본점에 해당함 ② 공유 부동산을 분할함에 따른 취득(당초 지분을 초과하는 부분은 중과세)	

[*4] 대도시 밖에서 대도시 내로 법인 전입

법인의 본점 및 지점을 대도시 밖에서 대도시로 전입함에 따라 대도시의 부동산을 취득하는 경우 지점 등 중과세가 적용된다. 이때 수도권정비계획법 제2조에 따른 수도권(서울특별시, 인천광역시, 경기도)의 경우에는 서울특별시 외의 지역에서 서울특별시로의 전입도 대도시로의 전입으로 본다.

> ### 김회계사의 Tip
>
> ○ 서울특별시로의 전입은 모두 중과세하겠어요!
>
> 인천광역시와 경기도 중 과밀억제권역에 해당하는 지역은 이미 대도시(과밀억제권역에서 산업단지를 제외한 지역)입니다. 따라서 해당 지역의 법인의 본점·지점을 서울특별시로 전입하는 것은 대도시 밖에서 대도시 내로의 전입이 아닙니다. 엄밀히 말하면 대도시 간 이동입니다. 그럼에도 서울특별시 외의 지역에서 서울특별시로의 전입은 대도시로의 전입으로 간주하여 지점 등 중과세를 적용하고 있습니다.
>
> 예를 들어 대전광역시에서 성남시로 법인의 본점을 이전하여 성남시의 부동산을 취득하면 지점 등 중과세가 적용됩니다. 이후 본점을 다시 성남시에서 서울특별시로 이전하면 다시 한 번 지점 등 중과세가 적용됩니다. 성남시에서 서울특별시로의 이전은 대도시 밖에서 대도시 내로의 전입이 아니지만(성남시가 이미 대도시이므로), 서울특별시 외의 지역에서 서울특별시로의 이전도 대도시로의 전입으로 보기 때문입니다.
>
> 한마디로 말하면 서울특별시로 들어오는 법인은 모두 지점 등 중과세를 적용하겠다는 의미입니다.

[*5] 취득의 범위

① 법인설립·지점설치·대도시 이전(이하 '설립·설치·전입')시점과 ② 부동산 취득시점의 선후 관계에 따라 지점 등 중과세가 적용되는 부동산의 범위가 다르다.

설립·설치·전입 이전에 취득하는 부동산은 법인 또는 사무소 등이 법인의 본점·지점의 용도로 직접 사용하기 위한 부동산 취득을 말한다.

설립·설치·전입 이후에 취득하는 부동산은 법인 또는 사무소등이 설립·설치·전입 이후 5년 이내에 하는 업무용·비업무용 또는 사업용·비사업용의 모든 부동산 취득으로 한다. 이 경우 부동산 취득에는 공장의 신설·증설, 공장의 승계취득, 해당 대도시에서의 공장 이전 및 공장의 업종 변경에 따르는 부동산 취득을 포함한다.

| 설립 · 설치 · 전입 전후의 취득에 대한 중과세 적용 |

구분	설립 · 설치 · 전입 이전에 취득하는 부동산	설립 · 설치 · 전입 이후에 취득하는 부동산
중과세 대상	본점 · 지점의 용도로 직접 사용하기 위한 부동산	업무용 · 비업무용 또는 사업용 · 비사업용의 모든 부동산
기간	설립 · 설치 · 전입 이전 5년 이내의 취득	설립 · 설치 · 전입 이후 5년 이내 의 취득
기준일	① 법인설립 : 설립등기일 ② 지점설치 : 사실상의 설치일 ③ 대도시 전입 : 사실상의 전입일	좌동
근거법령	• 지방세법시행령 §27 ③ • 지방세법 §16 ④ • 지방세법시행령 §31	• 지방세법시행령 §27 ③

김회계사의 Tip

○ 전후 5년의 근거

① 설립 · 설치 · 전입 이전 5년 이내 본점 · 지점의 용도로 직접 사용하기 위한 부동산 취득과 ② 설립 · 설치 · 전입 이후 5년 이내의 모든 부동산의 취득에 대하여 지점 등 중과세 규정을 적용합니다.

지점 등 중과세가 적용되는 부동산의 범위를 규정하고 있는 지방세법시행령 제27조 제3항을 살펴보면 설립 · 설치 · 전입 이후의 시간적 범위는 5년으로 설명하고 있습니다. 반면 설립 · 설치 · 전입 이전에 대하여는 그 구체적인 시기가 없습니다. 그래서 질문을 많이 받았습니다. "설립 · 설치 · 전입 이전의 5년은 어디에 그 표현이 있나요?" 설립 · 설치 · 전입 이전의 5년은 지방세법 제16조 제4항과 지방세법시행령 제31조의 규정을 통해서 확인할 수 있습니다.

지방세법 제16조 제4항 및 지방세법시행령 제31조에 따르면 부동산을 취득한 날부터 5년 이내에 지방세법 제13조 제2항에 따른 지점 등 중과세 대상이 되는 경우에는 해당 중과세율을 적용하여 취득세를 추징한다고 규정하고 있습니다.

즉, 설립 · 설치 · 전입 이전에 부동산을 취득하면 처음에는 일반세율을 적용합니다. 이때에는 본점이나 지점의 요건을 갖추고 있지 못할 것이기 때문입니다. 이후 5년 이내에 해당 부동산을 본점 · 지점의 용도로 직접 사용하게 되면 그때는 지점 등 중과세 적용대상이 되기 때문에 중과세율에서 기존 일반세율을 차감한 부분을 추징하게 됩니다.

결국 대도시 내 설립·설치·이전일을 기준으로 5년 이전에 취득한 부동산 중 법인 또는 사무소 등이 본점·지점의 용도로 직접 사용하기 위한 부동산은 중과세가 적용되는 것입니다.

[*6] 중과세 적용 제외

대도시에 설치가 불가피하다고 인정되는 업종(이하 '대도시 중과 제외 업종')에 직접 사용할 목적으로 부동산을 취득하는 경우에는 지점 등 중과세가 적용되지 않는다. 해당 부동산의 취득은 대도시 내 인구 및 산업의 밀집을 유발하지만, 해당 부동산으로 인해 국민의 편익이 증가하거나 국가 기반시설이 확충된다고 인정하는 업종에 대하여는 지점 등 중과세를 적용하지 않는 것이다.

한편 사원주거용 목적 부동산(법인이 사원에 대한 분양 또는 임대용으로 직접 사용할 목적으로 취득하는 주거용 부동산으로서 건축물 1구 연면적이 60㎡ 이하인 공동주택 및 그 부속토지)을 취득하는 경우 지점 등 중과세를 적용하지 않았다. 2020.8.2. 지방세법 개정으로 법인이 취득하는 부동산에 대한 과세를 강화하면서 사원주거용 목적 부동산에 대한 중과세 적용 제외 규정은 삭제되었다.[15]

대도시 중과 제외 업종의 종류와 업종별 상세 내용은 다음과 같다.

| 대도시 중과 제외 업종 |

	구분	내용	비고
1	사회기반시설 사업	① 사회기반시설에 대한 민간투자법 제2조 제2호의 사회기반시설사업 ② 사회기반시설에 대한 민간투자법 제2조 제8호의 부대사업	(*1)
2	은행업	한국은행법 및 한국수출입은행법에 따른 은행업	
3	해외건설업 및 주택건설사업	① 해외건설촉진법에 따라 신고된 해외건설업(해당 연도에 해외건설 실적이 있는 경우로서 해외건설에 직접 사용하는 사무실용 부동산만 해당) ② 주택법 제4조에 따라 국토교통부에 등록된 주택건설사업(주택건설용으로 취득한 후 3년 이내에 주택건설에 착공하는 부동산만 해당)	

---

15) 법인 및 국내에 주택을 1개 이상 소유하고 있는 1세대가 2020.7.10. 이전에 주택에 대한 매매계약(공동주택 분양계약을 포함)을 체결한 경우에는 그 계약을 체결한 당사자의 해당 주택의 취득에 대하여 종전의 중과세 제외 규정을 적용함(단, 해당 계약이 계약금을 지급한 사실 등이 증빙서류에 의하여 확인되는 경우에 한정).

구분		내용	비고
4	전기통신사업	**업종** 전기통신사업법 제5조에 따른 전기통신사업	(*2)
		비고 (임대) 전기통신사업은 임대의 경우에도 직접 사용하는 것으로 봄(다만, 전기통신사업법에 따른 전기통신사업자가 같은 법 제41조에 따라 전기통신설비 또는 시설을 다른 전기통신사업자와 공동으로 사용하기 위하여 임대하는 경우로 한정)	
5	첨단기술사업 등	① 산업발전법에 따라 산업통상자원부장관이 고시하는 첨단기술산업[16] ② 산업집적활성화 및 공장설립에 관한 법률 시행령 [별표1] 제2호 마목에 따른 첨단업종	(*3)
6	유통산업	**업종** ① 유통산업발전법에 따른 유통산업 ② 농수산물유통 및 가격안정에 관한 법률에 따른 농수산물도매시장·농수산물공판장·농수산물종합유통센터·유통자회사 ③ 축산법에 따른 가축시장	
		비고 (임대) 임대의 경우에도 직접 사용하는 것으로 봄(유통산업발전법 등 관계 법령에 따라 임대가 허용되는 매장 등의 전부 또는 일부를 임대하는 경우 임대하는 부분에 한정)	
7	운송사업, 창고업	① 여객자동차 운수사업법에 따른 여객자동차운송사업 ② 화물자동차 운수사업법에 따른 화물자동차운송사업 ③ 물류시설의 개발 및 운영에 관한 법률 제2조 제3호에 따른 물류터미널사업 ④ 물류정책기본법 시행령 제3조 및 [별표1]에 따른 창고업	(*4) (*5)
8	정부출자법인이 경영하는 사업	정부출자법인 또는 정부출연법인(국가나 지방자치단체가 납입자본금 또는 기본재산의 20% 이상을 직접 출자 또는 출연한 법인만 해당)이 경영하는 사업	
9	의료업	의료법 제3조에 따른 의료업	
10	개인경영 제조업	개인이 경영하던 제조업(소득세법 제19조 제1항 제3호) • 대도시에서 부가가치세법 또는 소득세법에 따른 사업자등록을 하고 5년 이상 제조업을 경영한 개	

구분		내용	비고
		인기업이 그 대도시에서 법인으로 전환하는 경우의 기업만 해당 • 법인전환에 따라 취득한 부동산의 가액(지방세법 제4조 시가표준액)이 법인전환 전의 부동산가액을 초과하는 경우 그 초과 부분과 법인으로 전환한 날 이후에 취득한 부동산은 중과세를 적용함	
11	자원재활용 업종	산업집적활성화 및 공장설립에 관한 법률 시행령 [별표1] 제3호 가목에 따른 자원재활용업종	(*6)
12	소프트웨어 사업	① 소프트웨어산업 진흥법 제2조 제3호에 따른 소프트웨어사업 ② 소프트웨어산업 진흥법 제27조에 따라 설립된 소프트웨어공제조합이 소프트웨어산업을 위하여 수행하는 사업	
13	문화예술시설 운영사업	공연법에 따른 공연장 등 문화예술시설 운영사업	
14	방송사업 등	① 방송법 제2조 제2호에 따른 방송사업(지상파방송사업, 종합유선방송사업, 위성방송사업, 방송채널사용사업) ② 방송법 제2조 제5호에 따른 중계유선방송사업 ③ 방송법 제2조 제8호에 따른 음악유선방송사업 ④ 방송법 제2조 제11호에 따른 전광판방송사업 ⑤ 방송법 제2조 제13호에 따른 전송망사업	(*7)
15	과학관시설 운영사업	과학관의 설립·운영 및 육성에 관한 법률에 따른 과학관시설운영사업	
16	도시형 공장	산업집적활성화 및 공장설립에 관한 법률 제28조에 따른 도시형공장을 경영하는 사업	
17	중소기업 창업지원 사업	중소기업창업 지원법 제10조에 따라 등록한 중소기업창업투자회사가 중소기업창업 지원을 위하여 수행하는 사업(법인설립 후 1개월 이내에 같은 법에 따라 등록하는 경우만 해당)	
18	석탄산업 합리화 사업	광산피해의 방지 및 복구에 관한 법률 제31조에 따라 설립된 한국광해관리공단이 석탄산업합리화를 위하여 수행하는 사업	
19	소비자 보호사업	소비자기본법 제33조에 따라 설립된 한국소비자원이 소비자 보호를 위하여 수행하는 사업	
20	건설 관련 공제조합의 사업	건설산업기본법 제54조에 따라 설립된 공제조합이 건설업을 위하여 수행하는 사업	

	구분	내용	비고
21	엔지니어링 관련 공제조합의 사업	엔지니어링산업 진흥법 제34조에 따라 설립된 공제조합이 그 설립 목적을 위하여 수행하는 사업	
22	주택도시 보증 공사의 사업	주택도시기금법에 따른 주택도시보증공사가 주택건설업을 위하여 수행하는 사업	
23	할부금융업	여신전문금융업법 제2조 제12호에 따른 할부금융업	
24	실내경기장 등 운영업	통계법 제22조에 따라 통계청장이 고시하는 한국표준산업분류에 따른 실내경기장·운동장·야구장 운영업	
25	기업구조조정 전문회사의 사업	산업발전법 제14조에 따라 등록된 기업구조조정전문회사가 그 설립 목적을 위하여 수행하는 사업(법인설립 후 1개월 이내에 같은 법에 따라 등록하는 경우만 해당)	
26	청소년단체 등의 목적사업	① 지방세특례제한법 제21조 제1항에 따른 청소년단체 ② 지방세특례제한법 제45조에 따른 학술단체와 장학법인 ③ 지방세특례제한법 제52조에 따른 문화예술단체·체육단체가 그 설립 목적을 위하여 수행하는 사업	(*8)
27	중소벤처기업의 사업	중소기업진흥에 관한 법률 제69조에 따라 설립된 회사가 경영하는 사업	
28	주택정비사업 등	① 도시 및 주거환경정비법 제35조 또는 빈집 및 소규모주택 정비에 관한 특례법 제23조에 따라 설립된 조합이 시행하는 도시 및 주거환경정비법 제2조 제2호의 정비사업 ② 빈집 및 소규모주택 정비에 관한 특례법 제2조 제1항 제3호의 소규모주택정비사업	(*9) (*10)
29	보상금지급책임 보험사업 등	방문판매 등에 관한 법률 제38조에 따라 설립된 공제조합이 경영하는 보상금지급책임의 보험사업 등 같은 법 제37조 제1항 제3호에 따른 공제사업	
30	한국주택금융공사의 사업	한국주택금융공사법에 따라 설립된 한국주택금융공사가 같은 법 제22조에 따라 경영하는 사업	(*11)
31	주택임대사업	민간임대주택에 관한 특별법 제5조에 따라 등록을 한 임대사업자, 공공주택 특별법 제4조에 따라 지정된 공공주택사업자가 경영하는 주택임대사업	
32	전기공사공제조합의 사업	전기공사공제조합법에 따라 설립된 전기공사공제조합이 전기공사업을 위하여 수행하는 사업	

	구분	내용	비고
33	소방산업공제 조합의 사업	소방산업의 진흥에 관한 법률 제23조에 따른 소방산 업공제조합이 소방산업을 위하여 수행하는 사업	
34	기술혁신형 중소기업의 사업	중소기업 기술혁신 촉진법 제15조 및 같은법 시행 령 제13조에 따라 기술혁신형 중소기업으로 선정된 기업이 경영하는 사업(법인 본점·지점을 대도시 밖에서 대도시로 전입하는 경우는 제외)	

(*1) 사회기반시설사업 및 부대사업

사회기반시설에 대한 민간투자법 제2조 [정의]

1. "사회기반시설"이란 각종 생산활동의 기반이 되는 시설, 해당 시설의 효용을 증진
시키거나 이용자의 편익을 도모하는 시설 및 국민생활의 편익을 증진시키는 시설
로서, 다음 각 목의 어느 하나에 해당하는 시설을 말한다.
    가. 「도로법」 제2조 제1호 및 제2호에 따른 도로 및 도로의 부속물
    나. 「철도사업법」 제2조 제1호에 따른 철도
    다. 「도시철도법」 제2조 제2호에 따른 도시철도
    라. 「항만법」 제2조 제5호에 따른 항만시설
    마. 「공항시설법」 제2조 제7호에 따른 공항시설
    바. 「댐건설 및 주변지역지원 등에 관한 법률」 제2조 제2호에 따른 다목적댐
    사. 「수도법」 제3조 제5호에 따른 수도 및 「물의 재이용 촉진 및 지원에 관한 법
        률」 제2조 제4호에 따른 중수도
    아. 「하수도법」 제2조 제3호에 따른 하수도, 같은 조 제9호에 따른 공공하수처리
        시설, 같은 조 제10호에 따른 분뇨처리시설 및 「물의 재이용 촉진 및 지원에
        관한 법률」 제2조 제7호에 따른 하·폐수처리수 재이용시설
    자. 「하천법」 제2조 제3호에 따른 하천시설
    차. 「어촌·어항법」 제2조 제5호에 따른 어항시설
    카. 「폐기물관리법」 제2조 제8호에 따른 폐기물처리시설
    타. 「전기통신기본법」 제2조 제2호에 따른 전기통신설비
    파. 「전원개발촉진법」 제2조 제1호에 따른 전원설비
    하. 「도시가스사업법」 제2조 제5호에 따른 가스공급시설
    거. 「집단에너지사업법」 제2조 제5호에 따른 집단에너지시설
    너. 「정보통신망 이용촉진 및 정보보호 등에 관한 법률」 제2조 제1항 제1호에 따
        른 정보통신망
    더. 「물류시설의 개발 및 운영에 관한 법률」 제2조 제2호 및 제6호에 따른 물류터
        미널 및 물류단지
    러. 「여객자동차 운수사업법」 제2조 제5호에 따른 여객자동차터미널
    머. 「관광진흥법」 제2조 제6호 및 제7호에 따른 관광지 및 관광단지

---

16) 61페이지에 달하는 내용으로 본서에는 수록하지 않았으나 산업통상자원부 홈페이지
    에서 확인 가능

버. 「주차장법」 제2조 제1호 나목에 따른 노외주차장

서. 「도시공원 및 녹지 등에 관한 법률」 제2조 제3호 가목에 따른 도시공원

어. 「물환경보전법」 제2조 제17호에 따른 공공폐수처리시설

저. 「가축분뇨의 관리 및 이용에 관한 법률」 제2조 제9호에 따른 공공처리시설

처. 「자원의 절약과 재활용촉진에 관한 법률」 제2조 제10호에 따른 재활용시설

커. 「체육시설의 설치·이용에 관한 법률」 제5조에 따른 전문체육시설 및 같은 법 제6조에 따른 생활체육시설

터. 「청소년활동 진흥법」 제10조 제1호에 따른 청소년수련시설

퍼. 「도서관법」 제2조 제1호에 따른 도서관

허. 「박물관 및 미술관 진흥법」 제2조 제1호 및 제2호에 따른 박물관 및 미술관

고. 「국제회의산업 육성에 관한 법률」 제2조 제3호에 따른 국제회의시설

노. 「국가통합교통체계효율화법」 제2조 제15호 및 제16호에 따른 복합환승센터 및 지능형교통체계

도. 「국가공간정보 기본법」 제2조 제3호에 따른 공간정보체계

로. 「국가정보화 기본법」 제3조 제13호에 따른 초고속정보통신망

모. 「과학관의 설립·운영 및 육성에 관한 법률」 제2조 제1호에 따른 과학관

보. 「철도산업발전기본법」 제3조 제2호에 따른 철도시설

소. 「유아교육법」 제2조 제2호, 「초·중등교육법」 제2조 및 「고등교육법」 제2조 제1호부터 제5호까지의 규정에 따른 유치원 및 학교

오. 「국방·군사시설 사업에 관한 법률」 제2조 제1항 제1호 및 제7호에 따른 국방·군사시설 중 교육·훈련, 병영생활 및 주거에 필요한 시설과 군부대에 부속된 시설로서 군인의 복지·체육을 위하여 필요한 시설

조. 「공공주택 특별법」 제2조 제1호 가목에 따른 공공임대주택

초. 「영유아보육법」 제2조 제3호에 따른 어린이집

코. 「노인복지법」 제32조·제34조 및 제38조에 따른 노인주거복지시설, 노인의료복지시설 및 재가노인복지시설

토. 「공공보건의료에 관한 법률」 제2조 제3호에 따른 공공보건의료기관

포. 「신항만건설촉진법」 제2조 제2호 나목 및 다목에 따른 신항만건설사업의 대상이 되는 시설

호. 「문화예술진흥법」 제2조 제1항 제3호에 따른 문화시설

구. 「산림문화·휴양에 관한 법률」 제2조 제2호에 따른 자연휴양림

누. 「수목원 조성 및 진흥에 관한 법률」 제2조 제1호에 따른 수목원

두. 「스마트도시 조성 및 산업진흥 등에 관한 법률」 제2조 제3호에 따른 스마트도시기반시설

루. 「장애인복지법」 제58조에 따른 장애인복지시설

무. 「신에너지 및 재생에너지 개발·이용·보급 촉진법」 제2조 제3호에 따른 신·재생에너지 설비

부. 「자전거 이용 활성화에 관한 법률」 제2조 제2호에 따른 자전거이용시설

수. 「산업집적활성화 및 공장설립에 관한 법률」 제2조 제9호에 따른 산업집적기반시설

우. 「국토의 계획 및 이용에 관한 법률」 제2조 제6호 라목에 따른 공공청사 중 중
  앙행정기관의 소속기관 청사
주. 「장사 등에 관한 법률」 제2조 제8호에 따른 화장시설
추. 「아동복지법」 제3조 제10호에 따른 아동복지시설
쿠. 「택시운송사업의 발전에 관한 법률」 제2조 제5호에 따른 택시공영차고지

2. "사회기반시설사업"이란 사회기반시설의 신설·증설·개량 또는 운영에 관한 사
   업을 말한다.

   "사회기반시설사업"이란 사회기반시설의 신설·증설·개량 또는 운영에 관한 사
   업을 말한다.

사회기반시설에 대한 민간투자법 제2조 [정의]

   "부대사업"이란 사업시행자가 민간투자사업과 연계하여 시행하는 제21조 제1항
   각 호의 사업을 말한다.

사회기반시설에 대한 민간투자법 제21조 [부대사업의 시행]

주무관청은 사업시행자가 민간투자사업을 시행할 때 해당 사회기반시설의 투자비
보전또는 원활한 운영, 사용료 인하 등 이용자의 편익 증진, 주무관청의 재정부담 완
화 등을 위하여 필요하다고 인정하는 경우에는 다음 각 호의 어느 하나에 해당하는
부대사업을 해당 민간투자사업과 연계하여 시행하게 할 수 있다.
1. 주택법에 따른 주택건설사업
2. 택지개발촉진법에 따른 택지개발사업
3. 국토의 계획 및 이용에 관한 법률에 따른 도시·군계획시설사업
4. 도시개발법에 따른 도시개발사업
5. 도시 및 주거환경정비법에 따른 재개발사업
6. 산업입지 및 개발에 관한 법률에 따른 산업단지개발사업
7. 관광진흥법에 따른 관광숙박업, 관광객 이용시설업 및 관광지·관광단지 개발사업
8. 물류시설의 개발 및 운영에 관한 법률에 따른 물류터미널사업
9. 항만운송사업법에 따른 항만운송사업
10. 유통산업발전법에 따른 대규모점포(시장에 관한 것은 제외), 도매배송서비스 또
    는 공동집배송센터사업
11. 주차장법에 따른 노외주차장 설치·운영 사업
12. 체육시설의 설치·이용에 관한 법률에 따른 체육시설업
13. 문화예술진흥법에 따른 문화시설 설치·운영 사업
14. 산림문화·휴양에 관한 법률에 따른 자연휴양림 조성사업
15. 옥외광고물 등의 관리와 옥외광고산업 진흥에 관한 법률에 따른 옥외광고물 및
    게시시설의 설치·운영 사업
16. 신에너지 및 재생에너지 개발·이용·보급 촉진법에 따른 신·재생에너지 설비
    의 설치·운영 사업
17. 건축법 제2조 제1항 제2호의 건축물의 설치·운영 사업
18. 그 밖에 사용료 인하 또는 재정부담 완화를 위하여 필요한 사업으로서 대통령령
    으로 정하는 사업

(*2) 전기통신사업

전기통신사업법 제5조 [전기통신사업의 구분 등]

① 전기통신사업은 기간통신사업 및 부가통신사업으로 구분한다.
② 기간통신사업은 전기통신회선설비를 설치하거나 이용하여 기간통신역무를 제공하는 사업으로 한다.
③ 부가통신사업은 부가통신역무를 제공하는 사업으로 한다.

전기통신사업법 제41조 [전기통신설비의 공동사용 등]

① 기간통신사업자는 다른 전기통신사업자가 전기통신설비의 상호접속에 필요한 설비를 설치하거나 운영하기 위하여 그 기간통신사업자의 관로·케이블·전주 또는 국사 등의 전기통신설비나 시설에 대한 출입 또는 공동사용을 요청하면 협정을 체결하여 전기통신설비나 시설에 대한 출입 또는 공동사용을 허용할 수 있다.

(*3) 첨단업종
기술집약도가 높고 기술혁신속도가 빠른 업종으로서 산업집적활성화 및 공장설립에 관한 법률 시행규칙 [별표5]에 따른 업종

| 첨단업종 |

분류번호	업종명	적용 범위
20119	석탄화학계 화합물 및 기타 기초 유기 화학 물질 제조업	• 나노(100nm이하) 유기화합물
20132	염료, 조제 무기안료, 유연제 및 기타 착색제 제조업	• 친환경 및 고기능성 특수도료 - 대전방지 도료, 자기치유도료 - 자외선(UV) 경화도료(4mm 이하, 80시간 이상, 3.0Mpa 이상의 부착성) - 방열성 분체도료 • 고기능성 및 신기능 염료 - 고 염착률의 반응성 염료 • 고기능성 안료 - 전자재료용 안료(편광도 98% 이상, 내광성 30,000hr 이상) - 형광 안료(내광성 3급 이상, 내열성 180℃ 이상)
20202	합성수지 및 기타 플라스틱 물질 제조업	• 고분자 신소재(특수 기능성, 전기특성, 의료용) - 슈퍼고분자 복합(composite) 소재
20421	계면활성제 제조업	• 계면활성제 중 다음의 것만 해당한다. - 고분자형 계면활성제 - 양이온 계면활성제 - 친환경 계면활성제(바이오유래, 유용미생물 활용, 인체친화적, 생분해성)
20493	접착제 및 젤라틴 제조업	• 전기·전자용 기능성 접착제로서 다음의 것만 해당한다. - 전도성 접착제

분류번호	업종명	적용 범위
		- 광섬유용 접착제 - 반도체・디스플레이용 접착제 - 고내열 금속용 접착제 • 의료용 접착제로서 다음의 것만 해당한다. - 연조직(피부 등)용 접착제 - 경조직(치아・뼈 등)용 접착제
20495	바이오 연료 및 혼합물 제조업	• 해양 바이오디젤 및 혼합유
20499	그 외 기타 분류 안된 화학 제품 제조업	• 반도체 및 디스플레이 소재로서 다음의 것만 해당한다. - 포토레지스트 노볼락(Photoresist Novolak) 수지, 매트릭스(Matrix) 수지 - 반도체 및 디스플레이용 리소그래피 (lithography)용 수지 - 반도체・디스플레이・발광다이오드(LED) 용 무기 전구체
20501	합성섬유 제조업	• 아라미드(aramid)섬유, PBO 섬유 • 메디컬 섬유소재(조직재생용 섬유소재, 유 착방지 및 차폐용 섬유소재, 정형외과용 섬유 소재)
21102	생물학적 제제 제조업	• 바이오의약품으로서 다음의 것만 해당한다. - 치료용 항체 및 사이토카인제제 - 호르몬제 - 혈액제제 - 신개념백신(항암백신, DNA백신, RNA백신 등) - 세포기반치료제 - 유전자 의약품
21210	완제 의약품 제조업	• 저분자 화합물 의약품으로서 다음의 것만 해 당한다. - 종양계 치료제(항암제) - 순환기계 질환(고혈압, 고지혈증, 혈전) 치 료제 - 감염계 질환 치료제(항생제, 항바이러스제, 항진균제) - 신경계 질환(치매, 뇌졸중, 간질, 우울증, 정 신분열증, 파킨슨병) 치료제 - 내분비계 질환(골다공증, 당뇨, 비만) 치 료제 - 면역계 질환(면역기능 조절, 천식, 알레르기, 염증・관절염) 치료제 - 호르몬제

분류번호	업종명	적용 범위
21300	의료용품 및 기타 의약 관련 제품 제조업	• 바이오칩(바이오센서 포함) • 약물전달시스템 응용제품
22292	플라스틱 적층, 도포 및 기타 표면처리 제품 제조업	• 투명전도성 필름 • 플라스틱 적층(다층)필름
23121	1차 유리제품, 유리섬유 및 광학용 유리 제조업	• 나노세공 다공질유리
23122	디스플레이 장치용 유리 제조업	• 차세대 평판디스플레이용 유리(플렉시블 유리만 해당한다)
23211	정형내화요업제품 제조업	• SiC 내화물(반도체공정용 부재) • 초고온용 지르콘내화물
23222	위생용 및 산업용 도자기 제조업	• 산업용 첨단 세라믹스(반도체용, 생체용, 원자로용 세라믹부품만 해당한다)
23995	탄소섬유 제조업	• 고강도 고탄성 탄소섬유, 고기능 탄소섬유 제품 (T1000 이상만 해당한다)
24221	동 압연, 압출 및 연신제품 제조업	• 1300MPa급 고강도 고탄성 동합금 압연(壓延), 인발(引發)제품 - 차세대 이동통신단말기 단자 및 고내열성 접속기(connector) 소재
24290	기타 1차 비철금속 제조업	• 비철금속분말(분말가공 및 성형은 제외한다) - 3D프린팅용 금속분말 • 금속 가공 잔여물(metal scrap)을 이용한 고품질 잉곳(ingot)(희소금속을 포함한다)
25911	분말 야금제품 제조업	• 철계, 비철계 분말야금제품(충진율 95% 이상인 것만 해당한다)
25934	톱 및 호환성 공구 제조업	• 초경합금공구, 다이아몬드공구, 물리증착 또는 화학증착공구, 서멧공구, 입방질화붕소공구, 고속도강공구
26111	메모리용 전자집적회로 제조업	• 메모리 반도체(D램, 플래시 등 차세대 휘발성 및 비휘발성 메모리)
26112	비메모리용 및 기타 전자집적회로 제조업	• 시스템 반도체(인공지능반도체, 마이크로 컴포넌트, 아날로그 및 혼성 집적회로, SiC 파워 반도체, 고전압 RF IC 등)
26121	발광 다이오드 제조업	• 발광다이오드(LED) 제조업으로서 다음의 것만 해당한다. - 마이크로 발광다이오드, 미니 발광다이오드, 양자점 발광다이오드
26129	기타 반도체소자 제조업	• 포토다이오드(PD), 반도체 레이저 다이오드(LD), IC패키지, 태양전지 • 스마트카드용 IC칩(통합보안관련) • 고해상도 고체촬상소자(CCD 등)
26212	유기발광 표시장치 제조업	• 유기발광다이오드(OLED)[플렉시블 유기발광다이오드, 능동형 유기발광다이오드(AMOLED) 등]

분류번호	업종명	적용 범위
26219	기타 표시장치 제조업	• 투명 디스플레이 • 디지털 홀로그램 • 플렉시블 전자종이(e-Paper) • 디스플레이부품[포토마스크, 고해상도 섀도 마스크(shadow mask), 편광판, 컬러필터(color filter), 위상보상필름, 투명 전극]
26222	경성 인쇄회로기판 제조업	• 고밀도 다층기판(HDI), SLP(Substrate Like PCB)만 해당한다.
26223	연성 및 기타 인쇄회로기판 제조업	• 연성 인쇄회로기판(flexible PCB), 경연성복합 인쇄회로기판
26295	전자감지장치 제조업	• 센서(초소형 센서만 해당한다) - 주행상황인지 센서, 항행용 레이더센서, 인공지능 센서(AI sensor), 레이더 센서, 항법 센서 등
26410	유선 통신장비 제조업	• 광섬유 전송시스템 • 광통신 장비 및 부품(5G 이동통신용만 해당한다) - 광통신 부품(5G용), 광통신 중계기(5G용), 네트워크장비(5G용, IoT용), 네트워크스위칭(10G/1G) 등
26421	방송장비 제조업	• 방송장비 제조업으로서 다음 것만 해당한다. - 초고화질(8K UHD 이상) 방송장비[방송 송신기, 방송통합 다중화기, 시그널링 시스템, 촬영장비, 8K 초고화질(UHD) 방송용 멀티포맷 변환기(converter)·코드변환기(transcoder) 등]
26429	기타 무선 통신장비 제조업	• 5G용 무선통신 부품 및 장비로서 다음의 것만 해당한다. - 5G 고집적 안테나, 5G용 모뎀, 5G 기지국·엑세스망장비, 5G소형셀 등
26519	비디오 및 기타 영상기기 제조업	• 가상현실(Virtual Reality)기기 및 증강현실(Augmented Reality)기기(4K 이상의 고해상도, 120도 이상 시야각, 고속 고감도 센서를 탑재한 것만 해당한다) • 오감(시각, 청각 등을 포함한 초실감형) 제공기기[착용형기기(wearable device)를 포함한다]
27111	방사선 장치 제조업	• 영상진단기기 및 단층촬영 장치(방사성동위원소, 자력선, 엑스선 또는 초음파를 이용한 것만 해당한다) • 수술 및 치료용기기(방사성동위원소, 자력선, 엑스선, 레이저, 초음파 또는 마이크로 웨이브를 이용한 것만 해당한다)

분류번호	업종명	적용 범위
27112	전기식 진단 및 요법 기기 제조업	• 생체계측기기(심전계·뇌파계·근전계·안진계 또는 심음계만 해당한다) • 의료용기기(자동 생화학 분석기기 및 전자현미경만 해당한다) • 원격조정 환자 종합감시 장치 • 의료검사진단기기

27192	정형외과용 및 신체보정용 기기 제조업	• 정형외과용 및 신체보정용 기기
		  - 인공수정체, 인공관절, 인공심박기 등 인공신체
		  - 보청기

27199	그 외 기타 의료용 기기 제조업	• 의료용 레이저기기 • 의약품 자동주입기(주사기는 제외한다) • 휴대용 정신건강관리 시스템 • 현장형 생체지표(biomarker) 진단장비 • 지능형 개인 건강관리 기기
27211	레이더, 항행용 무선기기 및 측량기구 제조업	• 레이더 및 항행용 무선기기 - 지능형 전자 항행용 통신단말장치, 지능형 선박·항공기용 항행시스템, 자율차용 레이더/라이다, 초정밀 위성위치확인시스템(GPS), 항공기용 고성능 항법장치[인공지능(AI) 기반], 소출력 레이더 등

27212	전자기 측정, 시험 및 분석기구 제조업	• 전자파·광신호파를 응용하거나 마이크로프로세서를 내장한 것으로서 다음의 것만 해당한다.
		  - 파형현시기
		  - 전자분석기기
		  - 유전체 및 자성체 측정기기
		  - 전송특성 측정기기
		  - 데이터회선 측정기기
		  - 전파 및 공중선 측정기기
		  - 음향특성 측정기기
		  - 광측정기기
		  - 측정보조기기(증폭기·검파기 및 신호발생기만 해당한다)
		  - 전자식 물리 및 화학량측정·분석기기

27213	물질 검사, 측정 및 분석기구 제조업	• 성능시험기 또는 성능측정기
		  - 반도체·디스플레이소재검사 장비
		  - 에너지소재(태양전지 등) 특성 측정·검사 장비
		  - 환경측정·분석기기
		  - 바이오·의료소재 검사 장비

27215	기기용 자동측정 및 제어장치 제조업	• 산업용제어기기, 자동제어시스템(PLS·DCS·철도차량 자동제어장치를 포함한다)

분류번호	업종명	적용 범위
27216	산업처리공정 제어장비 제조업	• 제조설비의 자동공정 제어기기 또는 공정제어 시스템 및 부분품으로서 다음의 것만 해당한다. - PLC, DCS 등을 이용한 공정제어시스템 - 로봇컨트롤러 및 컴퓨터통합시스템 관련 단위기기 - 화학물질 합성자동제어시스템, 화학반응 합성장치 - 지능형 제어기[센서내장 M2M/IoT기술 적용(자동감시·진단·제어)]
27219	기타 측정, 시험, 항해, 제어 및 정밀기기 제조업	• 산업, 군사, 의료 및 농업 등의 화상, 영상, 기상 및 위성 등 각종 계측데이터를 획득하여 이를 가공, 분석 및 해석 등을 하기 위한 계측기 및 계측시스템으로서 다음의 것만 해당한다. - 대역폭 60GHz 이상 스펙트럼분석기 - 대역폭 3GHz 이상 디지털오실로스코프 - 대역폭 60GHz 이상 주파수카운터 - 대역폭 60GHz 이상 신호발생기
27301	광학렌즈 및 광학요소 제조업	• 광부품(광섬유, 편광판)
27302	사진기, 영사기 및 관련 장비 제조업	• 영상광학기기(DSP내장 고정밀 촬영기)
27309	기타 광학기기 제조업	• 상관측기기로서 다음의 것만 해당한다. - 고분해능 현미경 • 광학기기용 렌즈 또는 프리즘 • 레이저 발진장치
28111	전동기 및 발전기 제조업	• 고효율·고정밀 모터(전동기)로서 다음의 것만 해당한다. - 서보모터 및 스테핑모터(분해능 10,000ppr 이상만 해당한다), 고정밀 리니어모터 - 고효율 유도 전동기(IE4급 이상만 해당한다) • 발전기(MCFC-압력차 발전기) • 2000 ~ 7000Kv급 저전압/고전압용 발전기
28112	변압기 제조업	• 송배전기로서 다음의 것만 해당한다. - 초임계 발전용 변압기 - 80KV/250KV 전압형 MMC 직류 송전시스템 장비 - 250KV 전압형 멀티터미널 직류 송·배전시스템 - MVDC급 직류 배전시스템 - AC/DC 하이브리드 배전기
28114	에너지 저장장치 제조업	• 에너지저장장치(ESS) 시스템으로서 다음의 것만 해당한다. - 전력관리시스템(PMS)으로서 SW 및 서버

분류번호	업종명	적용 범위
		HW, 데이터 검색·저장·분석 및 통신연계 기능이 포함된 것 - 전력변환장치(PCS)로서 배터리(DC) 측은 1,500V, 2,000A, 45kA 이상의 출력이 유지되고, 계통(AC)측은 95% 이상 효율을 갖춘 것 - 배터리관리시스템(BMS)으로서 충방전 전류극 제어 및 비정상적 작동시의 안정장치 기능을 갖춘 것
28119	기타 전기 변환장치 제조업	• 전기 변환장치로서 다음의 것만 해당한다. - 리액터(대용량의 태양광·전기차용) - 스위칭 신호방식의 전력변환장치[태양광, 풍력, 에너지저장장치(ESS) 등 신재생에너지용 전동·발전기의 구동을 위한 컨버터 및 인버터] - 멀티터미널 고압직류 송·배전장치 - 멀티레벨 무효전력보상장치(STATCOM)
28121	전기회로 개폐, 보호장치 제조업	• 전기회로 개폐, 보호 장치중에서 다음의 것만 해당한다. - 초고압 차단기(GIS) - 친환경(고체절연 등) 개폐장치 - 하이브리드형 DC 차단 및 개폐기 - 고속 대용량 직류 차단기 - 태양광, 해상풍력 등 신재생에너지용 전력 변환기·차단기·개폐기
28123	배전반 및 전기 자동제어반 제조업	• PLC(프로그램 내장 컨트롤러), HMI, 센서 등 중앙감시제어장치(SCADA)의 구성 장치
28202	축전지 제조업	• 전기차·에너지저장장치(ESS)·전자기기용 이차전지로서 다음의 것만 해당한다. - 리튬이온 이차전지, 리튬이온폴리머전지, 리튬폴리머 전지, 니켈수소 전지, 고성능·고용량 슈퍼 축전지(capacitor 전지), 연료전지, 모듈화 전지[전기차·에너지저장장치(ESS)용], 흐름전지, 고온형 나트륨계 전지, 리튬황전지, 레독스 플로 전지 및 이러한 제품의 핵심 부품
28422	일반용 전기 조명장치 제조업	• 태양전지 가로등[발광다이오드(LED)를 활용한 사물인터넷용만 해당한다]
28903	교통 신호장치 제조업	• 스마트시티용 지능형 교통통제용 전기장치만 해당한다. - 스마트시티용 지능형 교통시스템(ITS), 첨단교통관리 시스템(ATMS), 첨단차량도로 시스템(AVHS)장치 등

분류번호	업종명	적용 범위
28909	그 외 기타 전기장비 제조업	• 자동화용 초정밀 전기용접 설비 및 절단기로서 다음의 것만 해당한다. - 용접기 및 절단기(레이저, 플라즈마, 초음파, 고주파, 인버터방식만 해당한다) - 고속전철용 괘도용접 설비 - 이종금속용 경납땜(brazing) 용접기
29120	유압기기 제조업	• 유공압 액추에이터(로봇, 구동부품용 모터, 실린더만 해당한다) • 전기식 액추에이터(로봇구동 부품만 해당한다)
29131	액체 펌프 제조업	• 다이어프램방식 초정밀 정량 액체 펌프(피스톤, 페리스탤틱 방식은 제외한다)로서 다음의 것만 해당한다. - 내화학성 확보, 최소유량 0.02 mL/min, 정밀도 3% 이내
29133	탭, 밸브 및 유사장치 제조업	• 고압기밀 전자식 레귤레이터 • 유압밸브 유량특성 및 정밀도에 따른 서보밸브(Servo Valve)
29141	구름베어링 제조업	• 볼·롤러 베어링(KS 4급 이상) 및 그 핵심부품[리테이너, 케이지(cage), 강구(steel ball), 롤러(roller)]
29172	공기 조화장치 제조업	• 초청정 클린룸(clean room)으로서 한국산업표준에 따른 청정도 1등급만 해당한다. • 시스템에어컨(고효율EHP) 및 핵심부품(압축기, 모터, 열교환기)으로서 한국산업표준에 따른 난방 COP 3.5 이상, 냉난방 EERa 6.6 이상인 것만 해당한다. • 고효율 지열 열펌프시스템 및 핵심부품(압축기, 모터, 열교환기)으로서 「신에너지 및 재생에너지 개발·이용·보급 촉진법」 제13조의 신재생에너지설비 인증심사 기준에 따른 냉방 EER 4.1 이상, 난방 COP 3.3 이상인 것만 해당한다.
29199	그 외 기타 일반목적용 기계 제조업	• 첨단용접 설비(표면 장착부품 납땜 및 절단기기만 해당한다) - 레이저·플라즈마·고주파·인버터방식용 접기 - 하이브리드용접기 • 표면개질 측정 및 처리 시스템
29222	디지털 적층 성형기계 제조업	• 3D프린팅 장비로 다음의 것만 해당한다. - 금속소재, 세라믹, 바이오소재, 건축소재(콘크리트만 해당한다)용 3D프린팅 장비 - 초고속 3D프린팅 장비

분류번호	업종명	적용 범위
29223	금속 절삭기계 제조업	• 초미세·초정밀 와이어 방전가공설비(wire electrical discharge machining)로서 선폭 50um 이하인 것만 해당한다.
29229	기타 가공 공작기계 제조업	• 난삭(難削) 티타늄 합금 및 인코넬 합금 소성 가공 기계 • 탄소섬유 복합재(CFRP) 중에서 우주항공 및 자동차용 첨단 소재의 성형 기계
29269	기타 섬유, 의복 및 가죽 가공 기계 제조업	• 초경량, 고탄성, 고강도 탄소섬유 제조 장비 • 탄소섬유 복합재의 가공장비 및 검사 장비
29271	반도체 제조용 기계 제조업	• 반도체장비 및 장비용 핵심부품(반도체 설계·조립·패키지, 포토마스크 제조용, 웨이퍼 제조 및 가공용만 해당한다)
29272	디스플레이 제조용 기계 제조업	• 디스플레이용[초고해상도(8K 이상) 디스플레이, 능동형 유기발광다이오드(AMOLED), 플렉시블 및 착용형 디스플레이만 해당한다] 장비 및 장비용 핵심부품 - 노광기(露光器) 설비, 레이저(Laser) 재결정화 및 리프트 오프(Lift off) 설비, 증착(蒸着) 설비, 식각(蝕刻) 설비, 세정 설비, 인라인(In-line) 공정 진단 설비 등
29280	산업용 로봇 제조업	• 제조업용 로봇으로서 다음의 것만 해당한다. - 이적재용, 공작물 착탈용, 용접용, 조립 및 분해용, 가공용 및 표면처리, 바이오 공정용, 시험·검사용, 기타 제조업용 로봇 - 협동로봇, 고청정 환경 대응 반도체 생산로봇, 차세대 태양전지·연료전지 제조로봇 등 첨단 제조업용 로봇 포함
29292	고무, 화학섬유 및 플라스틱 성형기 제조업	• 초미세용 사출 성형기 - 나노 및 마이크로 표면용·제품용 등 • 자동차 경량화 및 항공기 소재에 활용이 가능한 복합재료 성형기 - 수지충전공정(Resin Transfer Molding) 성형기, 필라멘트 와인딩(filament winding) 성형기 등
29294	주형 및 금형 제조업	• 프레스용 금형 • 다이캐스팅 금형 • 플라스틱성형용 금형 • 금형용 부품
29299	그 외 기타 특수목적용 기계 제조업	• 개인서비스용 로봇으로서 다음의 것만 해당한다. - 가사서비스용(단순 청소로봇 제외한다), 건강관리용, 여가지원용, 연구용 - 소셜서비스로봇(단순 스피커형 제외한다)

분류번호	업종명	적용 범위
		• 전문서비스용 로봇으로서 다음의 것만 해당한다. - 빌딩서비스용, 사회안전 및 극한작업용, 의료·재활로봇, 사회인프라용, 군사용, 농림어업용, 물류로봇 • 지능형 로봇부품으로서 다음의 것만 해당한다. - 로봇용 구동부품, 로봇용 감지(sensing)부품, 로봇용 제어부품
30110	자동차용 엔진 제조업	• 하이브리드용 엔진 • 경량화 소재 엔진
30121	승용차 및 기타 여객용 자동차 제조업	• 전기차 • 수소연료전지차 • 하이브리드차(플러그인 하이브리드만 해당한다)
30122	화물자동차 및 특수 목적용 자동차 제조업	• 전기차 • 수소연료전지차 • 하이브리드차(플러그인 하이브리드만 해당한다)
30310	자동차 엔진용 신품 부품 제조업	• 자동차 엔진용 부품으로서 다음의 것만 해당한다. - 통합 전자제어장치(ECU) - 배기가스저감 및 자기진단 장치 - 과급시스템 - 하이브리드차용 관련 전동부품
30331	자동차용 신품 동력전달장치 제조업	• 동력전달장치로서 다음의 것만 해당한다. - 고단 변속기(8단 이상) - 듀얼 클러치 트랜스미션(DCT) - 2단 감속기(전기동력 자동차용만 해당한다)
30332	자동차용 신품 전기장치 제조업	• 전기자동차용 급속충전장치 • 연료전지 및 연료변환 시스템 • 주행환경 인식 센서(RADAR, LIDAR, 카메라 기반 센서, 측위 센서, 초음파 센서, IR 센서 등) • 능동안전시스템[스탠드 얼론(Stand Alone) 및 V2X 통신에 기반한 방식의 것만 해당한다]
30391	자동차용 신품 조향 장치, 현가장치 제조업	• 조향장치 및 현가장치로서 다음의 것만 해당한다. - 자동긴급조향(AES) 시스템(주변상황 감지 정확도 90% 이상의 것만 해당한다) - 스마트 엑추에이터 모듈 - 전동식현가장치, 에어서스펜션, - 전동식 스프링차제제어 - 감응형 댐퍼, 회생발전 댐퍼

분류번호	업종명	적용 범위

30392	자동차용 신품 제동장치 제조업	• 제동장치로서 다음의 것만 해당한다.
		  - 전기기계식 브레이크 시스템(EMB)
		  - 차량안정성 제어장치(ESP)
		  - 회생제동 브레이크 시스템(AHB)

30399	그 외 자동차용 신품 부품 제조업	• 공기부과시스템 • 통합 열관리 장치 • 수소저장장치 • 스택(stack) 및 관련부품 • 차량용 시각, 청각, 촉각식 인터페이스 장치
31311	유인 항공기, 항공 우주선 및 보조장치 제조업	• 유인 항공기, 우주선 및 보조장치(부품은 제외한다)
31312	무인 항공기 및 무인 비행장치 제조업	• 고기능 무인항공기 • 무인항공기 운용교통 관제시스템
31322	항공기용 부품 제조업	• 항공기용 부품(엔진을 포함한다)

(*4) 물류터미널사업

물류시설의 개발 및 운영에 관한 법률 제2조 [정의]

3. "물류터미널사업"이란 물류터미널을 경영하는 사업으로서 복합물류터미널사업과 일반물류터미널사업을 말한다. 다만, 다음 각 목의 시설물을 경영하는 사업을 제외한다.

　　가. 항만법 제2조 제5호의 항만시설 중 항만구역 안에 있는 화물하역시설 및 화물 보관·처리 시설

　　나. 공항시설법 제2조 제7호의 공항시설 중 공항구역 안에 있는 화물운송을 위한 시설과 그 부대시설 및 지원시설

　　다. 철도사업법 제2조 제8호에 따른 철도사업자가 그 사업에 사용하는 화물운송·하역 및 보관 시설

　　라. 유통산업발전법 제2조 제14호 및 제15호의 집배송시설 및 공동집배송센터

(*5) 창고업

물류정책기본법 시행령 [별표1] 물류사업의 범위(발췌)

대분류	세분류	세세분류
물류시설 운영업	창고업 (공동집배송센터 운영업 포함)	일반창고업, 냉장 및 냉동 창고업, 농·수산물 창고업, 위험물품보관업, 그 밖의 창고업
	물류터미널 운영업	복합물류터미널, 일반물류터미널, 해상터미널, 공항화물터미널, 화물자전용터미널, 컨테이너화물조작장(CFS), 컨테이너장치장(CY), 물류단지, 집배송단지 등 물류시설의 운영업

(*6) 자원재활용업종

산업집적활성화 및 공장설립에 관한 법률 시행령
[별표1] 과밀억제권역 안에서의 공장의 신설·증설 또는 이전이 허용되는 경우 (발췌)

3. 기타 지역	가. 다음의 어느 하나에 해당하는 공장(이하 "현지근린공장"이라 한다)의 신설 또는 증설(대기업의 공장은 신설 및 증설 결과 공장건축면적이 1천㎡ 이내인 경우에만 해당한다) 또는 기존 공장의 증설(대기업의 공장은 증설되는 공장건축면적이 1천 ㎡ 이내인 경우에만 해당한다) 2) 자원의 절약과 재활용촉진에 관한 법률 제2조 제7호에 따 른 재활용산업으로서 산업통상자원부령으로 정하는 업종 의 공장 및 같은 법 제2조 제5호에 따른 재활용제품을 생 산하는 공장

(*7) 방송사업

방송법 제2조 (용어의 정의)		내용	
		구분	내용
제2호	방송사업	지상파 방송사업	방송을 목적으로 하는 지상의 무선국을 관리· 운영하며 이를 이용하여 방송을 행하는 사업
		종합유선 방송사업	종합유선방송국(다채널방송을 행하기 위한 유 선방송국설비와 그 종사자의 총체)을 관리·운 영하며 전송·선로설비를 이용하여 방송을 행 하는 사업
		위성 방송사업	인공위성의 무선설비를 소유 또는 임차하여 무 선국을 관리·운영하며 이를 이용하여 방송을 행하는 사업
		방송채널 사용사업	지상파방송사업자·종합유선방송사업자·위성 방송사업자와 특정채널의 전부 또는 일부 시간 에 대한 전용사용계약을 체결하여 그 채널을 사용하는 사업
제5호	중계유선 방송사업	중계유선방송을 행하는 사업	
제8호	음악유선 방송사업	음악유선방송을 행하는 사업	
제11호	전광판 방송사업	전광판방송(상시 또는 일정기간 계속하여 전광판에 보도를 포함하는 방송프로그램을 표출하는 것)을 행하는 사업	

방송법 제2조 (용어의 정의)		내용
제13호	전송망사업	방송프로그램을 종합유선방송국으로부터 시청자에게 전송하기 위하여 유·무선 전송·선로설비를 설치·운영하는 사업

(*8) 청소년 단체, 학술단체, 장학법인, 문화예술단체

구분	내용
청소년단체 (지방세특례제한법 §21)	① 스카우트활동 육성에 관한 법률에 따른 스카우트주관단체 ② 한국청소년연맹 육성에 관한 법률에 따른 한국청소년연맹 ③ 한국해양소년단연맹 육성에 관한 법률에 따른 한국해양소년단연맹 ④ 정부로부터 허가 또는 인가를 받거나 민법 외의 법률에 따라 설립되거나 그 적용을 받는 청소년단체 ⑤ 행정안전부장관이 여성가족부장관과 협의하여 고시하는 단체
학술단체 (지방세특례제한법 §45)	학술진흥법 제2조 제1호에 따른 학술의 연구·발표활동 등을 목적으로 하는 법인 또는 단체로서 다음 중 어느 하나에 해당하는 법인 또는 단체(해당 법인·단체가 공공기관의 운영에 관한 법률 제4조에 따른 공공기관인 경우에는 행정안전부장관이 정하여 고시하는 법인·단체로 한정) ① 공익법인의 설립·운영에 관한 법률 제4조에 따라 설립된 공익법인 ② 민법 제32조에 따라 설립된 비영리법인 ③ 민법 및 상법 외의 법령에 따라 설립된 법인 ④ 비영리민간단체 지원법 제4조에 따라 등록된 비영리민간단체
장학법인 (지방세특례제한법 §45)	공익법인의 설립·운영에 관한 법률에 따라 설립된 장학법인
문화예술단체 (지방세특례제한법 §45)	문화예술진흥법 제2조 제1항 제1호에 따른 문화예술의 창작·진흥활동 등을 목적으로 하는 법인 또는 단체로서 다음 중 어느 하나에 해당하는 법인 또는 단체(해당 법인 또는 단체가 공공기관의 운영에 관한 법률 제4조에 따른 공공기관인 경우에는 행정안전부장관이 정하여 고시하는 법인 또는 단체로 한정) ① 공익법인의 설립·운영에 관한 법률 제4조에 따라 설립된 공익법인

구분	내용
	② 민법 제32조에 따라 설립된 비영리법인
	③ 민법 및 상법 외의 법령에 따라 설립된 법인
	④ 비영리민간단체 지원법 제4조에 따라 등록된 비영리 민간단체

(*9) 정비사업

도시 및 주거환경정비법에서 정한 절차에 따라 도시기능을 회복하기 위하여 정비구역
에서 정비기반시설을 정비하거나 주택 등 건축물을 개량 또는 건설하는 아래의 사업

구분	내용(도시및주거환경정비법 제2조 제2호)
주거환경 개선사업	도시저소득 주민이 집단거주하는 지역으로서 정비기반시설이 극히 열악하고 노후·불량건축물이 과도하게 밀집한 지역의 주거환경을 개선하거나 단독주택 및 다세대주택이 밀집한 지역에서 정비기반시 설과 공동이용시설 확충을 통하여 주거환경을 보전·정비·개량하기 위한 사업
재개발사업	정비기반시설이 열악하고 노후·불량건축물이 밀집한 지역에서 주거 환경을 개선하거나 상업지역·공업지역 등에서 도시기능의 회복 및 상권활성화 등을 위하여 도시환경을 개선하기 위한 사업
재건축사업	정비기반시설은 양호하나 노후·불량건축물에 해당하는 공동주택이 밀집한 지역에서 주거환경을 개선하기 위한 사업

(*10) 소규모주택정비사업

빈집 및 소규모주택 정비에 관한 특례법에서 정한 절차에 따라 노후·불량건축물의
밀집 등의 요건에 해당하는 지역 또는 가로구역에서 시행하는 아래의 사업

구분	내용 (빈집및소규모주택 정비에 관한 특례법 제2조 제1항 제3호)
자율주택 정비사업	단독주택, 다세대주택 및 연립주택을 스스로 개량 또는 건설하기 위한 사업
가로주택 정비사업	가로구역에서 종전의 가로를 유지하면서 소규모로 주거환경을 개선하기 위한 사업
소규모 재건축사업	정비기반시설이 양호한 지역에서 소규모로 공동주택을 재건축하 기 위한 사업

(*11) 한국주택금융공사가 한국주택금융공사법 제22조에 따라 경영하는 사업

한국주택금융공사법 제22조 [업무의 범위]

① 채권유동화

② 채권보유

③ 다음 증권에 대한 지급보증

    ㉠ 주택저당증권

    ㉡ 학자금대출증권

    ㉢ 자산유동화에 관한 법률 제3조 제1항에 따른 유동화전문회사등이 주택저당채권을 유동화자산으로 하여 발행한 유동화증권

④ 금융기관에 대한 신용공여

⑤ 주택저당채권 또는 학자금대출채권에 대한 평가 및 실사

⑥ 기금·계정의 관리 및 운용

⑦ 신용보증

⑧ 위 ⑦과 관련된 신용보증채무의 이행 및 구상권의 행사

⑨ 주택담보노후연금보증

⑩ 주택담보노후연금보증채무의 이행 및 구상권의 행사

⑪ 주택담보노후연금채권의 양수 및 보유와 이에 따른 주택담보노후연금의 지급

⑫ 위 ⑦ 및 ⑨와 관련된 신용조사 및 신용정보의 종합관리

⑬ 주택금융에 관한 조사·연구 및 통계자료의 수집·작성과 국내외 유관기관과의 교류·협력

⑭ 위 ①부터 ⑬까지의 업무에 딸린 업무로서 금융위원회의 승인을 받은 업무

김회계사의 Tip

○ 대도시 중과 제외 업종의 적용

    취득세 과세물건이 대도시 중과 제외 업종에 해당한다면 취득세 중과세율 규정을 적용받지 않으므로 취득세 납세의무자의 세금부담이 줄어듭니다. 많은 경우 세금을 줄여주는 혜택들은 납세의무자에게 특정한 요건을 갖추는 것을 요구합니다. 대도시 중과 제외 업종 규정의 경우, 취득자가 대도시 중과 제외 업종에 직접 사용하기 위한 부동산임을 입증할 필요가 있습니다.

    지방세법시행령 제26조 제1항 제12호에 열거된 소프트웨어사업을 예로 들면, 아래의 내용을 유의하여 중과 제외 여부를 판단하여야 할 것입니다.

지방세법시행령 제26조 [대도시 법인 중과세의 예외]

    ① 법 제13조 제2항 각 호 외의 부분 단서에서 "대통령령으로 정하는 업종"이란 다음 각 호에 해당하는 업종을 말한다.

---

12. 「소프트웨어산업 진흥법」 제2조 제3호에 따른 소프트웨어사업 및 같은 법 제27조에 따라 설립된 소프트웨어공제조합이 소프트웨어산업을 위하여 수행하는 사업

① '소프트웨어'와 관련된 업종이라 할지라도 소프트웨어산업진흥법 제2조 제3호의 규정에 따르는 소프트웨어사업인지를 별도로 확인해야 합니다. 소프트웨어를 다루는 업종이라고 해서 '소프트웨어'라는 글자만으로 중과세 제외로 진행하는 경우가 있는데 소프트웨어산업진흥법 등의 개별법령의 업종 요건을 충족하는지 별도로 확인해야 합니다.
② 위 ①의 확인 과정에서 소프트웨어산업진흥법 제2조 제3호에 따른 소프트웨어사업인지에 대한 공부상 자료를 확인해야 합니다. 사업자등록증, 법인등기부등본, 설립 및 인허가 등 과정에서 해당 업종의 근거 법령을 기재한 문서 등을 예로 들 수 있습니다.
③ 소프트웨어산업진흥법의 담당 기관은 과학기술정보통신부의 소프트웨어정책과 또는 소프트웨어산업과입니다. 해당 기관에 직접 문의하여 확인하는 것도 좋은 방법입니다.
④ 소프트웨어사업을 판단할 때는 지방세법에서 언급한 해당 법 '소프트웨어산업진흥법 제2조 제3호'만 볼 것이 아니라, 해당 법의 다른 조문도 함께 확인할 필요가 있습니다. 가령 소프트웨어산업진흥법의 다른 조문에서 '소프트웨어산업진흥법 제2조 제3호'에 따른 소프트웨어산업을 언급하고 있는 내용이 있다면, 해당 내용 중 대도시 중과 제외 업종의 판단에 영향을 미칠 만한 내용이 있는지를 파악하는 것입니다.

[*7] 중과세 추징
대도시 중과 제외 업종 및 사원주거용 목적에 직접 사용하는 부동산은 지점 등 중과세를 적용하지 않는다. 다만, 해당 부동산을 중과 적용 제외한 근거가 된 목적에 직접 사용하지 않은 경우 중과세율로 취득세를 추징하는 규정을 두고 있다.

| 중과세 추징 사유 |

구분	내용
1	① 정당한 사유 없이 부동산 취득일부터 1년이 경과할 때까지 대도시 중과 제외 업종에 직접 사용하지 않는 경우 ② 정당한 사유 없이 부동산 취득일부터 1년이 경과할 때까지 사원주거용 목적 부동산으로 직접 사용하지 않는 경우(2020.7.10. 이전의 취득분에 한함)

구분	내용
	③ 부동산 취득일부터 1년 이내에 다른 업종이나 다른 용도에 사용·겸용하는 경우
	[비고] 1년의 예외 대도시 중과 제외 업종 중 주택건설사업은 직접 사용기한 및 다른 업종이나 다른 용도에 사용·겸용 금지기한을 3년으로 함(업종의 특성을 고려하여 1년에서 3년으로 연장)
2	① 부동산 취득일부터 2년 이상 해당 업종 또는 용도에 직접 사용하지 아니하고 매각하는 경우 ② 부동산 취득일부터 2년 이상 해당 업종 또는 용도에 직접 사용하지 아니하고 다른 업종이나 다른 용도에 사용·겸용하는 경우

김회계사의 Tip

○ 중과세 추징 시 부담세율

중과세 추징 사유가 발생하여 취득세가 추징되는 경우, ① 지점 등 중과세에 따른 중과세율에서 ② 이미 부담한 일반세율은 차감합니다. 최초 취득 시 일반세율로는 취득세를 신고납부했기 때문입니다.

[예시: 신축한 건축물이 지점 등 중과세에 해당하여 추징될 때의 부담세율]

구분	① 중과세율	② 일반세율	③ 추징세율 (=① - ②)
취득세	4.4%*	2.8%	1.6%

*2.8% × 3 - 2% × 2

다만 중과세 추징 규정을 적용할 때 임대가 불가피하다고 인정되는 ① 전기통신사업과 ② 유통산업 등에 대해서는 임대를 하는 것도 직접 사용하는 것으로 본다. 해당 업종은 사업 특성상 임대의 형식을 통하여 사용하는 것이 필수적임을 고려한 것이다.

| 임대를 직접 사용으로 보는 업종 |

구분	내용
전기통신사업 (지령 §26 ① 4.)	전기통신사업(전기통신사업법에 따른 전기통신사업자가 같은 법 제41조에 따라 전기통신설비 또는 시설을 다른 전기통신사업자와 공동으로 사용하기 위하여 임대하는 경우로 한정)
유통산업 등 (지령 §26 ① 6.)	아래 3가지 업종(관계 법령에 따라 임대가 허용되는 매장 등의 전부 또는 일부를 임대하는 경우 임대하는 부분에 한정)

구분	내용
	① 유통산업(유통산업발전법)
	② 농수산물도매시장 · 농수산물공판장 · 농수산물종합유통센터 · 유통자회사(농수산물유통 및 가격안정에 관한 법률)
	③ 가축시장(축산법)

② 대도시 내 공장 취득 중과세

대도시(산업집적활성화 및 공장설립에 관한 법률을 적용받는 유치지역 및 국토의 계획 및 이용에 관한 법률을 적용받는 공업지역은 제외)에서 공장을 신설하거나 증설함에 따라 부동산을 취득하는 경우 중과세가 적용된다. 공장에 대한 중과세 규정은 지방세법 제13조 제1항에 따른 공장 중과세 규정과 기본적인 내용은 같다. 다만 중과세 대상과 취득 방법에 일부 차이가 있다.

㉠ 중과세 대상

대도시에서 공장을 신설하거나 증설함에 따라 부동산을 취득하는 경우 지방세법 제13조 제2항 지점 등 중과세 규정이 적용된다. 반면 지방세법 제13조 제1항 본점 등 중과세 규정을 적용받는 공장의 사업용 과세물건은 공장용 건축물과 부속토지 및 공장용 차량 및 기계장비를 포함한다. 지방세법 제13조 제1항의 취득범위가 더 넓다.

㉡ 취득 방법

지방세법 제13조 제1항 본점 등 중과세 규정은 공장의 신 · 증설에 따른 원시취득만 적용한다. 반면 지방세법 제13조 제2항 지점 등 중과세 규정은 공장의 신 · 증설뿐 아니라 승계취득, 공장 이전 및 공장의 업종변경에 따른 부동산 취득을 포함한다.[17] 지방세법 제13조 제2항에 따른 중과세 규정이 그 취득의 범위가 더 넓다.

---

17) 지방세법시행령 제27조 제3항

| 본점 등 중과세와 지점 등 중과세 규정의 공장 중과세 규정 차이 |

구분	지방세법 제13조 제1항	지방세법 제13조 제2항
중과세 대상	① 공장용 건축물과 그 부속토지 ② 신설·증설한 날부터 5년 이내에 취득하는 공장용 차량 및 기계장비	공장용 건축물과 그 부속토지 (차량 및 기계장비는 해당없음)
취득 방법	원시취득(신·증설)	① 원시취득(신·증설) ② 승계취득 ③ 공장 이전·업종변경에 따른 취득

3) 사치성 재산

지방세법에서는 ① 별장 ② 골프장 ③ 고급주택 ④ 고급오락장 ⑤ 고급선박을 취득하는 경우 취득세 표준세율에 중과기준세율(2%)의 4배를 합한 세율을 적용한다. 별장, 골프장, 고급주택, 고급오락장, 고급선박은 과세물건의 특성상 통상 일괄하여 사치성 재산으로 칭한다. 사치성 재산 취득자의 높은 세금부담 능력을 고려하여 사치성 재산은 더 높은 중과세율을 적용한다.

① 별장

별장은 주거용 건축물로서 늘 주거용으로 사용하지 않고 휴양·피서·놀이 등의 용도로 사용하는 건축물과 그 부속토지를 말한다. 별장의 범위와 적용기준은 다음과 같다.

| 별장의 기준 |

구분	내용
별장 범위	① 주거용 건축물로서 ② 늘 주거용으로 사용하지 아니하고 ③ 휴양·피서·놀이 등의 용도로 사용하는 건축물과 그 부속토지

구분	내용		
	구분	내용	
별장 적용기준	일부의 취득	아래와 같이 별장을 구분하여 그 일부를 취득하는 경우를 포함 • 별장을 2명 이상이 구분하여 취득 • 별장을 1명 또는 여러 명이 시차를 두고 구분하여 취득	
	소유	• 개인이 소유하는 별장은 본인 또는 그 가족 등이 사용하는 것으로 함 • 법인·단체가 소유하는 별장은 그 임직원 등이 사용하는 것으로 함	
	특정 오피스텔	① 주거와 주거 외의 용도로 겸용할 수 있도록 건축된 오피스텔 또는 이와 유사한 건축물로서 ② 사업장으로 사용하고 있음이 사업자등록증 등으로 확인되지 않는 것은 별장으로 봄	
	임차를 포함	소유자 이외의 자가 주택을 임차하여 별장으로 사용하는 경우에도 중과세 대상(본점 등 중과세는 임차의 경우에는 적용하지 않음)	
	부속 토지	구분	내용
		정의	당해 주택과 경제적 일체를 이루고 있는 토지로서 사회통념상 주거생활 공간으로 인정되는 대지
		불명확 한 경우	별장에 부속된 토지의 경계가 명확하지 않은 경우 그 건축물 바닥면적의 10배를 부속토지로 봄
별장 제외 (농어촌 주택)	아래 농어촌주택과 그 부속토지는 사치성 재산 중과세 대상 별장에서 제외함		
	요건	내용	
	면적 요건	대지면적이 660㎡ 이내이고 건축물의 연면적이 150㎡ 이내일 것	
	가액 요건	건축물의 가액(시가표준액)이 6,500만원 이내일 것	

구분	내용		
지역 요건	다음 중 어느 하나에 해당하는 지역에 있지 아니할 것		
	지역		비고
	1	광역시에 소속된 군지역 또는 수도권정비계획법 제2조 제1호에 따른 수도권지역(접경지역지원법 제2조 제1호에 따른 접경지역과 수도권정비계획법에 따른 자연보전권역 중 행정안전부령으로 정하는 지역은 제외)	[*1] [*2] [*3]
	2	국토의 계획 및 이용에 관한 법률 제6조에 따른 도시지역 및 부동산 거래신고 등에 관한 법률 제10조에 따른 허가구역	[*4] [*5]
	3	소득세법 제104조의 2 제1항에 따라 기획재정부장관이 지정하는 지역(＝서울특별시 종로구, 중구, 동대문구, 동작구)	[*6]
	4	조세특례제한법 제99조의 4 제1항 제1호 가목 5)에 따라 정하는 지역(＝문화체육관광부에서 지정하는 관광단지)	[*7]

[비고] 농어촌주택 규정의 관련 지역

사치성 재산 중 별장 중과세가 적용되지 않는 농어촌주택 관련 규정에서 언급된 지역은 다음과 같다.

| 농어촌주택 지역 |

구분	내용		중과세 판단
[*1] 수도권 지역	수도권정비계획법 제2조 제1호에 따른 수도권지역 (① 서울특별시 ② 인천광역시 ③ 경기도)		별장 (중과세)
[*2] 접경지역	접경지역지원법 제2조 제1호에 따른 접경지역(비무장지대 제외)		농어촌 주택 (중과세 제외)
	구분	접경지역	
	1953.7.27 체결된 군사정전에 관한 협정에 따라 설치된 비무장지대 또는 해상의 북방한계선과 잇	① 인천광역시 : 강화군, 옹진군 ② 경기도 : 김포시, 파주시, 연천군 ③ 강원도 : 철원군, 화천군, 양	

구분	내용		중과세 판단
	닿아 있는 시·군	구군, 인제군, 고성군	
	민간인통제선 이남 지역 중 민간인통제선과의 거리 및 지리적 여건 등을 기준으로 하여 대통령령으로 정하는 시·군	① 경기도 : 고양시, 양주시, 동두천시, 포천시 ② 강원도 : 춘천시	
	비무장지대 내 집단취락지역	경기도 파주시 군내면에 위치한 집단취락지역	
[*3] 자연 보전권역	수도권정비계획법에 따른 자연보전권역 중 아래 지역 ① 이천시, 여주시, 광주시, 가평군, 양평군 ② 남양주시(화도읍, 수동면 및 조안면만 해당) ③ 용인시(김량장동, 남동, 역북동, 삼가동, 유방동, 고림동, 마평동, 운학동, 호동, 해곡동, 포곡읍, 모현면, 백암면, 양지면 및 원삼면 가재월리·사암리·미평리·좌항리·맹리·두창리만 해당) ④ 안성시(일죽면, 죽산면 죽산리·용설리·장계리·매산리·장릉리·장원리·두현리 및 삼죽면 용월리·덕산리·율곡리·내장리·배태리만 해당)		농어촌주택 (중과세 제외)
[*4] 도시지역	국토의 계획 및 이용에 관한 법률 제6조에 따른 도시지역 (국토교통부장관, 시·도지사, 대도시 시장이 지정하는 지역)		별장 (중과세)
[*5] 허가구역	부동산 거래신고 등에 관한 법률 제10조에 따른 허가구역 (국토교통부 장관, 시·도지사가 지정하는 지역)		별장 (중과세)
[*6] 부동산 투기지역	소득세법 제104조의 2 제1항에 따라 기획재정부장관이 지정하는 아래 부동산 투기지역 지역		별장 (중과세)
	명칭	부동산 지정지역(투기지역) 지정 (2018.8.28. 기획재정부공고 제2018-151호)	
	지정지역	서울특별시 종로구, 중구, 동대문구, 동작구	
	지정기간	2018.8.28부터 지정해제일 전일까지	
[*7] 관광단지	조세특례제한법 제99조의 4 제1항 제1호 가목 5)에 따른 지역(관광진흥법 제2조에 따른 관광단지[18])		별장 (중과세)

18) 문화체육관광부 홈페이지 〉 주요정책 〉 관광 〉 '관광지 및 관광단지 지정현황에서 확인 가능

○ 별장 판단 시 유의사항

별장은 지방세법에서 사치성 재산 중과세 목적으로 도입한 개념으로 건축물대장이나 건축물 등기부등본 등 주거용 건축물의 공부상의 자료에 별장으로 기재되지는 않습니다.

따라서 별장은 그 취득목적, 상시 주거지와의 거리, 이용현황(전기사용량, 수도사용량 등의 간헐적 사용)등 사실상의 현황을 종합하여 지방세법에서 정하고 있는 별장의 정의에 포함되는지를 확인해야 합니다.

② 골프장

골프장은 체육시설의 설치·이용에 관한 법률에 따른 회원제 골프장용 부동산 중 구분등록의 대상이 되는 토지와 건축물 및 그 토지 상의 입목을 말한다. 골프장은 그 시설을 갖추어 체육시설의 설치·이용에 관한 법률에 따라 체육시설업의 등록(시설을 증설하여 변경등록하는 경우를 포함)을 하는 경우뿐만 아니라 등록을 하지 아니하더라도 사실상 골프장으로 사용하는 경우에도 적용한다.

회원제가 아닌 대중제 골프장과 간이골프장은 사치성 재산 중과세가 적용되지 않는다.

| 골프장의 기준 |

구분	내용	
골프장 범위	회원제용 골프장(대중제 골프장과 간이골프장 제외) 중 ① 구분등록의 대상이 되는 토지와 건축물 및 ② 그 토지상의 입목	
적용기준	구분	내용
	사실상 현황	체육시설의 설치·이용에 관한 법률에 따라 등록하지 않더라도 사실상 골프장으로 사용하는 경우를 포함

구분		내용
일부 취득		골프장을 구분하여 그 일부를 취득하는 경우를 포함 • 골프장을 2명 이상이 구분하여 취득 • 골프장을 1명 또는 여러 명이 시차를 두고 구분하여 취득

③ 고급주택

고급주택은 주거용 건축물 또는 그 부속토지의 면적과 가액이 특정 기준을 초과하거나 해당 건축물에 67㎡ 이상의 수영장 등 특정 부대시설을 설치한 주거용 건축물과 그 부속토지를 말한다.

다만, 주거용 건축물을 취득한 날부터 60일 이내에[19] 주거용이 아닌 용도로 사용하거나 고급주택이 아닌 용도로 사용하기 위하여 용도변경 공사를 착공하는 경우는 제외한다.

고급주택의 범위와 적용기준은 다음과 같다.

| 고급주택의 기준 |

구분			내용
적용 범위	아래 구분별 요건에 해당하는 주거용 건축물과 그 부속토지		
	구분		고급주택 요건
	단독 주택	연면적	① 1구(1세대가 독립하여 구분 사용할 수 있도록 구획된 부분, 이하 같음)의 건축물의 연면적(주차장면적 제외)이 331㎡를 초과하고 ② 건축물 가액이 9천만원을 초과하는 주거용 건축

---

19) 아래의 경우에는 60일 이내가 아닌 6개월 또는 9개월 이내를 적용함.
   ① 상속 : 상속개시일이 속하는 달의 말일부터 6개월 이내(납세자가 외국에 주소를 둔 경우 9개월 이내)
   ② 실종 : 실종선고일이 속하는 달의 말일부터 6개월 이내(납세자가 외국에 주소를 둔 경우 9개월 이내)

구분			내용
			물과 그 부속토지로서 ③ 취득 당시의 시가표준액이 6억원을 초과하는 것
		대지면적	① 1구의 건축물의 대지면적이 662㎡를 초과하고 ② 건축물 가액이 9천만원을 초과하는 주거용 건축물과 그 부속토지로서 ③ 취득 당시의 시가표준액이 6억원을 초과하는 것
		엘리베이터	① 1구의 건축물에 엘리베이터(적재하중 200kg 이하의 소형엘리베이터 제외)가 설치된 주거용 건축물과 그 부속토지(공동주택과 그 부속토지 제외)로서 ② 취득 당시의 시가표준액이 6억원을 초과하는 것
		특정시설	1구의 건축물에 에스컬레이터 또는 67㎡ 이상의 수영장 중 1개 이상의 시설을 설치된 주거용 건축물과 그 부속토지(공동주택과 그 부속토지는 제외)
	공동주택		1구의 공동주택의 건축물 연면적(공용면적 제외)이 245㎡(복층형은 274㎡로 하되, 한 층의 면적이 245㎡를 초과하는 것은 제외)를 초과하는 공동주택과 그 부속토지
적용 기준	일부 취득		고급주택을 구분하여 그 일부를 취득하는 경우를 포함 • 고급주택을 2명 이상이 구분취득 • 고급주택을 1명 또는 여러 명이 시차를 두고 구분취득
	부속토지 불명확		부속토지의 경계가 명확하지 않은 경우 건축물 바닥면적의 10배를 부속토지로 봄

④ 고급오락장

고급오락장은 도박장, 유흥주점영업장, 특수목욕장, 그 밖에 이와 유사한 용도에 사용되는 건축물과 그 부속토지를 말한다.

다만, 고급오락장용 건축물을 취득한 날부터 60일 이내에[20] 고급오락장이 아닌 용도로 사용하거나 고급오락장이 아닌 용도로 사용하기 위하여 용도변경 공사를 착공하는 경우는 제외한다.

| 고급오락장의 기준 |

구분	내용
범위	도박장, 유흥주점영업장, 특수목욕장 등 아래 용도에 사용되는 건축물과 그 부속토지 ① 당사자 상호간에 재물을 걸고 우연한 결과에 따라 재물의 득실을 결정하는 카지노장(관광진흥법에 따라 허가된 외국인전용 카지노장은 제외) ② 사행행위 또는 도박행위에 제공될 수 있도록 자동도박기(파친코, 슬롯머신, 아케이드 이퀴프먼트 등)를 설치한 장소 ③ 머리와 얼굴에 대한 미용시설 외에 욕실 등을 부설한 장소로서 그 설비를 이용하기 위하여 정해진 요금을 지급하도록 시설된 미용실 ④ 식품위생법 제37조에 따른 허가대상인 유흥주점영업으로서 다음 중 하나에 해당하는 영업장소 (공용면적을 포함한 영업장 면적이 100㎡ 초과하는 것만 해당) • 손님이 춤을 출 수 있도록 객석과 구분된 무도장을 설치한 영업장소 (카바레, 나이트클럽, 디스코클럽 등) • 유흥접객원(남녀불문, 임시고용된 사람 포함)을 두는 경우로, 별도로 반영구적으로 구획된 객실의 면적이 영업장 전용면적의 50% 이상이거나 객실 수가 5개 이상인 영업장소 (룸살롱, 요정 등)

적용기준	구분	내용
	부속토지 불명확	부속토지의 경계가 명확하지 않은 경우 건축물 바닥면적의 10배를 부속토지로 봄
	건축물 일부가 고급오락장인 경우의 부속토지	고급오락장 부속토지(연면적 비율로 안분) =건축물 부속토지 × 고급오락장용 건축물 연면적 / 건축물 연면적

---

20) 아래의 경우에는 60일 이내가 아닌 6개월 또는 9개월 이내를 적용함.
　① 상속 : 상속개시일이 속하는 달의 말일부터 6개월 이내(납세자가 외국에 주소를 둔 경우 9개월 이내)
　② 실종 : 실종선고일이 속하는 달의 말일부터 6개월 이내(납세자가 외국에 주소를 둔 경우 9개월 이내)

구분	내용
구분 취득	고급오락장을 구분하여 그 일부를 취득하는 경우를 포함 • 고급오락장을 2명 이상이 구분취득 • 고급오락장을 1명 또는 여러 명이 시차를 두고 구분취득

⑤ 고급선박

고급선박은 비업무용 자가용 선박으로서 시가표준액이 3억원을 초과하는 선박을 말한다. 다만, 실험·실습 등의 용도에 사용할 목적으로 취득하는 것은 제외한다.

4) 2개 이상 중과세 규정이 동시에 적용

① 본점 등 중과세 + 지점 등 중과세

지방세법 제13조 제1항에 따른 본점 등 중과세와 지방세법 제13조 제2항에 따른 지점 등 중과세가 동시에 적용되는 과세물건에 대한 중과세율은 취득세 표준세율의 3배로 한다.

② 지점 등 중과세 + 사치성 재산 중과세

지방세법 제13조 제2항에 따른 지점 등 중과세와 지방세법 제13조 제5항에 따른 사치성 재산 중과세가 동시에 적용되는 과세물건에 대한 중과세율은 취득세 표준세율의 3배에 중과기준세율(2%)의 2배를 합한 세율을 적용한다.

| 중과세가 중복되는 경우의 중과세율 |

구분	중과세율
본점 등 중과세 + 지점 등 중과세	취득세 표준세율 × 3
지점 등 중과세 + 사치성 재산 중과세	취득세 표준세율 × 3 + 중과기준세율(2%) × 2

(3) 특례세율

앞서 언급하였듯 현재의 취득세는 2010년 이전의 취득세와 등록세가 통합된 것이다. 취득세와 등록세가 통합되기 전에는 취득세만 과세 또는 등록세만 과세하는 항목이 있었다. 2011년 취득세 통합 후 이러한 항목에 대하여도 2010년 이전과 동일한 세율을 적용할 수 있도록 규정을 만든 것이 특례세율이다.

특례세율 1은 취득세 통합전 등록세만 과세했던 항목이며 '표준세율에서 중과기준세율을 차감한 세율'을 말한다. 표준세율은 앞서 언급한 바와 같이 다른 정함이 없을 때 정하는 세율로서 지방세법 제11조 및 제12조에 따른 취득세율이다. 중과기준세율은 지방세법 제6조 제19호에 따른 것으로 2%의 단일세율이다. 취득세 표준세율은 과세물건에 따라 다르게 적용되므로 특례세율 1은 과세물건별로 적용하는 세율에 차이가 있다.

특례세율 2는 취득세 통합전 취득세만 과세했던 항목이며, 중과기준세율 2%를 일괄적으로 적용한다.

| 특례세율의 의미 |

지방세	내용		
	구분	세무처리	
2010.12.31. 이전	취득세	비과세	과세
	등록세	과세	비과세
2011.1.1. 이후	취득세	특례세율 1 (=표준세율−중과기준세율 2%)	특례세율 2 (=중과기준세율 2%)

| 특례세율 1과 2의 비교 |

구분	특례세율 1	특례세율 2
근거	지방세법 제15조 제1항	지방세법 제15조 제2항
세율	표준세율 – 중과기준세율(2%)	중과기준세율(2%)
성격	형식적인 취득에 따른 등기 및 등록	간주취득 등
취득 범위	① 환매 등기를 병행하는 부동산의 매매로서 환매기간 내에 매도자가 환매한 경우의 그 매도자와 매수자의 취득 ② 상속으로 인한 취득 중 아래의 취득 ㉮ 1가구 1주택의 취득 ㉯ 취득세의 감면대상 농지의 취득 ③ 적격합병에 따른 취득(사후관리 요건 있음) ④ 공유물·합유물의 분할 또는 부동산의 공유권 해소를 위한 지분 이전으로 인한 취득(등기부등본상 본인 지분을 초과하는 부분은 제외) ⑤ 건축물의 이전으로 인한 취득(이전한 건축물 가액이 종전 건축물 가액을 초과하는 경우 그 초과하는 가액은 제외) ⑥ 민법 제834조, 제839조의 2 및 제840조에 따른 재산분할로 인한 취득 ⑦ 벌채하여 원목을 생산하기 위한 입목의 취득	① 개수로 인한 취득 ② 토지의 지목변경 ③ 선박, 차량, 기계장비의 종류변경 ④ 과점주주의 간주취득 ⑤ 외국인 소유 취득세 과세대상 물건(차량, 기계장비, 항공기, 선박)을 임차하여 수입하는 취득(연부 취득에 한정) ⑥ 시설대여업자의 건설기계 및 차량 취득 ⑦ 취득대금을 지급한 자의 기계장비 또는 차량 취득(기계장비대여업체 또는 운수업체 명의로 등록하는 경우로 한정) ⑧ 지방세법 제7조 제14항 본문[21]에 해당하는 토지의 소유자의 취득 ⑨ 시설의 취득 ⑩ 무덤과 이에 접속된 부속시설물의 부지로 사용되는 토지로서 지적공부상 지목이 묘지인 토지의 취득 ⑪ 존속기간 1년 초과 임시건축물의 취득 ⑫ 건설기계·차량을 등록한 대여 시설이용자가 그 시설대여업자로부터 취득하는 건설기계 또는 차량의 취득 ⑬ 건축물을 건축하여 취득하는 경우로서 그 건축물에 대하여 법

구분	특례세율 1	특례세율 2
		제28조 제1항 제1호 가목 또는 나목에 따른 소유권의 보존 등기 또는 소유권의 이전 등기에 대한 등록면허세 납세의무가 성립한 후 제20조에 따른 취득시기가 도래하는 건축물의 취득
중과세율	위 취득물건이 지점 등 중과세 규정에 해당하는 경우 취득세 산출세율의 3배를 적용	위 취득물건이 ① 본점 등 중과세 규정에 해당하는 경우 중과기준세율(2%)의 3배 적용(=6%) ② 사치성 재산 중과세 규정에 해당하는 경우 중과기준세율(2%)의 5배 적용(=10%)

---

21) 공간정보의 구축 및 관리 등에 관한 법률 제67조에 따른 대(垈) 중 국토의 계획 및 이용에 관한 법률 등 관계 법령에 따른 택지공사가 준공된 토지에 정원 또는 부속시설물 등을 조성·설치하는 경우에는 그 정원 또는 부속시설물 등은 토지에 포함되는 것으로서 토지의 지목을 사실상 변경하는 것으로 보아 토지의 소유자가 취득한 것으로 봄.

제7장 주택 취득세율

이제 법인과 다주택자가 취득하는
주택은 중과세합니다!

2020년 지방세법 개정에서 가장 많이 바뀐 것은 주택에 대한 취득세율이다. 매매의 방법으로 취득하는 유상취득과 상속 또는 증여로 취득하는 무상취득 모두 변화가 있었다. 따라서 주택 취득세율은 지방세법 개정 전후에 따른 변화를 정리할 필요가 있다.

(1) 주택의 유상취득

1) 2019년 12월 31일까지의 취득세율

부동산 유상취득의 취득세율은 4%(농지는 3%)이다. 다만 2013년 지방세법을 개정하면서 국민의 주거 안정을 위한 주택 취득세 부담을 완화해주기 위해 주택의 유상취득은 주택 외 부동산의 유상취득보다 낮은 세율(1%~3%의 범위)을 적용하기로 하였다.

한편 2019년까지는 법인이 주택을 취득하는 것과 개인이 주택을 취득하는 것에 취득세율 차이가 없었다.

취득당시 가액	전용면적	주택취득시 부담세율			
		취득세	지방교육세	농어촌특별세	계
6억원 이하	85㎡ 이하	1.0%	0.1%	비과세	1.1%
	85㎡ 초과			0.2%	1.3%
6억원 초과 9억원 이하	85㎡ 이하	2.0%	0.2%	비과세	2.2%
	85㎡ 초과			0.2%	2.4%
9억원 초과	85㎡ 이하	3.0%	0.3%	비과세	3.3%
	85㎡ 초과			0.2%	3.5%

2) 2020년 1월 1일부터 2020년 8월 12일까지의 취득세율

취득당시가액이 6억원 이상 9억원 이하인 주택에 대한 취득세율이 2020.1.1. 개정되었다.[22] 6억원 이상 9억원 이하의 세율 구간에서 주택 취득 거래가 집중되는 경향이 있어 해당 구간의 취득세율을 취득가액에 비례하도록 조정하였다. 그 결과 취득당시 가액이 6억원 이상 9억원 이하인 주택의 취득세율은 개정 전에는 2%의 단일세율이었으나, 개정 후에는 취득 당시의 가액에 비례하여 1% 초과 3% 미만의 세율을 적용한다.

또한 1세대가 4주택 이상에 해당하는 주택을 취득하는 경우 주택의 유상 취득에 따른 취득세율을 적용하지 않고 일반적인 유상취득의 취득세율인 4.0%를 적용한다. 1세대가 4주택 이상을 취득하는 것에까지 주거 안정을 취지로 한 주택 취득세율 혜택을 적용하지는 않겠다는 취지다. 다만 법인은 세대의 개념이 없으므로 법인은 4주택 이상을 취득해도 주택의 유상취득에 따른 취득세율 규정을 적용한다.

---

22) 개정법의 적용시기는 2020.1.1. 이후 주택 취득분임. 다만, 2020.1.1. 전에 취득당시가액이 7억 5천만원을 초과하고 9억원 이하인 주택에 대한 매매계약을 체결한 자가 2020.1.1. 이후 3개월(공동주택 분양계약을 체결한 자는 3년) 내에 해당 주택을 취득하는 경우에는 종전의 법에 따름(＝2%를 적용).

① 개인

주택수	취득당시 가액	전용면적	주택취득시 부담세율			
			취득세	지방교육세	농어촌특별세	계
1세대 3주택 이하	6억원 이하	85㎡ 이하	1.0%	0.1%	비과세	1.1%
		85㎡ 초과			0.2%	1.3%
	6억원 초과 9억원 이하	85㎡ 이하	1.0% ~3.0%	0.1% ~0.3%	비과세	1.1% ~3.3%
		85㎡ 초과			0.2%	1.3% ~3.5%
	9억원 초과	85㎡ 이하	3.0%	0.3%	비과세	3.3%
		85㎡ 초과			0.2%	3.5%
1세대 4주택 이상 모든 주택			4.0%	0.4%	0.2%	4.6%

② 법인

취득당시 가액	전용면적	주택취득시 부담세율			
		취득세	지방교육세	농어촌특별세	계
6억원 이하	85㎡ 이하	1.0%	0.1%	비과세	1.1%
	85㎡ 초과			0.2%	1.3%
6억원 초과 9억원 이하	85㎡ 이하	1.0%~3.0%	0.1% ~0.3%	비과세	1.1% ~3.3%
	85㎡ 초과			0.2%	1.3% ~3.5%
9억원 초과	85㎡ 이하	3.0%	0.3%	비과세	3.3%
	85㎡ 초과			0.2%	3.5%

3) 2020년 8월 12일 이후의 취득세율

주택의 실수요자를 보호하고 주택에 대한 투기수요를 근절하기 위하여

2020년 8월 12일 지방세법을 개정하였고 그 결과 주택의 유상취득에 따른 취득세율이 대폭 인상되었다.

첫 번째 개정사항은 1세대가 2주택 이상을 취득하는 개인 다주택자의 경우 조정대상지역을 고려하여 8%~12%의 중과세율을 적용하는 것이다. 두 번째 개정사항은 법인이 주택을 취득하는 경우 주택수 및 조정대상지역과 관계없이 모든 주택에 대하여 12%의 중과세율을 적용하는 것이다. 즉, 1세대가 1주택을 취득하는 경우를 제외한 모든 주택의 취득에 대하여 취득세율을 인상하였다.

구분		취득세율	
개인	1주택	취득당시 가액에 따라 1%~3%를 적용 (=1세대 1주택은 개정 전과 동일)	
	구분	조정대상지역	조정대상지역 외
	2주택	8%[*1]	1%~3%
	3주택	12%	8%
	4주택 이상	12%	
법인	모든 주택	12%[*2]	

[*1] 4% + 2%(중과기준세율) × 2 = 8%
[*2] 4% + 2%(중과기준세율) × 4 = 12%

| 주택의 유상 취득세율 2020.8.12. 이후 |

① 개인

주택수	취득당시가액	전용면적	주택취득시 부담세율			
			취득세	지방교육세	농어촌특별세	계
1주택 (일시적 2주택 포함)	6억원 이하	85㎡ 이하	1.0%	0.1%	비과세	1.1%
		85㎡ 초과			0.2%	1.3%
	6억원 초과 9억원 이하	85㎡ 이하	1.0% ~3.0%	0.1% ~0.3%	비과세	1.1% ~3.3%

주택수	취득당시가액	전용면적	주택취득시 부담세율			
			취득세	지방 교육세	농어촌 특별세	계
2주택		85㎡ 초과			0.2%	1.3% ~3.5%
	9억원 초과	85㎡ 이하	3.0%	0.3%	비과세	3.3%
		85㎡ 초과			0.2%	3.5%
	조정대상지역	85㎡ 이하	8.0%	0.4%	비과세	8.4%
		85㎡ 초과			0.2%	8.6%
	비조정대상지역	1주택과 동일				
3주택	조정대상지역	85㎡ 이하	12.0%	0.4%	비과세	12.4%
		85㎡ 초과			0.2%	12.6%
	비조정대상지역	85㎡ 이하	8.0%	0.4%	비과세	8.4%
		85㎡ 초과			0.2%	8.6%
4주택 이상	모든 주택	85㎡ 이하	12.0%	0.4%	비과세	12.4%
		85㎡ 초과			0.2%	12.6%

② 법인

취득당시가액 및 조정대상지역	전용면적	주택취득시 부담세율			
		취득세	지방 교육세	농어촌 특별세	계
모든 주택	85㎡ 이하	12.0%	0.4%	비과세	12.4%
	85㎡ 초과	12.0%	0.4%	0.2%	12.6%

　지방세법에 따르면 같은 취득물건에 대하여 둘 이상의 세율이 적용되는 경우 그중 높은 세율을 적용한다. 다만 ① 법인 또는 다주택자가 취득하는 주택 중과세율과 ② 사치성 재산(고급주택) 중과세율이 동시에 적용되는 주택의 경우에는, 둘 중 높은 세율을 적용하지 않고 ① 법인 또는 다주택자가 취득하는 주택 중과세율에 중과기준세율(2%)의 4배를 합한 세율을 적용한다.

구분		취득세율
법인이 취득하는 주택 중과세 + 고급주택 중과세		12% + 8% = 20%
다주택자가 취득하는 주택 중과세 + 고급주택 중과세	• 1세대 4주택 이상 • 1세대 3주택(조정대상지역)	12% + 8% = 20%
	• 1세대 3주택(조정대상지역 외) • 1세대 2주택(조정대상지역)	8% + 8% = 16%

| 지방세법 개정에 따른 주택 유상취득의 주요변화 |

구분	개인	법인
2019년 이전	취득당시가액에 따라 1%~3% 세율 적용	개인과 동일
2020.1.1. ~2020.8.12.	① 1세대 4주택 이상은 일반 유상취득 세율 4% 적용(주택의 세금혜택 적용하지 않음) ② 취득당시가액 6억원 초과 9억원 이하 주택은 1%~3% 범위에서 비례세율 적용(개정 전은 2% 단일세율)	① 4주택 이상도 법 개정 전과 동일한 세율 적용(법인은 세대개념 없음) ② 취득당시가액 6억원 초과 9억원 이하 주택은 개인과 동일하게 1%~3% 범위에서 비례세율 적용
2020.8.12. 이후	① 1세대 1주택(일시적 2주택 포함)은 법 개정 전과 동일한 세율 적용 ② 1세대 2주택 이상은 조정대상지역 여부에 따라 8%~12% 중과세율 적용	법인이 취득하는 주택은 12% 중과세율 적용

(2) 주택의 무상취득(상속과 증여)

주택의 무상취득은 일반적으로 상속과 증여의 방법으로 주택을 취득하는 것을 말한다.

1) 상속

상속으로 주택을 취득하면 무상승계취득에 따른 2.8%의 취득세율을 부담한다. 다만, 1세대 1주택의 취득은 '6장. 세율'에서 살펴본 특례세율 1 규정을 적용하여 0.8%의 취득세율을 부담한다.

| 주택의 상속에 따른 부담세율 |

상속 주택 구분	전용면적	부담세율			
		취득세	지방교육세	농어촌특별세	계
1세대 1주택 (=특례세율 1 적용)	85㎡ 이하	0.8%	0.16%	비과세	0.96%
	85㎡ 초과			0.2%	1.16%
위 외 일반상속	85㎡ 이하	2.8%	0.16%	비과세	2.96%
	85㎡ 초과			0.2%	3.16%

2) 증여

증여로 주택을 취득하면 상속외 무상승계취득에 따른 3.5%의 취득세율을 부담한다. 하지만 2020.8.12. 지방세법 개정으로 ① 조정대상지역에 있는 주택으로서 ② 지방세법상 시가표준액이 3억원 이상인 주택을 증여로 취득하면 12%의 중과세율을 적용한다.

다만, 다음 중 어느 하나에 해당하는 경우 증여에 따른 중과세율을 적용하지 않는다.

- 1세대 1주택을 소유한 사람으로부터 해당 주택을 배우자 또는 직계존비속이 상속 외 무상취득을 원인으로 취득하는 경우
- 적격합병으로 인한 취득(지방세법 제15조 제1항 제3호) 및 민법에 따른 재산분할로 인한 취득(지방세법 제15조 제1항 제6호)에 따른 세율의 특례 적용대상인 경우

① 2020.8.12. 이전

증여 주택 구분	전용면적	부담세율			
		취득세	지방교육세	농어촌특별세	계
모든 주택	85㎡ 이하	3.5%	0.3%	비과세	3.8%
	85㎡ 초과			0.2%	4.0%

② 2020.8.12. 이후

증여 주택 구분	전용면적	부담세율			
		취득세	지방교육세	농어촌특별세	계
조정대상지역에 소재하는 시가표준액 3억원 이상 주택	85㎡ 이하	12.0%	0.4%	비과세	12.4%
	85㎡ 초과			0.2%	12.6%
위 외 주택	85㎡ 이하	3.5%	0.3%	비과세	3.8%
	85㎡ 초과			0.2%	4.0%

(3) 2020.8.12. 개정 지방세법의 주택 관련 판단사항

2020.8.12.의 지방세법 개정과 관련하여 주택의 취득세율과 관련하여 법인, 주택 수, 세대, 중과 제외 주택 등의 개념이 도입되었다.

1) 법인

법인은 다음을 포함한다.

① 국세기본법 제13조에 따른 법인으로 보는 단체
② 「부동산등기법」 제49조 제1항 제3호에 따른 법인 아닌 사단·재단 등 개인이 아닌 자

국세기본법 제13조 [법인으로 보는 단체 등]

① 법인(「법인세법」 제2조 제1호에 따른 내국법인 및 같은 조 제3호에 따른 외국법인을 말한다. 이하 같다)이 아닌 사단, 재단, 그 밖의 단체(이하 "법인 아닌 단체"라 한다) 중 다음 각 호의 어느 하나에 해당하는 것으로서 수익을 구성원에게 분배하지 아니하는 것은 법인으로 보아 이 법과 세법을 적용한다. (2018.12.31. 개정)

1. 주무관청의 허가 또는 인가를 받아 설립되거나 법령에 따라 주무관청에 등록한 사단, 재단, 그 밖의 단체로서 등기되지 아니한 것 (2010.1.1. 개정)

2. 공익을 목적으로 출연된 기본재산이 있는 재단으로서 등기되지 아니한 것 (2010.1.1. 개정)

2) 주택 수

중과세율 적용의 기준이 되는 1세대의 주택 수는 다음과 같이 산정한다.

| 주택 수 판단 기준 |

구분	내용
1세대의 주택 수	주택 취득일 현재 취득하는 주택을 포함하여 1세대가 국내에 소유하는 다음의 주택 ① 주택 ② 조합원입주권 ③ 주택분양권 ④ 오피스텔
조합원입주권, 주택분양권의 판단 기준	조합원입주권 또는 주택분양권에 의하여 취득하는 주택은 조합원입주권 또는 주택분양권의 취득일(분양으로 취득 시 분양계약일)을 기준으로 해당 주택 취득 시의 세대별 주택 수를 산정
동시 취득	주택, 조합원입주권, 주택분양권, 오피스텔을 동시에 2개 이상 취득하는 경우에는 납세의무자가 정하는 바에 따라 순차적으로 취득하는 것으로 봄(납세의무자에게 유리하게 적용할 수 있음)

구분	내용
공동 소유	1세대 내에서 1개의 주택, 조합원입주권, 주택분양권, 오피스텔을 세대원이 공동으로 소유하는 경우에는 1개의 주택, 조합원입주권, 주택분양권, 오피스텔을 소유한 것으로 봄
상속에 따른 공동소유	상속으로 여러 사람이 공동으로 1개의 주택, 조합원입주권, 주택분양권, 오피스텔을 소유하는 경우

구분	내용
1순위	지분이 가장 큰 상속인을 그 주택, 조합원입주권, 주택분양권 또는 오피스텔의 소유자로 봄
2순위	지분이 가장 큰 상속인이 두 명 이상인 경우 다음의 순서에 따라 그 주택, 조합원입주권, 주택분양권, 오피스텔의 소유자를 판정 ① 그 주택 또는 오피스텔에 거주하는 사람 ② 나이가 가장 많은 사람

소유주택 수에서 제외하는 주택

1세대의 주택 수를 산정할 때 다음 중 어느 하나에 해당하는 주택, 조합원입주권, 주택분양권, 오피스텔은 소유주택 수에서 제외

구분	내용
1	다음 중 어느 하나에 해당하는 주택 ① 주택 중과세 제외 규정 중 시가표준액이 1억원 이하의 주택으로서 주택 수 산정일 현재 시가표준액 기준을 충족하는 주택 ② 주택 중과세 제외 규정 중 노인복지주택, 공공지원민간임대주택, 가정어린이집, 사원주거용 주택에 해당하는 주택으로서 주택 수 산정일 현재 해당 용도에 직접 사용하고 있는 주택 ③ 주택 중과세 제외 규정 중 국가등록문화재에 해당하는 주택 ④ 주택 중과세 제외 규정 중 공공기관 등이 멸실시킬 목적으로 취득하는 주택 ⑤ 주택 중과세 제외 규정 중 주택 시공자가 공사대금으로 취득한 미분양 주택(주택의 취득일부터 3년 이내의 기간으로 한정) ⑥ 주택 중과세 제외 규정 중 농어촌주택에 해당하는 주택으로서 주택 수 산정일 현재 건축물의 가액이 6,500만원(시가표준액) 이내인 요건을 충족하는 주택

구분	내용		
	구분	**내용**	
	2	통계법 제22조에 따라 통계청장이 고시하는 산업에 관한 표준분류에 따른 주거용 건물 건설업을 영위하는 자가 신축하여 보유하는 주택(자기 또는 임대계약 등 권원을 불문하고 타인이 거주한 기간이 1년 이상인 주택은 제외)	
	3	상속을 원인으로 취득한 주택, 조합원입주권, 주택분양권, 오피스텔로서 상속개시일부터 5년이 지나지 않은 것	
	4	주택 수 산정일 현재 법 지방세법 제4조에 따른 시가표준액이 1억원 이하인 오피스텔	
주택별 주택 수에 가산하는 사항	다음 중 어느 하나에 해당하는 경우 세대별 소유 주택 수에 가산 ① 신탁법에 따라 신탁된 주택은 위탁자의 주택 수에 가산 ② 조합원입주권은 해당 주거용 건축물이 멸실된 경우라도 해당 조합원입주권 소유자의 주택 수에 가산 ③ 주택분양권은 해당 주택분양권을 소유한 자의 주택 수에 가산 ④ 재산세 과세대상 중 주택으로 과세하는 오피스텔은 해당 오피스텔을 소유한 자의 주택 수에 가산		

3) 일시적 2주택

1세대가 일시적으로 보유하는 2주택에 대하여는 1세대 1주택과 동일하게 다주택자 주택 취득에 따른 중과세율을 적용하지 않는다. 일시적 2주택의 주요 내용은 다음과 같다.

| 일시적 2주택 |

구분	내용	
정의	종전 주택 등을 소유한 상태에서 신규 주택을 추가로 취득한 후 이사·학업 등을 사유로 신규 주택을 추가로 취득한 후 일시적 2주택 기간 이내에 종전 주택 등을 처분하는 경우의 신규 주택	
용어	종전 주택 등	1세대가 국내에서 소유한 1개의 주택, 조합원입주권, 주택분양권, 오피스텔

구분	내용		
신규 주택	종전 주택 등을 소유한 상태에서 이사·학업·취업·직장이전 및 이와 유사한 사유로 추가 취득하는 1주택		
일시적 2주택 기간[23]	원칙	3년	
	예외	1년(종전 주택 등과 신규 주택이 모두 조정대상지역인 경우)	

4) 1세대

1세대 2주택, 1세대 3주택 등 규정에서 1세대는 주택을 취득하는 사람과 주민등록표 등에 함께 기재되어 있는 가족으로 구성된 세대를 말한다. 1세대의 상세 내용은 다음과 같다.

| 1세대의 범위 |

구분	내용
1세대로 보는 경우	① 주택을 취득하는 사람과 주민등록법 §7에 따른 세대별 주민등록표 또는 등록외국인기록표·외국인등록표에 함께 기재되어 있는 가족(동거인은 제외)으로 구성된 세대 ② 단, 아래의 자는 주택을 취득하는 사람과 세대별 주민등록표 또는 등록외국인기록표등에 기재되어 있지 않아도 1세대에 속한 것으로 봄 • 주택을 취득하는 사람의 배우자(사실혼 제외) • 주택을 취득하는 사람의 배우자로서 법률상 이혼을 했으나 생계를 같이 하는 등 사실상 이혼한 것으로 보기 어려운 관계에 있는 사람은 포함(취지: 형식상 이혼으로 세금을 회피하는 행위를 방지) • 취득일 현재 미혼인 30세 미만의 자녀 또는 부모(주택을 취득하는 사람이 미혼이고 30세 미만인 경우로 한정)

---

23) 조합원입주권 또는 주택분양권을 1개 소유한 1세대가 그 조합원입주권 또는 주택분양권을 소유한 상태에서 신규 주택을 취득한 경우에는 해당 조합원입주권 또는 주택분양권에 의한 주택을 취득한 날부터 일시적 2주택 기간을 기산

구분	내용
별도의 세대로 보는 경우	① 부모와 같은 세대별 주민등록표에 기재되어 있지 않은 30세 미만의 자녀로서 소득세법 §4에 따른 소득이 기준 중위소득[24]의 40% 이상이고, 소유하고 있는 주택을 관리·유지하면서 독립된 생계를 유지할 수 있는 경우(미성년자 제외) ② 취득일 현재 65세 이상의 부모(부모 중 어느 한 사람이 65세 미만인 경우를 포함)를 동거봉양하기 위하여 30세 이상의 자녀, 혼인한 자녀 또는 위 ①에 따른 소득요건을 충족하는 성년인 자녀가 합가한 경우 ③ 취학 또는 근무상의 형편 등으로 세대 전원이 90일 이상 출국하는 경우로서 주민등록법 §10의 3 ① 본문에 따라 해당 세대가 출국 후에 속할 거주지를 다른 가족의 주소로 신고한 경우

5) 주택 중과세율 적용 제외 주택

법인 및 1세대 2주택 이상 다주택자가 취득하는 주택이라도 다음 중 어느 하나에 해당하는 주택은 주택 중과세율을 적용하지 않는다.

| 중과세가 적용되지 않는 주택 |

구분	주제		내용
1	시가표준액 1억 이하 주택	중과세 제외	시가표준액(지분이나 부속토지만을 취득한 경우에는 전체 주택의 시가표준액) 1억 이하 주택
		예외(중과세)	① 정비구역(설립인가를 받은 재건축조합의 사업부지 포함)으로 지정·고시된 지역에 소재하는 주택 ② 빈집정비사업 또는 소규모주택정비사업 시행구역에 소재하는 주택
2	공공매입 임대주택	중과세 제외	공공주택사업자가 공공매입임대주택으로 공급하기 위하여 취득하는 주택

---

24) 보건복지부장관이 급여의 기준 등에 활용하기 위하여 중앙생활보장위원회의 심의·의결을 거쳐 고시하는 국민 가구소득의 중위값(국민기초생활 보장법 제2조 제11호)

구분	주제		내용
		예외(중과세)	① 정당한 사유 없이 그 취득일부터 2년이 경과할 때까지 공공매입임대주택으로 공급하지 않는 경우 ② 공공매입임대주택으로 공급한 기간이 3년 미만인 상태에서 매각·증여하거나 다른 용도로 사용하는 경우
3	노인복지주택	중과세 제외	노인복지주택으로 운영하기 위하여 취득하는 주택
		예외(중과세)	① 정당한 사유 없이 그 취득일부터 1년이 경과할 때까지 해당 용도에 직접 사용하지 않는 경우 ② 해당 용도로 직접 사용한 기간이 3년 미만인 상태에서 매각·증여하거나 다른 용도로 사용하는 경우
4	국가등록 문화재주택	중과세 제외	국가등록문화재에 해당하는 주택
		예외(중과세)	해당 없음
5	공공지원 민간임대주택	중과세 제외	등록임대사업자가 공공지원민간임대주택으로 공급하기 위하여 취득하는 주택
		예외(중과세)	① 정당한 사유 없이 그 취득일부터 2년이 경과할 때까지 공공지원민간임대주택으로 공급하지 않는 경우 ② 공공지원민간임대주택으로 공급한 기간이 3년 미만인 상태에서 매각·증여하거나 다른 용도로 사용하는 경우
6	가정어린이집	중과세 제외	가정어린이집으로 운영하기 위하여 취득하는 주택
		예외(중과세)	① 정당한 사유 없이 그 취득일부터 1년이 경과할 때까지 해당 용도에 직접 사용하지 않는 경우 ② 해당 용도로 직접 사용한 기간이 3년 미만인 상태에서 매각·증여하거나 다른 용도로 사용하는 경우

구분	주제		내용
7	특정 부동산투자회사가 취득하는 법 소정 주택	중과세 제외	주택도시기금과 한국토지주택공사가 공동으로 출자하여 설립하는 부동산투자회사 또는 한국자산관리공사가 출자하여 설립한 부동산투자회사가 취득하는 주택으로서 취득 당시 다음 요건을 모두 갖춘 주택 ① 매도자가 거주하고 있는 주택으로서 해당 주택 외에 매도자가 속한 세대가 보유하고 있는 주택이 없을 것 ② 매도자로부터 취득한 주택을 5년 이상 매도자에게 임대하고 임대기간 종료 후에 그 주택을 재매입할 수 있는 권리를 매도자에게 부여할 것 ③ 시가표준액(지분이나 부속토지만을 취득한 경우에는 전체 주택의 시가표준액)이 5억원 이하인 주택
		예외(중과세)	해당 없음
8	멸실시킬 목적으로 취득하는 법소정 주택	중과세 제외	다음 중 어느 하나에 해당하는 주택으로서 멸실시킬 목적으로 취득하는 주택 ① 공공기관 또는 지방공기업이 특정 공익사업을 위하여 취득하는 주택 ② 다음의 자가 주택건설사업을 위하여 취득하는 주택 　㉮ 정비사업시행자 　㉯ 빈집정비사업 또는 소규모주택정비사업 사업시행자 　㉰ 주택조합 또는 등록한 주택건설사업자
		예외(중과세)	정당한 사유 없이 그 취득일부터 3년이 경과할 때까지 해당 주택을 멸실시키지 않은 경우

구분	주제	내용	
9	주택 시공사가 공사대금으로 취득한 미분양 주택	중과세 제외	주택의 시공자가 다음 중 어느 하나에 해당하는 자로부터 해당 주택의 공사대금으로 취득한 미분양 주택 ① 건축법에 따른 건축허가를 받은 자 ② 주택법에 따른 주택사업계획승인을 받은 자 [비고] 미분양 주택 주택법에 따른 사업주체가 공급하는 주택으로서 입주자모집공고에 따른 입주자의 계약일이 지난 주택단지에서 취득일 현재까지 분양계약이 체결되지 않아 선착순의 방법으로 공급하는 주택
		예외(중과세)	건축법에 따른 건축허가를 받은 자로부터 취득한 주택으로서 자기 또는 임대계약 등 권원을 불문하고 타인이 거주한 기간이 1년 이상인 경우
10	농협협동조합등이 저당권의 실행 또는 채권변제로 취득하는 주택	중과세 제외	다음 중 어느 하나에 해당하는 자가 저당권의 실행 또는 채권변제로 취득하는 주택 ① 농업협동조합 ② 산림조합 및 산림조합중앙회 ③ 상호저축은행 ④ 새마을금고 및 새마을금고중앙회 ⑤ 수산업협동조합 ⑥ 신용협동조합 및 신용협동조합중앙회 ⑦ 은행법에 따른 은행
		예외(중과세)	취득일부터 3년이 경과할 때까지 해당 주택을 처분하지 않은 경우
11	농어촌주택	중과세 제외	농어촌주택
		예외(중과세)	해당 없음

구분	주제	내용	
12	사원주거용 주택	중과세 제외	사원에 대한 임대용으로 직접 사용할 목적으로 취득하는 주택으로서 1구의 건축물의 연면적(전용면적)이 60㎡ 이하인 공동주택
		예외(중과세)	다음 중 어느 하나에 해당하는 주택 ① 취득하는 자가 개인인 경우로서 지방세기본법상 특수관계인 중 친족관계인 사람에게 제공하는 주택 ② 취득하는 자가 법인인 경우로서 지방세기본법상 과점주주에게 제공하는 주택 ③ 정당한 사유 없이 그 취득일부터 1년이 경과할 때까지 해당 용도에 직접 사용하지 않거나 해당 용도로 직접 사용한 기간이 3년 미만인 상태에서 매각·증여하거나 다른 용도로 사용하는 주택

제8장 비과세

취득세를 부담하지 않는 취득은 그만한 이유가 있습니다!

특정한 취득에 대하여는 취득세를 부과하지 않는 것이 취득세의 비과세 규정이다. 취득세가 비과세되면 계산 구조상 지방교육세와 농어촌특별세도 발생하지 않는다. 즉 비과세가 적용되는 취득은 취득에 따른 세금부담이 전혀 없다.

| 취득세 비과세되는 취득 |

구분			내용
1	국가 등 취득	비과세 적용	아래에 해당하는 자의 취득 ① 국가 ② 지방자치단체 ③ 지방자치단체조합(지방자치법 제159조 제1항) ④ 외국정부 ⑤ 주한국제기구
		비과세 제외	대한민국 정부기관의 취득에 대하여 과세하는 외국정부의 취득
2	기부채납 등	비과세 적용	국가 등(국가, 지방자치단체, 지방자치단체조합)에 귀속 또는 기부채납을 조건으로 취득하는 부동산 및 사회기반시설에 대한 민간투자법 제2조 제1호 각 목에 해당하는 사회기반시설
		비과세 제외	① 국가등에 귀속등의 조건을 이행하지 아니하고 타인에게 매각·증여하거나 귀속등을 이행하지 아니하는 것으로 조건이 변경된 경우

구분		내용
		② 국가등에 귀속등의 반대급부로 국가등이 소유하고 있는 부동산 및 사회기반시설을 무상으로 양여받거나 기부채납 대상물의 무상사용권을 제공받는 경우
3	신탁재산	비과세 적용
		신탁재산(신탁법에 따라 신탁등기가 병행되는 것만 해당)의 취득으로서 아래 중 어느 하나에 해당하는 경우 ① 위탁자로부터 수탁자에게 신탁재산을 이전하는 경우 ② 신탁의 종료로 인하여 수탁자로부터 위탁자에게 신탁재산을 이전하는 경우 ③ 수탁자가 변경되어 신수탁자에게 신탁재산을 이전하는 경우
		비과세 제외
		신탁재산의 취득 중 ① 주택조합등과 조합원 간의 부동산 취득 및 ② 주택조합등의 비조합원용 부동산 취득
4	동원대상지역 환매권 행사	동원대상지역 내의 토지의 수용·사용에 관한 환매권의 행사로 매수하는 부동산의 취득
5	임시건축물	비과세 적용
		임시흥행장, 공사현장사무소 등(별장 등 사치성 재산 중과세 대상 제외) 임시건축물의 취득
		비과세 제외
		존속기간이 1년을 초과하는 임시건축물
6	9억원 이하 주택의 개수	공동주택의 개수(대수선 제외)로 인한 취득 중 주택의 시가표준액이 9억원 이하인 주택과 관련된 개수로 인한 취득
7	상속개시 전 소멸된 차량	상속개시 이전에 천재지변·화재·교통사고·폐차·차령 초과 등으로 사용할 수 없는 차량

(1) 기부채납 비과세

국가, 지방자치단체, 지방자치단체조합(이하 '국가 등')에 귀속 또는 기부채납(사회기반시설에 대한 민간투자법 제4조 제3호에 따른 방식으로 귀속되는 경우를 포함하며, 이하 '귀속 등')을 조건으로 취득하는 부동산 및 사회기반시설에 대한 민간투자법 제2조 제1호 각 목에 해당하는 사회기반시설에 대해서는 취득세를 부과하지 않는다. 아래에서는 본 규정을 편의상 '기부채납 비과세'로 칭하기로 한다.

| 기부채납 비과세 규정 |

구분	내용
1) 귀속 등의 상대방	① 국가 ② 지방자치단체 ③ 지방자치단체조합(지방자치법 제159조 제1항)
2) 귀속 등의 방식	① 귀속(소유권의 이전) ② 기부채납 ③ 사회기반시설에 대한 BOT 방식의 귀속
3) 귀속 등의 목적물	① 부동산 ② 사회기반시설(사회기반시설에 대한 민간투자법 제2조 제1호 각목)
4) 비과세 제외	① 국가 등에 귀속 등의 조건을 이행하지 않고 타인에게 매각·증여 또는 귀속 등을 이행하지 않는 것으로 조건이 변경된 경우 ② 국가 등에 귀속 등의 반대급부로 국가 등이 소유하고 있는 부동산 및 사회기반시설을 무상으로 양여받거나[25] 기부채납 대상물의 무상사용권을 제공받는 경우
5) 취득세 감면	위 4)의 ② 규정에 따라 취득세 비과세가 제외되는 것은 한시적으로 취득세를 감면함(취지: 기부채납에 대한 비과세가 적용되지 않을 경우 민간의 기부채납이 급격히 감소하는 것을 방지하기 위함) 표: 구분 / 취득세 2020.12.31.까지의 취득 / 100% 감면 2021.1.1.~2021.12.31.까지의 취득 / 50% 감면

---

25) 타인으로부터 소유권을 받는 것

1) 귀속 등의 상대방

기부채납 비과세 규정에서 '국가 등'은 ① 국가 ② 지방자치단체 ③ 지방 자치단체조합을 말한다.

김회계사의 Tip

○ 기부채납의 상대방

국가 등에 귀속 및 기부채납에 따른 취득세 비과세를 적용하고자 할 때는 귀속 등의 상대방이 ① 국가 ② 지방자치단체 ③ 지방자치단체조합에 해당 하는지 확인해야 합니다. 간혹 '국가 등'에 대한 충분한 검토 없이 상식의 수준에서 판단한 후 취득세 비과세로 진행하였다가 귀속 및 기부채납의 상 대방이 국가, 지방자치단체, 지방자치단체조합 중 어느 하나에 해당하지 않 아 비과세에 대한 다툼이 있을 수 있습니다.

국가 등에 귀속 및 기부채납에 따른 취득세 비과세 규정은 귀속 또는 기 부채납을 진행하는 사전적 단계에서부터 취득세 비과세 해당 여부를 검토하 여야 합니다.

---

2) 귀속 등의 방식

기부채납 비과세 규정에서 '귀속 등'은 다음 3가지를 말한다.

① 귀속
② 기부채납
③ 사회기반시설에 대한 민간투자법 제4조 제3호에 따른 방식의 귀속

① 귀속은 그 목적물의 소유권이 국가 등으로 직접 이전되는 방식이다. ② 기부채납은 국가 외의 자가 재산의 소유권을 무상으로 국가에 이전하고 국가 가 이를 취득하는 것[26]이다. ③ 사회기반시설에 대한 민간투자법 제4조 제3

---

26) 지방세법에서 기부채납을 별도로 정의하고 있지는 않으며, 국유재산법 제2조 제2호에 따른 정의임.

호에 따른 방식은 사회기반시설의 준공 후 일정기간 동안 사업시행자에게 해당 시설의 소유권을 인정하며 그 기간이 만료되면 시설소유권이 국가 또는 지방자치단체에 귀속되는 방식이다. 일명 BOT(Build Operate Transfer) 방식이라고도 한다. 취득자에게 일정기간 소유권을 인정함에도 취득세를 비과세하는 것은 사회기반시설에 대한 민간투자를 장려하기 위함으로 이해된다.

사회기반시설에 대한 민간투자법 제4조 [민간투자사업의 추진방식]

민간투자사업은 다음 각 호의 어느 하나에 해당하는 방식으로 추진하여야 한다.

3. 사회기반시설의 준공 후 일정기간 동안 사업시행자에게 해당 시설의 소유권이 인정되며 그 기간이 만료되면 시설소유권이 국가 또는 지방자치단체에 귀속되는 방식(2011.8.4. 개정)

---

3) 귀속 등의 대상

기부채납 비과세는 ① 부동산과 ② 사회기반시설에 적용한다.

부동산은 앞서 살펴본 바와 같이 토지와 건축물을 말한다. 사회기반시설에 대한 민간투자법 제2조 제1호 각 목에 해당하는 사회기반시설은 다음과 같다. 사회기반시설은 열거된 항목이 다양하고 대상별로 도로법 등 개별법령도 함께 확인해야 한다.

사회기반시설에 대한 민간투자법 제2조 [정의]

1. "사회기반시설"이란 각종 생산활동의 기반이 되는 시설, 해당 시설의 효용을 증진시키거나 이용자의 편의를 도모하는 시설 및 국민생활의 편익을 증진시키는 시설로서, 다음 각 목의 어느 하나에 해당하는 시설을 말한다.

    가. 도로법 제2조 제1호 및 제2호에 따른 도로 및 도로의 부속물

나. 철도사업법 제2조 제1호에 따른 철도

다. 도시철도법 제2조 제2호에 따른 도시철도

라. 항만법 제2조 제5호에 따른 항만시설

마. 공항시설법 제2조 제7호에 따른 공항시설

바. 댐건설 및 주변지역지원 등에 관한 법률 제2조 제2호에 따른 다목 적댐

사. 수도법 제3조 제5호에 따른 수도 및 물의 재이용 촉진 및 지원에 관한 법률 제2조 제4호에 따른 중수도

아. 하수도법 제2조 제3호에 따른 하수도, 같은 조 제9호에 따른 공공하 수처리시설, 같은 조 제10호에 따른 분뇨처리시설 및 물의 재이용 촉진 및 지원에 관한 법률 제2조 제7호에 따른 하·폐수처리수 재 이용시설

자. 하천법 제2조 제3호에 따른 하천시설

차. 어촌·어항법 제2조 제5호에 따른 어항시설

카. 폐기물관리법 제2조 제8호에 따른 폐기물처리시설

타. 전기통신기본법 제2조 제2호에 따른 전기통신설비

파. 전원개발촉진법 제2조 제1호에 따른 전원설비

하. 도시가스사업법 제2조 제5호에 따른 가스공급시설

거. 집단에너지사업법 제2조 제5호에 따른 집단에너지시설

너. 정보통신망 이용촉진 및 정보보호 등에 관한 법률 제2조 제1항 제1 호에 따른 정보통신망

더. 물류시설의 개발 및 운영에 관한 법률 제2조 제2호 및 제6호에 따른 물류터미널 및 물류단지

러. 여객자동차 운수사업법 제2조 제5호에 따른 여객자동차터미널

머. 관광진흥법 제2조 제6호 및 제7호에 따른 관광지 및 관광단지

버. 주차장법 제2조 제1호 나목에 따른 노외주차장

서. 도시공원 및 녹지 등에 관한 법률 제2조 제3호에 따른 도시공원

어. 물환경보전법 제2조 제17호에 따른 공공폐수처리시설

저. 가축분뇨의 관리 및 이용에 관한 법률 제2조 제9호에 따른 공공처 리시설

처. 자원의 절약과 재활용촉진에 관한 법률 제2조 제10호에 따른 재활 용시설

커. 체육시설의 설치·이용에 관한 법률 제5조에 따른 전문체육시설 및

같은 법 제6조에 따른 생활체육시설

터. 청소년활동 진흥법 제10조 제1호에 따른 청소년수련시설

퍼. 도서관법 제2조 제1호에 따른 도서관

허. 박물관 및 미술관 진흥법 제2조 제1호 및 제2호에 따른 박물관 및 미술관

고. 국제회의산업 육성에 관한 법률 제2조 제3호에 따른 국제회의시설

노. 국가통합교통체계효율화법 제2조 제15호 및 제16호에 따른 복합환승센터 및 지능형교통체계

도. 국가공간정보 기본법 제2조 제3호에 따른 공간정보체계

로. 국가정보화 기본법 제3조 제13호에 따른 초고속정보통신망

모. 과학관의 설립·운영 및 육성에 관한 법률 제2조 제1호에 따른 과학관

보. 철도산업발전기본법 제3조 제2호에 따른 철도시설

소. 유아교육법 제2조 제2호, 초·중등교육법 제2조 및 고등교육법 제2조 제1호부터 제5호까지의 규정에 따른 유치원 및 학교

오. 국방·군사시설 사업에 관한 법률 제2조 제1항 제1호 및 제7호에 따른 국방·군사시설 중 교육·훈련, 병영생활 및 주거에 필요한 시설과 군부대에 부속된 시설로서 군인의 복지·체육을 위하여 필요한 시설

조. 공공주택 특별법 제2조 제1호 가목에 따른 공공임대주택

초. 영유아보육법 제2조 제3호에 따른 보육시설

코. 노인복지법 제32조·제34조 및 제38조에 따른 노인주거복지시설, 노인의료복지시설 및 재가노인복지시설

토. 공공보건의료에 관한 법률 제2조 제1호에 따른 공공보건의료에 관한 시설

포. 신항만건설촉진법 제2조 제2호나목 및 다목에 따른 신항만건설사업의 대상이 되는 시설

호. 문화예술진흥법 제2조 제1항 제3호에 따른 문화시설

구. 산림문화·휴양에 관한 법률 제2조 제2호에 따른 자연휴양림

누. 수목원 조성 및 진흥에 관한 법률 제2조 제1호에 따른 수목원

두. 스마트도시 조성 및 산업진흥 등에 관한 법률 제2조 제3호에 따른 스마트도시기반시설

루. 장애인복지법 제58조에 따른 장애인복지시설

무. 신에너지 및 재생에너지 개발·이용·보급 촉진법 제2조 제3호에
  따른 신·재생에너지 설비
수. 산업집적활성화 및 공장설립에 관한 법률 제2조 제9호에 따른 산업
  집적기반시설
우. 국토의 계획 및 이용에 관한 법률 제2조 제6호 라목에 따른 공공청
  사 중 중앙행정기관의 소속기관 청사
주. 장사 등에 관한 법률 제2조 제8호에 따른 화장시설
추. 아동복지법 제3조 제10호에 따른 아동복지시설
쿠. 택시운송사업의 발전에 관한 법률 제2조 제5호에 따른 택시공영차
  고지

4) 비과세 제외

아래에 해당하는 경우 기부채납 비과세를 적용하지 않는다. 즉, 취득세를
과세한다.

① 국가 등에 귀속 등의 조건을 이행하지 아니하고 타인에게 매각·증여
  하거나 귀속등을 이행하지 아니하는 것으로 조건이 변경된 경우
② 국가, 지방자치단체, 지방자치단체조합에 귀속 등의 반대급부로 국가
  등이 소유하고 있는 부동산 및 사회기반시설을 무상으로 양여받거나
  기부채납 대상물의 무상사용권을 제공받는 경우

①은 비과세 조건을 이행하지 않는 경우 당초 비과세한 취득세를 추징하
는 기부채납 비과세의 사후관리 규정이다.

②는 기부채납에 반대급부가 있는 경우 취득세 비과세 취지에 부합하지
않으므로 당초 비과세한 취득세를 추징하는 규정[27]이다. 반대급부의 사전적
정의는 '어떤 일에 대응하여 얻게 되는 이익'을 말한다.

---

27) 2016.1.1.부터 적용

국가 등에 귀속 및 기부채납에 따른 취득세 비과세의 취지는 취득자가 조건없이 무상으로 소유권을 국가 등에 이전하는 경우 국가 등이 직접 부동산을 취득하는 경우와 같다고 보아 그 취득에 따른 세금부담을 면제하는 것이다. 따라서 취득자에게 반대급부가 있는 기부채납에도 취득세를 비과세하는 것은 취득자에 대한 이중 혜택이라고 보아 기부채납 비과세를 적용하지 않는다.

> **김회계사의 Tip**
>
> ◎ 반대급부의 확인
>
> 국가 등에 귀속 또는 기부채납에 따른 취득세 비과세 규정을 검토할 때는 기부채납에 대한 약정 외에도 기부채납으로 취득자가 별도로 얻는 이익이 있는지도 확인해야 합니다.

5) 취득세 감면

기부채납 비과세가 적용되는 부동산 및 사회기반시설 중에서 귀속 등의 반대급부로 국가 등이 소유하고 있는 부동산 또는 사회기반시설을 무상으로 양여받거나 기부채납 대상물의 무상사용권을 제공받는 조건으로 취득하는 부동산 또는 사회기반시설에 대해서는 아래와 같이 그 취득세를 감면한다.(위 4)의 ②에 따른 내용)

| 반대급부가 있는 귀속 또는 기부채납에 대한 취득세 감면 |

구분	감면율
2020.12.31.까지의 취득	100%
2021.1.1.~2021.12.31.까지의 취득	50%

국가 등에 귀속 또는 기부채납을 하는 경우라도 그와 관련한 반대급부가 있는 경우에는 취득세 비과세의 취지에 맞지 않으므로 2016.1.1. 이후의 취

득에 대하여는 취득세를 비과세하지 않는다.

그러나 해당 귀속 등에 반대급부가 있다고 해서 취득세를 전액 과세한다면, 국가 등에 귀속 또는 기부채납을 하는 부동산 등이 급격하게 감소할 수 있다. 따라서 귀속 등에 반대급부가 있어도 2020.12.31.까지의 취득은 취득세를 100% 감면하고, 2021.12.31.까지는 취득세를 50% 감면한다.

(2) 기타의 비과세

1) 국가, 지방자치단체, 지방자치단체조합, 외국정부, 주한국제기구의 취득

국가 또는 지방자치단체(다른 법률에서 국가 또는 지방자치단체로 의제되는 법인은 제외), 지방자치법 제159조 제1항에 따른 지방자치단체조합(이하 '지방자치단체조합'), 외국정부 및 주한국제기구의 취득에 대해서는 취득세를 비과세한다. 다만, 대한민국 정부기관의 취득에 대하여 과세하는 외국 정부의 취득에 대해서는 취득세를 과세한다.

① 국가 ② 지방자치단체 ③ 지방자치단체조합의 취득세는 결국 국가 및 지방자치단체에 귀속된다. 즉, 취득자가 세금을 내고 그 세금을 취득자가 받는 것이다. 따라서 이러한 취득에 따른 세무 행정 절차는 불필요하므로 취득세를 비과세하는 것으로 이해된다.

④ 외국정부의 취득을 비과세하는 것은 외교상 상호주의(또는 호혜주의)에 따른 것이다. 대한민국 정부도 외국에서의 취득은 비과세 혜택을 받기 때문이다. 따라서 대한민국 정부기관의 취득에 대하여 과세하는 외국정부의 취득에 대해서는 외교상 상호주의의 원칙에 따라 취득세를 과세한다.

2) 신탁재산 취득

신탁(신탁법에 따른 신탁으로서 신탁등기가 병행되는 것만 해당)으로 인한 신탁재산의 취득으로서 다음 중 어느 하나에 해당하는 경우 취득세를 비과세한다. 다만, 신탁재산의 취득 중 주택조합 등과 조합원 간의 부동산 취득 및 주택조합 등의 비조합원용 부동산 취득은 제외한다.

① 위탁자로부터 수탁자에게 신탁재산을 이전하는 경우
② 신탁의 종료로 인하여 수탁자로부터 위탁자에게 신탁재산을 이전하는 경우
③ 수탁자가 변경되어 신수탁자에게 신탁재산을 이전하는 경우

신탁에 따른 취득은 형식적인 취득에 해당하여 취득세를 비과세한다.

3) 동원대상지역 내 토지 수용·사용에 관한 환매권의 행사로 매수하는 부동산 취득

징발재산정리에 관한 특별조치법 또는 국가보위에 관한 특별조치법 폐지법률 부칙 제2항에 따른 동원대상지역 내의 토지의 수용·사용에 관한 환매권의 행사로 매수하는 부동산의 취득에 대하여는 취득세를 비과세한다.

4) 임시건축물 취득

임시흥행장, 공사현장사무소 등(지방세법 제13조 제5항에 따른 사치성 재산 중과세 대상은 제외) 임시건축물의 취득에 대하여는 취득세를 비과세한다. 다만, 임시건축물의 존속기간이 1년을 초과하는 경우에는 취득세를 과세한다.

5) 시가표준액 9억원 이하의 공동주택 개수에 따른 취득

공동주택의 개수(대수선 제외)로 인한 취득 중 시가표준액 9억원 이하의 주택을 개수하는 경우 취득세를 비과세한다. 주거시설의 안정성을 높이기 위한 취지다.

6) 상속개시 이전에 천재지변 등으로 사용할 수 없는 차량의 취득

상속개시 이전에 천재지변·화재·교통사고·폐차·차령초과 등으로 사용할 수 없는 차량에 대해서는 상속에 따른 취득세를 비과세한다.

| 비과세 되는 차량의 범위 |

구분		내용
1	사용 불가	천재지변·화재·교통사고 등으로 소멸·멸실 또는 파손되어 해당 자동차를 회수하거나 사용할 수 없는 것으로 시장·군수·구청장이 인정하는 자동차
2	폐차	자동차관리법에 따른 자동차해체재활용업자에게 폐차되었음이 증명되는 자동차
3	멸실	다음 중 어느 하나에 해당하는 자동차로서 시·도지사가 해당 자동차의 차령, 법령위반 사실, 보험가입 유무 등 모든 사정에 비추어 해당 자동차가 멸실된 것으로 인정하는 자동차 ① 차령 11년 이상인 승용자동차 ② 차령 10년 이상인 승합자동차, 화물자동차 및 특수자동차 (경형 및 소형) ③ 차령 10년 이상인 승합자동차(중형 및 대형) ④ 차령 12년 이상인 화물자동차 및 특수자동차(중형 및 대형)

제 **9** 장 감면

취득세를 줄여주는 고마운 존재지만,
신중히 적용하세요!

취득세의 감면은 조세 및 기타 정책적 목적에서 취득세의 전부 또는 일부를 줄여주는 것이다. 비과세와 마찬가지로 특정한 요건 등을 충족해야 한다.

(1) 감면 규정

취득세의 감면은 지방세특례제한법과 각 지방자치단체의 감면조례에서 다루고 있다.[28] 조례는 지방자치단체가 법과 시행령의 범위 안에서 제정하는 법규범이고, 그중 세금의 감면과 관련된 것을 감면조례라고 한다.

지방세특례제한법은 모든 취득세 과세물건에 적용되는 감면을 규정한다. 반면 감면조례는 취득세 과세물건의 관할 지방자치단체에서만 적용할 수 있는 감면을 다루고 있다. 결국 취득세 감면을 검토할 때는 지방세특례제한법과 취득세 과세물건 관할 지방자치단체의 감면조례를 모두 확인해야 한다.

| 감면 규정의 구분 |

구분	감면적용의 특성	확인방법
지방세특례제한법	모든 과세물건을 대상으로 적용	지방세특례제한법 (제6조~제92조의 2)
감면조례	과세물건 관할 지방자치단체에서만 적용	자치법규정보시스템 (www.elis.go.kr)

---

28) 조세특례제한법(외국인투자자에 대한 감면 등)과 제주특별자치도 설치 및 국제자유도시 조성을 위한 특별법에도 지방세 감면의 내용이 일부 있음.

1) 지방세특례제한법에 따른 감면

지방세특례제한법부터 살펴본다. 지방세특례제한법 제6조부터 제92조의 2까지의 규정이 취득세[29] 감면에 관한 것이다. 취득세 감면은 그 대상이 다양하고 각각의 감면 규정은 개별법령에 따르고 있어 모두 확인하려면 다소 시간이 걸린다. 다만 지방세특례제한법에 따른 감면 규정은 대부분 아래와 같은 체계를 가지고 있다. 이를 숙지한다면 효율적으로 감면 규정을 검토할 수 있다.

| 지방세특례제한법 구성 |

지방세특례제한법		
법	시행령	시행규칙
① 감면요건(취득자/ 취득물건) ② 감면율 ③ 일몰기한 ④ 감면 추징사유	① 감면 세부요건 ② 감면율 세부요건 ③ 감면신청 절차 ④ 기타 법 규정의 세부요건	① 법과 시행령의 용어 설명 ② 감면신청 서식 및 구 비서류

2) 감면조례에 따른 감면

감면조례는 자치법규시스템(www.elis.go.kr)에서 확인할 수 있다.

---

29) 감면 규정 중 일부는 재산세, 지역자원시설세 등 취득세 외 다른 세목에 대한 감면도 있음.

| 자치법규시스템 화면 |

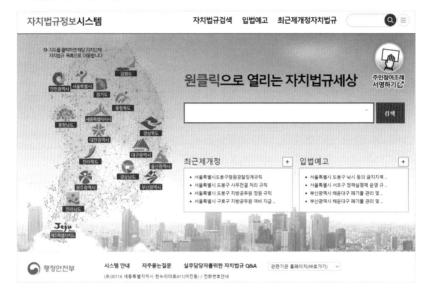

김회계사의 Tip

○ 감면조례 확인방법

① 자치법규정보시스템사이트(www.elis.go.kr) 화면에서 관할 지방자치
단체로 이동

② 감면조례를 포함한 전체 조례의 구성이 검색됨.

③ 세정과(세부명칭은 시·군·구청별로 상이할 수 있음) 등 세무 관련
항목에서 취득세 감면조례를 확인할 수 있음.

부산광역시 감면조례를 예로 들면, 취득세의 감면은 부산광역시 본청, 즉
부산광역시 전체를 담당하는 '부산광역시 시세 감면 조례'에 취득세에 대한
감면 규정이 있다. 참고로 본청 외 수영구청, 사상구청 등 구세 감면조례에
는 취득세가 아닌 재산세에 대한 감면 규정이 있다.[30]

---

30) PART 1.의 '1장 지방세'의 지방세 세목별 분류를 살펴보면 취득세는 특별시세, 특별

부산광역시 시세 감면 조례 [시행 2020.5.27.]

제1조(목적)

이 조례는 「지방세특례제한법」 등에 따라 부산광역시 시세의 감면에 관한 사항과 이의 제한에 관한 사항을 규정함으로써 건전한 지방재정 운영 및 지역사회 발전에 이바지함을 목적으로 한다.

제4조(지역특산품 생산단지에 대한 감면)

① 다음 각 호의 어느 하나에 해당하는 자가 「농업·농촌 및 식품산업 기본법」 제50조 제1항 또는 「수산업·어촌 발전 기본법」 제39조 제1항에 따른 지역 특산품 생산단지에서 해당 사업에 직접 사용하기 위하여 취득하는 부동산에 대해서는 취득세를 2020년 12월 31일까지 면제한다.〈개정 2017.12.27〉

1. 「농업·농촌 및 식품산업 기본법」 제50조 제1항 또는 「수산업·어촌 발전 기본법」 제39조 제1항에 따른 지역특산품 생산단지의 지정을 받은 자
2. 「식품산업진흥법」 제19조의 3 제1항에 따른 농산물가공품 생산을 업으로 하거나 하려는 자
3. 「식품산업진흥법」 제19조의 4 제1항 제1호에 따른 수산가공품의 생산·개발·수출촉진 및 수산가공품 전문판매점을 설치·운영하려는 자

② 다음 각 호의 어느 하나에 해당하는 경우 그 해당 부분에 대해서는 제1항에 따라 면제된 취득세를 추징한다.

1. 정당한 사유 없이 그 취득일부터 1년 이내에 해당 용도로 직접 사용하지 아니하는 경우
2. 해당 용도로 직접 사용한 기간이 2년 미만인 상태에서 매각·증여하거나 다른 용도로 사용하는 경우

제5조(외국인 투자유치 지원을 위한 감면)

법 제78조의3제1항 및 같은 조 제3항 각 호 외의 부분 단서에 따른 취득세의 감면기간 및 감면비율은 다음 각 호와 같다. 다만, 법 제78조의 3 제12

광역시세, 도세, 특별자치시세, 특별자치도세에 속하는 것을 확인할 수 있음. 따라서 취득세 감면조례 역시 시특별시세, 특별광역시세, 도세, 특별자치시세, 특별자치도세의 감면조례에서 규정하고 있음.

항에 따른 추징대상이 되는 경우에는 감면된 취득세를 추징한다.〈개정 2020.5.27.〉

1. 법 제78조의 3 제1항 제1호의 경우 사업개시일부터 15년 동안 감면대상 세액의 전액을 면제한다.
2. 법 제78조의 3 제3항 제1호 가목의 경우 사업개시일부터 5년 동안 감면 대상세액의 100분의 50을 경감한다.

제6조(산업단지 등에 대한 감면)

법 제78조 제8항에 따른 "조례로 정하는 율"은 다음 각 호와 같다.〈개정 2017.5.31.〉

1. 법 제78조 제4항 제2호 가목의 경감률에 추가하는 경감률은 100분의 25 로 한다.〈개정 2017.5.31.〉
2. 법 제78조 제4항 제2호 나목의 경감률에 추가하는 경감률은 100분의 15 로 한다.

제7조(관광단지개발 사업시행자 등에 대한 감면)

① 법 제54조 제1항에 따른 "조례로 정하는 율"은 100분의 25로 한다. 〈개정 2017.5.31.〉

② 「관광진흥법」에 따라 지정된 관광단지 안에서 같은 법 시행규칙 별표 18 제1호가목부터 바목까지의 시설(바. 지원시설 중 물류·유통 관련 시설 이 같은 법 시행규칙 별표 19의 상가시설지구에 설치되는 경우에는 제외한 다)을 신설하거나 증설하기 위하여 관광단지개발 사업시행자로부터 취득 하는 사업용 부동산에 대해서는 취득세의 100분의 50을 2020년 12월 31일 까지 경감한다. 다만, 다음 각 호의 어느 하나에 해당하는 경우 그 해당 부 분에 대해서는 경감된 취득세를 추징한다.〈개정 2017.12.27.〉

1. 정당한 사유 없이 그 취득일부터 1년 이내에 해당 용도로 직접 사용하지 아니하는 경우
2. 해당 용도로 직접 사용한 기간이 2년 미만인 상태에서 매각·증여하거 나 다른 용도로 사용하는 경우

제8조(시장현대화사업에 대한 감면)

① 「전통시장 및 상점가 육성을 위한 특별법」 제20조 제1항에 따라 시장의 상인조직 또는 시장관리자가 정부 또는 지방자치단체로부터 지원받거나 보 조받아 추진되는 상업기반시설 현대화사업의 시행으로 취득하는 건축물에

대해서는 취득세를 2020년 12월 31일까지 면제한다.〈개정 2017.12.27.〉

② 다음 각 호의 어느 하나에 해당하는 경우 그 해당 부분에 대해서는 제1항에 따라 면제된 취득세를 추징한다.

1. 정당한 사유 없이 그 취득일부터 3년이 경과할 때까지 「전통시장 및 상점가 육성을 위한 특별법」 제20조 제1항 각 호에 규정된 용도로 직접 사용하지 아니하는 경우

2. 해당 용도로 직접 사용한 기간이 2년 미만인 상태에서 매각·증여하거나 다른 용도로 사용하는 경우

제11조(고용우수기업에 대한 감면)

부산광역시 고용우수기업 인증제에 따라 고용우수기업으로 인증된 기업이 인증기간 동안 해당 사업에 직접 사용하기 위하여 취득하는 부동산(임대용 부동산은 제외한다)에 대해서는 취득세를 2020년 12월 31일까지 면제한다. 다만, 다음 각 호의 어느 하나에 해당하는 경우 그 해당 부분에 대해서는 면제된 취득세를 추징한다.〈개정 2017.12.27.〉

1. 정당한 사유 없이 그 취득일부터 2년이 경과할 때까지 해당 용도로 직접 사용하지 아니하는 경우

2. 해당 용도로 직접 사용한 기간이 2년 미만인 상태에서 매각·증여하거나 다른 용도로 사용하는 경우

3. 고용우수기업 인증이 취소되거나 고용우수기업으로 인증된 날부터 고용증가 인원이 1년 이상 계속 유지되지 아니하는 경우

제12조(예비사회적기업에 대한 감면)

「부산광역시 사회적기업 육성에 관한 조례」 제2조 제2호에 따른 예비사회적기업(「상법」에 따른 회사인 경우에는 「중소기업기본법」 제2조 제1항에 따른 중소기업으로 한정한다)이 그 고유업무에 직접 사용하기 위하여 취득하는 부동산에 대해서는 취득세의 100분의 50을 2020년 12월 31일까지 경감한다. 다만, 다음 각 호의 어느 하나에 해당하는 경우 그 해당 부분에 대해서는 경감된 취득세를 추징한다.〈개정 2017.12.27.〉

1. 정당한 사유 없이 그 취득일부터 1년이 경과할 때까지 해당 용도로 직접 사용하지 아니하는 경우

2. 해당 용도로 직접 사용한 기간이 2년 미만인 상태에서 매각·증여하거나 다른 용도로 사용하는 경우

3. 그 취득일부터 2년 이내에 예비사회적기업의 지정이 취소되는 경우(사

회적기업 인증으로 인한 당연취소는 제외한다)

제13조(부산연구개발특구에 입주하는 첨단기술기업 등에 대한 감면)

① 「연구개발특구의 육성에 관한 특별법」 제4조에 따라 지정된 부산연구개발특구에서 같은 법 제2조에 따른 첨단기술기업, 연구소기업, 외국인투자기업 및 외국연구기관이 고유업무에 직접 사용하기 위하여 취득하는 부동산에 대해서는 취득세를 2020년 12월 31일까지 면제한다.〈개정 2017.12.27.〉

② 다음 각 호의 어느 하나에 해당하는 경우 그 해당 부분에 대해서는 제1항에 따라 면제된 취득세를 추징한다.

1. 정당한 사유 없이 그 취득일부터 3년이 경과할 때까지 해당 용도로 직접 사용하지 아니하는 경우

2. 해당 용도로 직접 사용한 기간이 2년 미만인 상태에서 매각·증여하거나 다른 용도로 사용하는 경우(「연구개발특구의 육성에 관한 특별법」 제9조의 2, 제9조의 4 또는 제40조에 따라 지정·등록 또는 입주승인이 취소된 경우를 포함한다)

제14조(금융중심지 창업기업 등에 대한 감면)

① 「금융중심지 조성과 발전에 관한 법률」 제5조 제5항에 따라 지정된 금융중심지에서 「조세특례제한법 시행령」 제116조의 26 제1항에 따른 기준을 충족하는 금융 및 보험업을 영위하기 위하여 창업하거나 사업장을 신설(기존 사업장을 이전하는 경우는 제외한다)하여 취득하는 재산에 대해서는 취득세를 2020년 12월 31일까지 면제한다.〈개정 2017.12.27.〉

② 다음 각 호의 어느 하나에 해당하는 경우 그 해당 부분에 대해서는 제1항에 따라 면제된 취득세를 추징한다.

1. 정당한 사유 없이 그 취득일부터 2년이 경과할 때까지 해당 용도로 직접 사용하지 아니하는 경우

2. 해당 용도로 직접 사용한 기간이 2년 미만인 상태에서 매각·증여하거나 다른 용도로 사용하는 경우

3. 그 창업일 또는 신설일부터 2년 이내에 「조세특례제한법 시행령」 제116조의 26 제1항에 따른 감면기준에 해당하지 아니한 경우

제19조(중복감면의 배제)

동일한 과세대상에 대하여 시세를 감면함에 있어서 둘 이상의 감면규정이 적용되는 경우에는 법 제180조에 따른다.

제20조(지방세 감면 특례의 제한)

법 제177조의 2 제3항에 따른 같은 조 제1항의 적용여부 및 그 적용시기는 다음 각 호와 같다.〈개정 2018.5.16.〉

1. 적용여부 : 이 조례에 따라 취득세가 면제(법에서 정한 감면율에 이 조례에서 추가로 감면율을 정하여 취득세가 면제되는 경우를 포함한다)되는 경우 법 제177조의 2 제1항의 규정을 적용하되, 제2조, 제5조 및 제8조에 대해서는 그러하지 아니하다.〈개정 2018.5.16.〉
2. 적용시기 : 2018년 1월 1일 [본조신설 2017.5.31.]

제21조(감면된 취득세의 추징)

① 이 조례에 따른 감면을 적용할 때 이 조례에서 특별히 규정한 경우를 제외하고는 다음 각 호의 어느 하나에 해당하는 경우 그 해당 부분에 대해서는 감면된 취득세를 추징한다.〈개정 2020.5.27.〉

1. 정당한 사유 없이 그 취득일부터 1년이 경과할 때까지 해당 용도로 직접 사용하지 아니하는 경우
2. 해당 용도로 직접 사용한 기간이 2년 미만인 상태에서 매각·증여하거나 다른 용도로 사용하는 경우

② 이 조례에 따라 부동산에 대한 취득세 감면을 받은 자가 제1항 또는 그 밖에 이 조례의 각 규정에서 정하는 추징사유에 해당하여 그 해당 부분에 대해서 감면된 세액을 납부하여야 하는 경우에는 영 제123조의 2 제1항으로 정하는 바에 따라 계산한 이자상당액을 가산하여 납부하여야 하며, 해당 세액은 「지방세법」 제20조에 따라 납부하여야 할 세액으로 본다. 다만, 영 제123조의 2 제2항 각 호의 어느 하나에 해당하는 사유가 있는 경우에는 이자상당액을 가산하지 아니한다.〈신설 2020.5.27.〉

제22조(감면신청 등)

① 이 조례에 따라 시세를 감면 받으려는 자는 「지방세특례제한법 시행규칙」(이하 "규칙"이라 한다) 별지 제1호 서식에 따른 지방세 감면신청서 및 그 사실을 증명할 수 있는 서류를 갖추어 차량등록사업소장 및 구청장(이하 "구청장등"이라 한다)에게 신청하여야 한다. 다만, 구청장등이 감면 대상임을 알 수 있는 때에는 직권으로 감면할 수 있다.

② 구청장등이 제1항에 따른 신청을 받은 때에는 감면여부를 조사·결정하고 그 내용을 규칙 별지 제2호 서식에 따라 신청인에게 통지하여야 한다.

③ 제2조에 따라 시세를 감면하는 경우에는 해당 자동차의 사용본거지를 관할하지 아니하는 지방자치단체의 장이 제1항 및 제2항에 따른 업무를 처리할 수 있다. 이 경우 그 업무는 차량등록사업소장이 처리한 것으로 본다.

④ 제3항에 따라 해당 자동차의 사용본거지를 관할하지 아니하는 지방자치단체의 장이 제1항 및 제2항에 따른 업무를 처리한 경우에는 관련서류 전부를 차량등록사업소장에게 즉시 이송하여야 한다.

제23조(감면자료의 제출)

이 조례에 따라 시세를 감면받은 자는 법 제184조에 따라 구청장등에게 감면에 관한 자료를 제출하여야 한다.

제24조(감면기한의 특례)

이 조례에서 감면기한을 정하지 아니한 경우에는 법 및 「조세특례제한법」에 따른다.

부산광역시 감면 조례에 따르면 지역특산품 생산단지, 외국인투자유치 지원, 산업단지, 관광단지개발, 시장현대화사업, 고용우수기업, 예비사회적기업, 부산연구개발특구에 입주하는 첨단기술기업, 금융중심지 창업기업과 관련하여 취득세 감면 혜택을 제공하고 있음을 확인할 수 있다.

(2) 감면 규정의 주요 용어

지방세특례제한법에서는 취득세의 감면과 관련한 용어를 별도로 정의하고 있다. 그중에서 고유업무, 목적사업과 수익사업, 직접 사용의 3가지 용어를 살펴보고자 한다.

1) 고유업무

고유업무는 법령에서 개별적으로 규정한 업무와 법인등기부에 목적사업으로 정하여진 업무를 말한다. 지방세특례제한법에서는 고유업무에 직접 사용하기 위하여 부동산 등 과세물건을 취득할 때 취득세를 감면하는 규정이 있어 고유업무를 별도로 정의하고 있다.

다만 실제로 고유업무에 직접 사용하기 위하여 취득하였는지는 법인등기부 목적사업뿐 아니라 기타 사실상의 현황 등을 종합적으로 고려하여 판단해야 한다.

2) 목적사업과 수익사업

영리법인은 모든 사업이 영리를 위한 사업이다. 반면 비영리법인의 사업은 목적사업과 수익사업으로 구분할 수 있다. 목적사업은 비영리법인의 정관에 규정된 설립목적을 직접 수행하는 사업으로 수익사업 외의 사업을 말한다. 수익사업은 영리를 위하여 운영하는 사업으로 법인세법 제4조에서 그 범위를 정하고 있다.

비영리법인에 적용하는 취득세 감면 규정은 대부분 목적사업을 위하여 취득한 부동산에만 적용된다. 감면의 취지가 목적사업을 통하여 달성되기 때문이다.

3) 직접 사용

직접 사용은 부동산 · 차량 · 건설기계 · 선박 · 항공기 등의 소유자가 해당 부동산 · 차량 · 건설기계 · 선박 · 항공기 등을 사업 또는 업무의 목적이나 용도에 맞게 사용하는 것을 말한다.

지방세특례제한법에서는 감면 취지에 부합하는 목적에 사용하기 위하여 취득하는 부동산 등에 대하여 감면을 적용한다. '사용'의 관점에서 감면 규정을 살펴보면 부동산 등 취득세 과세물건은 그 소유자가 사용할 수도 있지만, 임대차계약을 통하여 임차인 등 해당 부동산의 소유자가 아닌 자도 사용할 수 있다.

2014년 이전에는 '사용'에 대한 별도의 정의가 없었다. 따라서 사용의 주체와 범위를 해석할 때, 소유자가 감면 취지에 맞게 사용하는 것만 감면을 적용할지, 혹은 임차인 등 소유자가 아닌 자가 감면 취지에 맞게 사용하는 것도 감면을 적용할지에 대한 다툼이 있었다. 이러한 법 해석의 문제점에 따라 2014년 지방세특례제한법을 개정할 때 '직접 사용'이라는 용어를 신설하였다. 즉, '소유자'로서 직접 사용하는 것만 취득세를 감면하는 것으로 그 사용의 주체를 분명히 하였다.

2017년에는 직접 사용의 정의를 한 번 더 보완하였다. 취득세 감면은 부동산뿐 아니라 차량, 선박, 항공기도 적용될 수 있음에도 '부동산의 소유자'로 표현하여 부동산만 취득세 감면이 적용되는 것으로 해석될 수 있었다. 2017.12.26. 지방세특례제한법을 개정하며 부동산 외에 선박, 차량 등에도 취득세가 감면되도록 취득 대상을 명확히 규정하였다.

| 직접 사용의 개정현황 |

구분	직접 사용의 정의	비고
2014.1.1. 이전	별도 정의가 없었음	
2014.1.1. 이후 (사용 주체 명확화)	부동산의 소유자가 해당 부동산을 사업 또는 업무의 목적이나 용도에 맞게 사용하는 것	직접 사용의 주체를 '소유자'로 분명히 함
2017.12.26. 이후 (취득 대상 명확화)	부동산·차량·건설기계·선박·항공기 등의 소유자가 해당 부동산·차량·건설기계·선박·항공기 등을 사업 또는 업무의 목적이나 용도에 맞게 사용하는 것	직접 사용 규정이 부동산 외에 차량 등 과세물건에도 적용

(3) 감면 최저한

취득세 감면율은 각 감면 규정마다 다르다. 취득세 전액, 즉 100%의 감면율이 적용되는 항목도 있고 50% 감면율 등 취득세의 일부만 감면되는 항목도 있다.

이때 감면율이 100%거나 취득세 전부를 감면한다는 표현이 있는 감면은 85%의 감면율을 한도로 취득세를 감면한다. 즉, 취득세가 전액 감면되더라도 최소 15%의 취득세는 부담하라는 것이 감면 최저한 규정이다. 다만, 감면 최저한 규정은 취득세가 100% 감면되는 경우에만 적용되므로 감면율이 100%가 아닌 감면은 해당 규정 적용대상이 아니다.

감면 최저한 규정은 2015년에 최초로 도입되었고, 감면 규정별로 감면 최저한 규정이 적용되는 시기가 다르다. 따라서 취득세 감면을 적용할 때는 ① 감면 최저한 규정이 적용되는 감면인지 ② 적용된다면 언제부터 적용되는지를 확인해야 한다.

또한 ① 취득세액이 200만원 이하인 경우와 ② 특정한 감면(농어민에 대한 감면, 국가유공자 · 노인 · 무주택자 등에 대한 감면 등)에는 감면 최저한 규정을 적용하지 않는다. 즉, 지방세특례제한법 개정 전과 같이 취득세를 전액 감면한다.

(4) 감면 추징

지방세특례제한법에서 특별히 규정한 경우를 제외하고는, 다음 중 어느 하나에 해당하는 경우 그 해당 부분에 대해서는 감면된 취득세를 추징한다.

① 정당한 사유 없이 그 취득일부터 1년이 경과할 때까지 해당 용도로 직접 사용하지 아니하는 경우
② 해당 용도로 직접 사용한 기간이 2년 미만인 상태에서 매각 · 증여하거나 다른 용도로 사용하는 경우

감면 추징의 첫 번째 사유와 두 번째 사유의 차이점은 '정당한 사유'에 있다. 첫 번째 사유는 정당한 사유가 없는 경우에 감면된 취득세를 추징하므로 취득자에게 정당한 사유가 있다면 감면된 취득세가 추징되지 않을 수 있다. 반면 두 번째 사유는 정당한 사유와 관계없이, 즉 취득자의 사정을 묻지 않고 무조건 감면된 취득세를 추징한다.

정당한 사유는 결국 판단의 영역이기 때문에 납세의무자와 과세관청 간에 의견 다툼이 발생할 수 있다. 정당한 사유의 의미를 해석한 대법원 판결문을 일부 발췌한다.

대법원 2012.12.13. 선고, 2011두1948 (발췌)

정당한 사유란 그 취득 부동산을 해당 사업에 사용하지 못한 것이 법령에 의한 금지·제한 등 외부적인 사유로 인한 경우는 물론 내부적으로 그 부동산을 해당 사업에 사용하기 위하여 정상적인 노력을 하였음에도 불구하고 시간적인 여유가 없어 유예기간을 넘긴 경우도 포함한다. 그리고 정당한 사유의 유무를 판단할 때에는 부동산의 취득목적에 비추어 그 목적사업에 직접 사용하는 데 걸리는 준비기간의 장단, 목적사업에 사용할 수 없는 법령상·사실상의 장애사유 및 장애정도, 창업중소기업이 부동산을 목적사업에 사용하기 위한 진지한 노력을 다하였는지 여부 등을 참작하여 구체적인 사안에 따라 개별적으로 판단하여야 한다.

다만, 창업중소기업이 부동산을 취득할 당시 2년 이내에 해당 사업에 직접 사용할 수 없는 법령상의 장애사유가 있음을 알았거나, 설사 몰랐다고 하더라도 조금만 주의를 기울였더라면 그러한 장애사유의 존재를 쉽게 알 수 있었던 상황에서 부동산을 취득하였고, 취득 후 2년 이내에 그 부동산을 해당 사업에 직접 사용하지 못한 것이 동일한 사유 때문이라면, 취득 전에 존재한 법령상의 장애사유가 충분히 해소될 가능성이 있었고 실제 그 해소를 위하여 노력하여 이를 해소하였는데도 예측하지 못한 전혀 다른 사유로 해당 사업에 사용하지 못하였다는 등의 특별한 사정이 없는 한, 그 법령상의 장애사유는 취득한 부동산을 해당 사업에 직접 사용하지 못한 것에 대한 정당한 사유가 될 수 없다.

┌───┐
│ 김회계사의 Tip │

○ 정당한 사유

  지방세법을 비롯한 대부분의 세법에서 '정당한 사유'는 납세의무자가 세무상으로 불이익을 당하지 않도록 납세의무자의 사정을 고려하는 역할을 하고 있습니다.

  납세의무자는 세무상 유리한 방향으로 어떠한 것이 '정당했다'라고 주장할 것이고, 세금을 거두어야 하는 과세관청은 그것이 '정당하지 않았다'라는 전제로 의견을 펼칠 것입니다. 이때 정당한 사유에 해당하는지는 납세의무자가 입증해야 합니다. 따라서 납세의무자는 아래의 내용을 입증할 수 있도록 준비할 필요가 있습니다.

① 관련법령에 따른 직접 사용 불가 등 취득자와 취득 물건의 외부적인 요인 등으로 취득자가 어찌할 수 없는 상황에 따라 감면 용도로 사용하지 못했다면 정당한 사유라고 볼 수 있을 것입니다. 다만, 자금난 등 취득자 고유의 내부적 사유라면 정당한 사유로 보기 어려운 경우가 많습니다.

② 정당한 사유를 검토할 때는 취득 당시 사실관계와 유사한 해석사례를 통하여 납세의무자에게 적용할 수 있는 논리를 확인하면 입증에 도움이 될 수 있습니다.

③ 정당한 사유를 입증할 때는 그 사유를 정리하여 문서의 형태로 제출하도록 합니다. 정당한 사유를 구두로 입증하려다 보면 정리되지 않은 진술로 인하여 오히려 불리한 상황에 놓이는 경우도 발생하기 때문입니다. 또한 문서화를 할 때는 정당한 사유의 근거가 되는 사실을 입증할 수 있는 증빙자료를 첨부하는 것이 효과적입니다.

└───┘

(5) 감면 제외 및 중복 감면 배제

1) 감면 제외

  사치성 재산 중과세가 적용되는 별장, 골프장, 고급주택, 고급오락장, 고급선박은 취득세 감면대상에서 제외한다. 사치성 재산까지 감면의 혜택을 적용하지는 않겠다는 취지다. 다만, 본점 등 중과세와 지점 등 중과세가 적용되는 과세물건은 취득세 감면을 적용한다.

2) 중복 감면의 배제

동일한 과세대상에 대하여 지방세를 감면할 때 둘 이상의 감면 규정이 적용되는 경우에는 그 중 감면율이 높은 것 하나만을 적용한다.

김회계사의 Tip

○ 비과세와 감면의 비교

비과세와 감면은 납세의무자가 부담할 취득세를 줄여주는 공통점이 있습니다. 다만, 비과세와 감면은 1) 입법 취지 2) 법적 성질 3) 경제적 효과의 세 가지 관점에서 다소 차이가 있습니다. 이러한 차이점을 통해서 비과세와 감면의 의미를 이해할 수 있을 것입니다.

1) 입법 취지

취득세가 비과세되는 취득은 도입 취지에 따라 ① 국가 등의 취득 ② 국가 등에 귀속 및 기부채납 하는 취득 ③ 기타의 취득으로 나눌 수 있습니다.

첫 번째는 국가 등의 취득입니다. 국가 등이 취득세를 신고납부해도 해당 세금은 결국 국가 등에 귀속됩니다. 이러한 불필요한 세무행정의 낭비를 막고자 취득세를 비과세합니다. 두 번째는 국가 등에 귀속 및 기부채납하는 취득입니다. 취득자가 국가 등에 부동산 등을 귀속시키거나 기부채납을 하면 궁극적으로는 국민에게 혜택으로 돌아갑니다. 따라서 취득자의 귀속 및 기부채납을 장려하기 위하여 취득세를 비과세합니다. 마지막으로는 신탁재산의 취득, 임시건축물의 취득, 국민주택규모 공동주택의 개수에 따른 취득 등 기타의 취득입니다. 개별 항목별로 조금씩 차이는 있지만, 이러한 취득을 비과세하는 공통적인 이유는 취득자를 위한 조세정책을 마련하는 것에 있습니다.

반면 감면은 ① 농어업 ② 사회복지 ③ 교육 및 과학기술 ④ 문화 및 관광 ⑤ 기업구조 및 재무조정 ⑥ 수송 및 교통 ⑦ 국토 및 지역개발 ⑧ 공공행정의 8가지 분야를 지원하기 위하여 해당 분야와 관련이 있는 취득에 대하여 감면을 적용합니다. 즉, 감면은 정책적으로 특정 분야를 지원하기 위함이므로 해당 분야의 특성 및 해당 분야가 현재 처한 상황 등에 따라 감면율과 감면 시기를 달리 정할 수 있습니다.

2) 법적 성질

비과세에 해당하는 취득에 대해서는 취득세를 부과하지 않습니다. 취득세를 부과하지 않는다는 것은 애초부터 취득세 납세의무가 성립하지 않는다는 것을 의미합니다. 과세표준 관점에서는 과세표준이 '0원'이기 때문에 취득세율을 반영한 취득세액을 계산할 필요가 없습니다.

반면 감면은 취득세의 전부 또는 일부를 줄여주는 것입니다. 즉, 감면은 취득세 부과 대상이지만 단지 그 세액을 줄여주는 것이기 때문에, 감면이 적용되더라도 취득세 납세의무는 성립합니다. 따라서 감면이 적용되는 취득에 든 직간접비용은 취득세 과세표준에 포함한 후 세액을 구하는 과정에서 감면율을 적용하여 감면세액을 계산해야 합니다.

3) 경제적 효과

비과세는 취득세 납세의무가 성립하지 않으므로 취득자에게 취득세뿐 아니라 취득세와 관련된 지방교육세와 농어촌특별세도 부담하지 않습니다. 즉 취득으로 부담하는 세금이 전혀 없습니다. 반면, 감면은 아래 3가지 이유로 취득으로 부담하는 세금이 일부 발생합니다.

① 30%, 50% 등 감면율이 100%가 아닌 감면 규정이 존재
② 감면 최저한 규정의 도입으로 100% 감면율이 적용되더라도 최소 15%의 취득세는 부담
    (①과 ②의 경우 취득세에 부가되는 지방교육세와 농어촌특별세 부담)
③ 감면세액의 20%는 감면분 농어촌특별세 과세

| 비과세와 감면의 차이 |

구분	비과세	감면
입법 취지	① 세무행정 낭비 방지(국가등의 취득) ② 민간투자 장려(기부채납 비과세)	특정 분야에 대한 세금지원 등

구분	비과세	감면
	③ 납세자를 위한 조세정책(기타의 취득)	
법적 성질	납세의무 성립하지 않음	납세의무가 성립
경제적 효과	세부담 없음	① 최소 15%의 취득세 부담 ② 취득세에 부가되는 지방교육세, 농어촌특별세 부담 ③ 감면분 농어촌특별세 부담(감면세액의 20%)

(6) 지방세특례제한법 취득세 감면 규정

1) 농어업을 위한 지원

법	감면규정	감면율		일몰 기한	감면분 농특세	감면 추징
		취득세	재산세			
§6	**자경농민의 농지 등 감면** ① 자경농민(2년 이상 영농종사자 등)이 직접 경작할 목적으로 취득하는 농지, 임야, 농업용시설	50%	-	2023	과세	○
	② 자경농민이 농업용으로 직접 사용하기 위해 취득하는 농업용 시설(양잠, 온실, 축사 등)	50%	-	2023	비과세	
	③ 귀농인이 직접 경작할 목적으로 귀농일로부터 3년 이내에 취득하는 농지, 임야	50%	-	2021	비과세	○
§7	**농기계류 등 감면** ① 농업용에 직접 사용하기 위한 농업기계 ② 농업용수의 공급을 위한 관정시설	① 100% ② 100%	① - ② 100%	2023	비과세	
§8	**농지확대개발을 위한 면제** ① 농업생산기반 개량사업 농지 및 농지확대 개발사업 개간농지(한국농어촌공사 제외)	100%	-	2022	비과세	

법	감면규정	감면율		일몰 기한	감면분 농특세	감면 추징
		취득세	재산세			
	② 교환·분합하는 농지(한국농어촌 공사 제외)	100%	-	2022	비과세	
	③ 임업자 등이 직접 임업을 하기 위 해 교환·분합하는 임야	100%	-	2020	비과세	
	임업자 등이 취득하는 보전산지(99만 ㎡ 이하)	50%	-	2020	비과세	
	공유수면의 매립·간척으로 취득하는 농지	0.8%세율	-	2021	비과세	○
§9	자영어민 등 감면 ① 어업자 등이 직접 어업을 하기 위 해 취득하는 어업권, 양식업권, 20 톤 이상 어선	50%	-	2023	과세	
	② 유상해수양식어업용 등 토지, 건축 물(수조)	50%	-	2023	과세	
	③ 20톤 미만 소형어선	100%	100%	2022	과세	
	④ 출원에 의하여 취득하는 어업권, 양식업권	100%	-	2022	과세	
§11	농업법인에 대한 감면 ① 농업법인이 영농에 사용하기 위해 법인설립등기일부터 2년 이내(청 년농업법인은 4년 이내)에 취득하 는 농지, 임야 등	75%	-	2023	비과세	○
	② 농업법인이 영농·유통·가공에 직 접 사용하기 위해 취득하는 부동산	50%	50%	2023	비과세	
§12	어업법인에 대한 감면 어업법인이 영어·유통·가공에 직접 사용하기 위해 취득하는 부동산	50%	50%	2023	비과세	
§13	한국농어촌공사 농업관련사업 감면 한국농어촌공사가 농지매매사업 등을 위해 취득·소유하는 부동산과 농지	50%	50%	2022	과세	
	한국농어촌공사가 국가·지방자치단 체의 농업생산기반 정비계획에 따라 취득·소유하는 농업기반시설용 토지 와 그 시설물	50%	100%	2021	비과세	
		50%	50%	2022	비과세	

법	감면규정	감면율		일몰 기한	감면분 농특세	감면 추징
		취득세	재산세			
	한국농어촌공사가 취득하는 부동산 (경영회생지원)	50%	50%	2022	과세	
	한국농어촌공사가 환매취득하는 부동산(경영회생지원)	100%	50%	2022	과세	
	한국농어촌공사가 FTA체결 관련 농어업인 지원 목적으로 취득·소유하는 농지	50%	-	2022	과세	
	한국농어촌공사가 국가·지방자치단체의 계획에 따라 제3자에 공급할 목적으로 생활환경정비사업에 직접 사용하기 위해 일시 취득하는 부동산	25%	-	2022	과세	
	한국농어촌공사가 농지시장안정과 농업구조개선을 위해 취득하는 농지	50%	-	2022	비과세	
	한국농어촌공사가 국가·지방자치단체의 계획에 따라 제3자에 공급할 목적으로 생활환경정비사업에 직접 사용하기 위해 일시 취득하는 부동산 중 택지개발사업지구·단지조성사업지구에 있는 부동산으로서 국가·지방자치단체에 무상으로 귀속될 공공시설물, 그 부속토지, 공공시설용지	-	50%	2021	-	
§14	**농업협동조합 등의 농어업 관련사업 등 감면** ① 농협중앙회, 수협중앙회, 산림조합중앙회가 구매·판매사업 등에 직접 사용하기 위해 취득하는 사업용 토지와 건축물	25%	25%	2023	비과세	
	② 농협중앙회, 수협중앙회, 산림조합중앙회, 엽연초생산협동조합중앙회가 회원의 교육·지도·지원 사업과 공동이용시설사업에 사용하기 위해 취득하는 부동산(임대용 부동산 제외)	25%		2016	비과세	

법	감면규정	감면율		일몰 기한	감면분 농특세	감면 추징
		취득세	재산세			
	③ 농업협동조합, 수산업협동조합, 산림조합, 엽연초생산협동조합이 고유업무에 직접 사용하는 부동산 (임대용 부동산 제외)	100%	100%	2023	비과세	
§14의2	**농협경제지주회사 등의 구매·판매사업 등 감면** 농협경제지주회사와 자회사가 구매·판매사업 등에 직접 사용하기 위해 취득하는 사업용 토지와 건축물	25%	25%	2017	비과세	
§15	**한국농수산식품유통공사 등의 농어업 관련 사업 등 감면** ① 한국농수산식품유통공사와 농립수협 등 유통자회사가 농수산물종합직판장 등의 농수산물 유통시설과 농수산물유통에 관한 교육훈련시설에 직접 사용하기 위해 취득하는 부동산	50%	50%	2022	과세	
	② 지방농수산물공사가 도매시장 관리 및 농수산물 유통사업에 직접 사용하기 위해 취득하는 부동산	100%	100%	2022	비과세	
§16	**농어촌 주택개량에 대한 감면** 생활환경정비사업의 계획에 따라 주택개량대상자로 선정된 사람과 그 가족이 상시 거주할 목적으로 취득하는 연면적 150㎡ 이하의 주거용 건축물 (증축의 경우 기 소유한 주거용 건축물 연면적과 합산하여 150㎡ 이하로 한정)	100% (280만원 한도)	-	2021	비과세	○

2) 사회복지를 위한 지원

법	감면규정	감면율		일몰 기한	감면분 농특세	감면 추징
		취득세	재산세			
§17	**장애인용 자동차 감면** 장애인(국가유공자등 제외)이 보철용·생업활동용으로 사용하기 위해 취득하는 배기량 2,000cc 이하 승용자동차 등의 자동차	100%	-	2021	비과세	○
§17의 2	**한센인 및 한센인정착농원 지원을 위한 감면** 한센인이 한센인정착농원 내에서 취득하는 부동산 ① 주택(전용면적이 85㎡ 이하) ② 축사용 부동산 ③ 한센인 재활사업에 직접 사용하기 위한 부동산	100%	100%	2021	비과세	
§18	**한국장애인고용공단에 대한 감면** 한국장애인고용공단이 목적사업에 직접 사용하기 위하여 취득하는 부동산(수익사업용 부동산 제외)	25%	25%	2022	과세	
§19	**어린이집 및 유치원에 대한 감면** 어린이집 및 유치원을 설치·운영하기 위하여 취득하는 부동산	100%	100% (요건 있음)	2021	비과세	
§19의 2	**아동복지시설에 대한 감면** 지역아동센터를 설치·운영하기 위하여 취득하는 부동산	100%	100%	2023	과세	
§20	**노인복지시설에 대한 감면** ① 무료 노인복지시설에 사용하기 위해 취득하는 부동산 ② ① 외 노인복지시설에 사용하기 위해 취득하는 부동산 ③ 경로당으로 사용하는 부동산(부대시설 포함)	① 100% ② 25% ③ -	① 50% ② 25% ③ 100%	2023	비과세	
§21	**청소년단체 등에 대한 감면** ① 스카우트주관단체 등 법인 또는 단체가 그 고유업무에 직접 사용	75%	100%	2023	비과세	

법	감면규정	감면율 취득세	감면율 재산세	일몰기한	감면분 농특세	감면추징
	하기 위해 취득하는 부동산(임대용 부동산 제외)					
	② 청소년수련시설의 설치허가를 받은 비영리법인이 청소년수련시설을 설치하기 위해 취득하는 부동산	100%	50%	2023	과세	
§22	**사회복지법인등에 대한 감면** ① 사회복지법인등이 해당 사회복지사업에 직접 사용하기 위하여 취득하는 부동산	100%	100% (요건 있음)	2022	비과세	○
	② 사회복지법인이 의료기관을 경영하기 위하여 취득하거나 사용하는 부동산(2020년까지의 취득)	50%	50%	2020	비과세	
	③ 사회복지법인이 의료기관을 경영하기 위하여 취득하거나 사용하는 부동산(2021년의 취득)	30%	50%	2021	비과세	
§22의 2	**출산 및 양육 지원을 위한 감면** 다자녀양육자(18세 미만 자녀 3명 이상 양육)가 양육을 목적으로 취득·등록하는 승용자동차 등 자동차	100%	-	2021	비과세	○
§22의 4	**사회적기업에 대한 감면** 사회적기업(회사의 경우 중소기업기본법상 중소기업에 한정)이 그 고유업무에 직접 사용하기 위하여 취득하는 부동산	50%	25%	2021	과세	○
§23	**권익 증진 등을 위한 감면** 법률구조법인 및 한국소비자원이 그 고유업무에 직접 사용하기 위하여 취득하는 부동산 ① 2020년 ② 2021년 ③ 2022년	① 100% ② 50% ③ 25%	① 100% ② 50% ③ 25%	2022	비과세	
§26	**노동조합에 대한 감면** 노동조합이 그 고유업무에 직접 사용하기 위하여 취득하는 부동산(수익사업용 부동산 제외)	100%	100%	2021	과세	

법	감면규정	감면율		일몰기한	감면분농특세	감면추징
		취득세	재산세			
§27	**근로복지공단 지원을 위한 감면** ① 근로복지공단이 공단의 사업에 직접 사용하기 위해 취득하는 부동산(2020년) ② 근로복지공단이 공단의 사업에 직접 사용하기 위해 취득하는 부동산(2021년~2022년) ③ 근로복지공단이 의료사업·재활사업에 직접 사용하기 위해 취득하는 부동산(2020년) ④ 근로복지공단이 의료사업·재활사업에 직접 사용하기 위해 취득하는 부동산(2021년~2022년)	① 25% ② 25% ③ 75% ④ 50%	① 25% ② - ③ 50% ④ 50%	2021	과세	
§28	**산업인력 등 지원을 위한 감면** ① 한국산업안전보건공단이 산업안전 보건교육 등 사업에 직접 사용하기 위하여 취득하는 부동산	25%	25%	2022	과세	
	② 한국산업인력공단이 산업재해예방기술 관련 사업에 직접 사용하기 위해 취득하는 부동산	25%	-	2022	과세	
§29	**국가유공자 등에 대한 감면** ① 국가유공자 관련 법에 따른 대부금을 받아 취득하는 부동산으로서 전용면적 85㎡ 이하 주택(대부금 초과분 포함)과 그 외 부동산(대부금 초과분 제외) ② 대한민국상이군경회, 대한민국전몰군경유족회, 대한민국전몰군경미망인회, 광복회, 4·19민주혁명회, 4·19혁명희생자유족회, 4·19혁명공로자회, 재일학도의용군동지회, 대한민국무공수훈자회, 대한민국특수임무유공자회, 대한민국고엽제전우회, 대한민국 6·25참전유공자회 및 대한민국월남	① 100% ② 100% ③ 100% ④ 100%	① - ② 100% ③ 100% ④ -	2023	비과세	○

법	감면규정	감면율		일몰 기한	감면분 농특세	감면 추징
		취득세	재산세			
	전참전자회가 그 고유업무에 직접 사용하기 위하여 취득하는 부동산 ③ 국가유공자 자활용사촌에 거주하는 중상이자와 그 유족 또는 그 중상이자와 유족으로 구성된 단체가 취득하는 자활용사촌 안의 부동산 ④ 국가유공자 등이 보철용생업활동용으로 사용하기 위하여 취득하는 배기량 2,000cc 이하 승용자동차 등의 자동차(대체취득을 포함)					
§30	**한국보훈복지의료공단 등에 대한 감면** ① 한국보훈복지의료공단이 국가유공자 지원사업 등에 직접 사용하기 위하여 취득하는 부동산	25%	25%	2022	과세	
	② 보훈병원이 의료업에 직접 사용하기 위하여 취득하는 부동산(2020년) ③ 보훈병원이 의료업에 직접 사용하기 위하여 취득하는 부동산(2021년)	① 75% ② 50%	① 75% ② 50%	2021	과세	
	④ 독립기념관이 독립기념관 자료수집 등 업무에 직접 사용하기 위하여 취득하는 부동산	100%	100%	2021	비과세	
§31	**임대주택 등에 대한 감면** ① 공공주택사업자 및 등록 임대사업자가 임대할 목적으로 공동주택(부대시설·임대수익금 전액을 임대주택관리비로 충당하는 임대용 복리시설 포함)을 건축하는 경우 그 공동주택(단, 토지를 취득한 날부터 정당한 사유없이 2년 이내에 공동주택을 착공하지 않은 경우는 감면 제외) ㉮ 전용면적 60㎡ 이하인 공동주택 ㉯ 장기임대주택(8년 이상의 장기임대 목적으로 전용면적 60㎡	㉮ 100% ㉯ 50%	-	2021	과세	○

법	감면규정	감면율		일몰기한	감면분농특세	감면추징
		취득세	재산세			
	초과 85㎡ 이하인 임대주택)을 20호 이상 취득하거나, 20호 이상의 장기임대주택을 보유한 임대사업자가 추가로 장기임대주택을 취득하는 경우(추가취득의 결과로 20호 이상 보유 시 그 20호부터 초과분까지를 포함)					
	② 임대사업자가 임대할 목적으로 건축주로부터 공동주택 또는 오피스텔을 최초로 분양받은 경우 그 공동주택 또는 오피스텔(취득가액 3억원[수도권 6억원]을 초과하는 경우 감면 대상에서 제외) ㉺ 전용면적 60㎡ 이하 공동주택 또는 오피스텔 ㉻ 장기임대주택을 20호 이상 취득하거나, 20호 이상의 장기임대주택을 보유한 임대사업자가 추가로 장기임대주택을 취득하는 경우(추가취득의 결과로 20호 이상을 보유 시 그 20호부터 초과분까지를 포함)	㉺ 100% ㉻ 50%	-	2021	과세	
	③ 임대사업자 등이 국내에서 임대용 공동주택 또는 오피스텔을 과세기준일 현재 2세대 이상 임대 목적으로 직접 사용하는 경우(시가표준액 3억원[수도권 6억원]초과 공동주택과 시가표준액 2억원[수도권 4억원]초과 오피스텔은 감면대상에서 제외) ㉤ 전용면적 40㎡ 이하 임대 목적 공동주택 ㉥ 전용면적 60㎡ 이하 임대 목적 공동주택 · 오피스텔 ㉦ 전용면적 85㎡ 이하 임대 목적 공동주택 · 오피스텔	-	㉤ 100% ㉥ 50% ㉦ 25%	2021	해당없음	○

법	감면규정	감면율		일몰 기한	감면분 농특세	감면 추징
		취득세	재산세			
	④ 한국토지주택공사가 공공매입임대주택을 매입하여 공급하는 다가구주택과 그 부속토지	50%	50%	2021	과세	○
§31의3	**장기일반민간임대주택 등에 대한 감면** 공공지원민간임대주택 및 장기일반민간임대주택을 임대하려는 자가 국내에서 임대 목적의 공동주택 2세대 이상 또는 다가구주택(모든 호수의 전용면적이 40㎡ 이하)을 과세기준일 현재 임대 목적에 직접 사용하는 경우 또는 오피스텔을 2세대 이상 과세기준일 현재 임대 목적에 직접 사용하는 경우 ① 공동주택, 다가구주택, 오피스텔 (전용면적 40㎡ 이하) ② 공동주택, 오피스텔(전용면적 40㎡ 초과 60㎡ 이하) ③ 공동주택, 오피스텔(전용면적 60㎡ 초과 85㎡ 이하) [감면제외] 아래 요건에 해당하는 주택은 감면제외 	구분	시가표준액	
	수도권	수도권 외
공동주택	6억원 초과	3억원 초과
오피스텔	4억원 초과	2억원 초과		-	① 100% ② 75% ③ 50%	2021	해당 없음	○
§31의4	**주택임대사업에 투자하는 부동산투자회사의 감면** ① 위탁관리 부동산투자회사(국가 등이 50% 초과출자한 경우)가 임대 목적으로 공동주택(오피스텔 포함)을 건축·매입하기 위하여 취득하는 부동산	20%	-	2021	비과세	

법	감면규정	감면율		일몰 기한	감면분 농특세	감면 추징
		취득세	재산세			
	② 위탁관리 부동산투자회사가 과세 기준일 현재 국내에 2세대 이상의 공동주택을 임대 목적에 직접 사용하는 경우(전용면적 60㎡ 이하) ③ 위 ② 중 전용면적 85㎡ 이하	-	② 40% ③ 15%	2021	해당 없음	○
§32	한국토지주택공사의 소규모 공동주택 취득의 감면 ① 한국토지주택공사가 임대를 목적 으로 취득하여 소유하는 소규모 공동주택용 부동산	50%	50%	2021	과세	○
	② 한국토지주택공사가 분양을 목적 으로 취득하는 소규모 공동주택용 부동산	25%	-	2016	과세	
§32의 2	한국토지주택공사의 방치건축물 사 업재개의 감면 공사중단 건축물 정비계획(건축물 완 공으로 인한 수익금이 공사중단 건축 물 정비기금에 납입되는 경우에 한 정)에 따라 한국토지주택공사가 공사 재개를 위하여 취득하는 부동산	35%	25%	2021	과세	
§33	주택 공급 확대를 위한 감면 상시 거주할 목적으로 서민주택(연면 적 또는 전용면적이 40㎡ 이하인 주거 용 건축물과 부속토지)을 취득(상 속·증여 취득 및 원시취득 제외)하 여 1가구 1주택에 해당하는 경우(해 당 주택을 취득한 날부터 60일 이내에 종전 주택을 증여 외의 사유로 매각하 여 1가구 1주택이 되는 경우를 포함)	100%	-	2021	비과세	○
§35	주택담보노후연금보증 대상 주택에 대한 감면 ① 주택담보노후연금보증을 위하여 담 보로 제공된 주택(1가구 1주택에 한 정하며, 주택공시가격 5억원에 해당	-	25%	2021	해당 없음	

법	감면규정	감면율		일몰 기한	감면분 농특세	감면 추징
		취득세	재산세			
	하는 재산세액을 한도로 감면) ② 법소정 금융기관으로부터 연금 방식으로 생활자금 등을 지급받기 위하여 장기주택저당대출에 가입한 사람이 담보로 제공하는 주택 (1가구 1주택에 한정하며, 주택공시가격 5억원에 해당하는 재산세액을 한도로 감면)					
§35의 2	**농업인의 노후생활안정자금대상 농지에 대한 감면** 농업인에 대한 노후생활안정자금을 지원받기 위하여 담보로 제공된 농지 (토지공시가격 6억원에 해당하는 재산세액을 한도로 감면)	-	100%	2021	해당 없음	
§36	**무주택자 주택공급사업 지원을 위한 감면** 사단법인 한국사랑의집짓기운동연합회가 무주택자에게 분양할 목적으로 취득하는 주택건축용 부동산	100%	100%	2021	비과세	○
§36의 2	**생애최초 주택 구입 신혼부부에 대한 취득세 경감** 신혼부부(혼인한 날부터 5년 이내인 사람과 주택 취득일부터 3개월 이내에 혼인할 예정인 사람)로서 다음 각 요건을 갖춘 사람이 거주할 목적으로 유상거래(부담부증여 제외)로 취득하는 주택 ① 주택 취득일 현재 신혼부부로서 본인과 배우자(배우자가 될 사람 포함) 모두 주택 취득일까지 주택을 소유한 사실이 없을 것 ② 주택 취득 연도 직전 연도의 신혼부부의 합산 소득이 7천만원(홑벌이 가구는 5천만원)을 초과하지 아니할 것	50%	-	2020	과세	○

법	감면규정	감면율		일몰 기한	감면분 농특세	감면 추징
		취득세	재산세			
	③ 취득 당시의 가액이 3억원(수도권 은 4억원) 이하이고 전용면적이 60㎡ 이하인 주택을 취득할 것					
§36의 3	**생애최초 주택 구입에 대한 취득세 감면** 1가구(주택 취득일 현재 세대별 주민 등록표에 기재되어 있는 세대주 및 그 세대원)가 주택을 소유한 사실이 없 는 경우로서 합산소득이 7천만원 이 하인 경우에는 그 세대에 속하는 자가 취득 당시의 가액이 3억원(수도권 4 억원) 이하인 유상거래(부담부증여는 제외)로 취득하는 주택(취득자가 20 세 미만인 경우 또는 주택을 취득하는 자의 배우자가 취득일 현재 주택을 소 유하고 있거나 처분한 경우는 제외) ① 취득 당시의 가액이 1억 5천만원 이하 ② 취득 당시의 가액이 1억 5천만원 을 초과	① 100% ② 50%	-	2021	과세	○
§37	**국립대병원 등에 대한 감면** 서울대학교병원, 서울대학교치과병원, 국립대학병원, 국립암센터, 국립중앙 의료원, 국립대학치과병원, 한국원자 력의학원이 고유업무에 직접 사용하 기 위하여 취득하는 부동산 ① 2020년까지의 취득 ② 2021년의 취득	① 75% ② 50%	① 75% ② 50%	2021	비과세	
§38	**의료법인 등에 대한 과세특례** ① 의료법인이 의료업에 직접 사용하 기 위하여 취득하는 부동산 ㉮ 2020년까지의 취득 ㉯ 2021년의 취득	㉮ 50% ㉯ 30%	㉮ 50% ㉯ 50%	2021	비과세	

법	감면규정	감면율		일몰 기한	감면분 농특세	감면 추징
		취득세	재산세			
	② 종교단체(민법에 따라 설립된 재 단법인)가 의료기관 개설을 통하 여 의료업에 직접 사용할 목적으 로 취득하는 부동산 ㉓ 2020년까지의 취득(특별시· 광역시·도청소재지인 시 지 역의 취득) ㉕ 2020년까지의 취득(위 ㉓ 지역 외 취득) ㉖ 2021년의 취득	㉓ 20% ㉔ 40% ㉕ 30%	㉓ 50% ㉔ 50% ㉕ 50%	2021	과세	
§38의 2	**지방의료원에 대한 감면** 지방의료원이 의료업에 직접 사용하 기 위하여 취득하는 부동산 ① 2020년까지의 취득 ② 2021년의 취득	① 75% ② 75%	① 75% ② 75%	2021	과세	
§40	**국민건강 증진사업자에 대한 감면** 인구보건복지협회, 한국건강관리협회, 대한결핵협회가 그 고유업무에 직접 사용하기 위해 취득하는 부동산(임대 용 부동산 제외) ① 2020년까지의 취득 ② 2021년의 취득	① 75% ② 50%	① 75% ② 50%	2021	비과세	
§40의 3	**대한적십자사에 대한 감면** ① 대한적십자사가 고유업무(의료사 업)에 직접 사용하기 위해 취득하 는 부동산(임대용 부동산 제외) ㉮ 2020년까지의 취득 ㉯ 2021년의 취득	㉮ 75% ㉯ 50%	㉮ 75% ㉯ 50%	2021	비과세	
	② 대한적십자사가 고유업무(의료외 사업)에 직접 사용하기 위해 취득 하는 부동산	25%	25%	2022	비과세	

3) 교육 및 과학기술 등에 대한 지원

법	감면규정	감면율		일몰 기한	감면분 농특세	감면 추징
		취득세	재산세			
§41	**학교 및 외국교육기관에 대한 면제** ① 학교 등이 해당 사업에 직접 사용하기 위하여 취득하는 부동산(민간투자사업 방식 기숙사 제외)	100%	100%	2021	비과세	○
	② 국립대학법인 전환 이전에 기부채납받은 부동산으로서 국립대학법인 전환 이전에 체결한 계약에 따라 기부자에게 무상사용을 허가한 부동산	-	100% (무상 사용 기간)	2021	해당 없음	
	③ 의과대학(한의과대학, 치과대학, 수의과대학 포함)의 부속병원이 의료업에 직접 사용하기 위하여 취득하는 부동산 ㉮ 2020년까지의 취득 ㉯ 2021년의 취득	㉮ 50% ㉯ 30%	㉮ 50% ㉯ 50%	2021	비과세	
§42	**기숙사 등에 대한 감면** ① 학교 등이 다음 중 어느 하나의 방식으로 설립·운영되는 기숙사로 사용하기 위하여 취득하는 부동산 • 기숙사 건설 사업시행자에게 준공 후 학교 등과의 협약에서 정하는 기간 동안 해당 시설의 소유권이 인정되며, 그 기간이 만료되면 시설소유권이 학교 등에 귀속되는 방식 • 준공 후 해당 시설의 소유권이 학교 등에 귀속되며, 학교 등과의 협약에서 정하는 기간 동안 사업시행자에게 시설관리운영권을 인정하는 방식 • 준공 후 해당 시설의 소유권이 학교 등에 귀속되며, 학교등과의 협약에서 정하는 기간 동안 사업시행자에게 시설관리운영권을 인정하되, 그 시설을 협약에서 정하는 기간 동안 임차하여 사용·수익하는 방식	100%	100%	2021	과세	○

법	감면규정	감면율 취득세	감면율 재산세	일몰 기한	감면분 농특세	감면 추징
	② 학교를 설치·경영하는 자가 학생들의 실험·실습용으로 사용하기 위하여 취득하는 차량·기계장비·항공기·입목·선박	100%	100% (항공기, 선박)	2021	비과세	○
	③ 산학협력단이 그 고유업무에 직접 사용하기 위하여 취득하는 부동산	75%	75%	2020	비과세	
§43	**평생교육단체 등에 대한 면제** ① 평생교육단체가 해당 사업에 직접 사용하기 위하여 취득하는 부동산	100%	100%	2019	비과세	○
	② 평생교육단체가 2020~2021년에 해당 사업에 직접 사용하기 위하여 취득하는 부동산	50%	50%	2021	과세	
§44	**평생교육시설에 대한 감면** 평생교육시설[*1]에 사용하기 위해 취득하는 부동산 ① 2019년까지의 취득 ② 2020년~2021년의 취득	① 100% ② 50%	① 100% ② 50%	2021	비과세	○
§44의 2	**박물관 등에 대한 감면** ① 박물관[*2] 또는 미술관[*3]에 사용하기 위하여 취득하는 부동산(해당 시설을 다른 용도로 함께 사용하는 경우 그 부분은 제외) ② 도서관[*4] 또는 과학관[*5]에 사용하기 위하여 취득하는 부동산(해당 시설을 다른 용도로 함께 사용하는 경우 그 부분은 제외)	100%	100%	2021	비과세	
§45	**학술단체 및 장학법인에 대한 감면** ① 학술단체가 학술연구사업에 직접 사용하기 위하여 취득하는 부동산(§45의 2에 따른 단체는 제외) ② 장학법인이 장학사업에 직접 사용하기 위하여 취득하는 부동산 ③ 장학법인이 장학금을 지급할 목적으로 취득하는 임대용 부동산	① 100% ② 100% ③ 80%	① 100% ② 100% ③ 80%	2021	비과세 (②, ③은 과세)	○

법	감면규정	감면율		일몰 기한	감면분 농특세	감면 추징
		취득세	재산세			
§45의 2	**기초과학연구 지원을 위한 연구기관 등 에 대한 면제** 기초과학연구원 등이 그 고유업무에 직 접 사용하기 위하여 취득하는 부동산	100%	100%	2023	과세	
§46	**연구개발 지원을 위한 감면** ① 기업이 기업부설연구소에 직접 사용 하기 위하여 취득하는 부동산(부속 토지는 건축물 바닥면적의 7배 이내 인 것으로 한정)과 상호출자제한기 업집단등이 과밀억제권역 외에 설치 하는 기업부설연구소에 직접 사용하 기 위하여 취득하는 부동산 ㉮ 일반 기업부설연구소 ㉯ 신성장동력 · 원천기술 관련 기 업부설연구소	㉮ 35% ㉯ 45%	㉮ 35% ㉯ 45%	2022	비과세	○
	② 중소기업이 기업부설연구소에 직접 사용하기 위하여 취득하는 부동산 ㉰ 일반 기업부설연구소 ㉱ 신성장동력 · 원천기술 관련 기 업부설연구소	㉰ 60% ㉱ 70%	㉰ 50% ㉱ 60%	2022	비과세	
§47	**한국환경공단에 대한 감면** 한국환경공단이 환경오염방지 등 사업 에 직접 사용하기 위하여 취득하는 부 동산(임대용 부동산 제외)	25%	25%	2022	과세	
§47의 2	**녹색건축 인증 건축물 감면** ① 신축(증축 · 개축 포함)하는 건축물 로서 아래 요건을 모두 갖춘 건축물 (취득일부터 70일 이내에 아래 요건 을 모두 갖춘 건축물을 포함) • 녹색건축인증등급 우수등급 이상 • 에너지효율등급 1등급 이상	3~10% [*6]	3~10% [*6]	2023	과세	○
	② 신축하는 건축물로서 제로에너지건 축물 인증을 받은 건축물(취득일부 터 100일 이내에 제로에너지건축물 인증을 받는 건축물을 포함)	15~20% [*7]	–	2023	과세	

법	감면규정	감면율		일몰 기한	감면분 농특세	감면 추징
		취득세	재산세			
	③ 신축하는 주거용 건축물로서 에너지 절약형 친환경주택(총 에너지 절감율 또는 총 이산화탄소 저감률이 55% 이상임을 확인받은 주택)	10%	-	2023	과세	
§47의 4	**내진성능 확보 건축물에 대한 감면** 건축법에 따른 구조 안전 확인 대상이 아니거나 건축 당시 구조 안전 확인 대상이 아니었던 건축물로서 내진성능확인을 받은 건축물(그 건축물을 양도하는 경우 재산세 감면은 제외) ① 건축 ② 대수선	① 50% ② 100%	① 50% ② 100%	2021	과세	
§48	**국립공원관리사업에 대한 감면** 국립공원공단이 공원시설의 설치·유지·관리 등의 공원관리사업에 직접 사용하기 위하여 취득하는 부동산(임대용 부동산 제외)	25%	25%	2022	과세	
§49	**해양오염방제 등에 대한 감면** 해양환경공단이 해양오염방제업무 등 사업에 직접 사용하기 위하여 취득하는 부동산(수익사업용 부동산 제외)과 해양오염방제용 및 해양환경관리용에 제공하기 위하여 취득하는 선박	25%	25%	2022	과세	

[비고] 용어의 정의

구분	내용
[*1] 평생 교육 시설	평생교육법에 따라 보고·인가·등록·신고된 다음의 평생교육시설 ① 평생교육법 제30조에 따른 학교 부설 평생교육시설 ② 평생교육법 제31조에 따른 학교형태의 평생교육시설 ③ 평생교육법 제32조에 따른 사내대학형태의 평생교육시설 ④ 평생교육법 제33조에 따른 원격대학형태의 평생교육시설 ⑤ 평생교육법 제35조에 따른 사업장 부설 평생교육시설 ⑥ 평생교육법 제36조에 따른 시민사회단체 부설 평생교육시설 ⑦ 평생교육법 제37조에 따른 언론기관 부설 평생교육시설 ⑧ 평생교육법 제38조에 따른 지식·인력개발사업 관련 평생교육시설

구분		내용
[*2] 박물관	구분	내용(박물관 및 미술관 진흥법)
	정의(§2)	문화·예술·학문의 발전과 일반 공중의 문화향유 및 평생교육 증진에 이바지하기 위하여 역사·고고·인류·민속·예술·동물·식물·광물·과학·기술·산업 등에 관한 자료를 수집·관리·보존·조사·연구·전시·교육하는 시설
	범위(§3)	박물관은 그 설립·운영 주체에 따라 다음과 같이 구분 ① 국립 박물관 : 국가가 설립·운영하는 박물관 ② 공립 박물관 : 지방자치단체가 설립·운영하는 박물관 ③ 사립 박물관 : 민법, 상법, 그 밖의 특별법에 따라 설립된 법인·단체 또는 개인이 설립·운영하는 박물관 ④ 대학 박물관 : 고등교육법에 따라 설립된 학교나 다른 법률에 따라 설립된 대학 교육과정의 교육기관이 설립·운영하는 박물관
[*3] 미술관	구분	내용(박물관 및 미술관 진흥법)
	정의(§2)	문화·예술의 발전과 일반 공중의 문화향유 및 평생교육 증진에 이바지하기 위하여 박물관 중에서 특히 서화·조각·공예·건축·사진 등 미술에 관한 자료를 수집·관리·보존·조사·연구·전시·교육하는 시설
	범위(§3)	미술관은 그 설립·운영 주체에 따라 다음과 같이 구분 ① 국립 미술관 : 국가가 설립·운영하는 미술관 ② 공립 미술관 : 지방자치단체가 설립·운영하는 미술관 ③ 사립 미술관 : 민법, 상법, 그 밖의 특별법에 따라 설립된 법인·단체 또는 개인이 설립·운영하는 미술관 ④ 대학 미술관 : 고등교육법에 따라 설립된 학교나 다른 법률에 따라 설립된 대학 교육과정의 교육기관이 설립·운영하는 미술관
[*4] 도서관	구분	내용(도서관법)
	정의(§2)	도서관자료를 수집·정리·분석·보존하여 공중에게 제공함으로써 정보이용·조사·연구·학습·교양·평생교육 등에 이바지하는 시설
	범위(§2)	① 공공도서관 • 공립 공공도서관(특정 작은 도서관, 장애인도서관, 병원도서관, 병영도서관, 교도소도서관, 어린이도서관) • 사립 공공도서관 ② 대학도서관(고등교육법 제2조에 따른 대학 및 다른 법률의 규정에 따라 설립된 대학교육과정 이상의 교육기관에서 교수와 학생, 직원에게 도서관서비스를 제공하는 것을 주된 목적으로 하는 도서관)

구분		내용
		③ 학교도서관(초·중등교육법 제2조에 따른 고등학교 이하의 각급 학교에서 교사와 학생, 직원에게 도서관서비스를 제공하는 것을 주된 목적으로 하는 도서관)
		④ 전문도서관(그 설립 기관·단체의 소속 직원 또는 공중에게 특정 분야에 관한 전문적인 도서관서비스를 제공하는 것을 주된 목적으로 하는 도서관)
[*5] 과학관	구분	내용(과학관의 설립·운영 및 육성에 관한 법률)
	정의(§2)	과학기술자료를 수집·조사·연구하여 이를 보존·전시하며, 각종 과학기술교육프로그램을 개설하여 과학기술지식을 보급하는 시설로서 제6조 제1항에 따른 과학기술자료, 전문직원 등 등록 요건을 갖춘 시설
	범위(§3)	과학관은 그 설립·운영의 주체에 따라 다음과 같이 구분 ① 국립과학관 : 국가가 설립·운영하는 과학관 또는 국가가 법인으로 설립한 과학관 ② 공립과학관 : 지방자치단체가 설립·운영하는 과학관 또는 지방자치단체가 법인으로 설립한 과학관 ③ 사립과학관 : 위 ① 및 ②를 제외한 법인·단체 또는 개인이 설립·운영하는 과학관

[*6] 녹색건축인증 건축물 취득세 감면율 및 재산세 경감률
① 2020.12.31.까지 인증받는 건축물

녹색건축인증등급 (녹색건축물조성지원법 제16조)	에너지효율등급 (녹색건축물조성지원법 제17조)	감면율	
		취득세 감면율	재산세 경감률
최우수	1+등급 이상	10%	10%
	1등급	5%	7%
우수	1+등급 이상	5%	7%
	1등급	3%	3%

② 2020.1.1. 이후 인증받는 건축물

녹색건축인증등급 (녹색건축물조성지원법 제16조)	에너지효율등급 (녹색건축물조성지원법 제17조)	감면율	
		취득세 감면율	재산세 경감률
최우수	1+등급 이상	10%	10%
	1등급	감면없음	7%
우수	1+등급 이상	5%	7%
	1등급	감면없음	3%

[*7] 제로에너지건축물 취득세 감면율
① 2020.12.31.까지 인증받는 건축물
　15%(인증 등급과 관계없이 단일의 감면율 적용)

② 2021.1.1. 이후 인증받는 건축물

제로에너지건축물 인증 등급 (녹색건축물조성지원법 제17조)	취득세 감면율
1등급~3등급	20%
4등급	18%
5등급	15%

4) 문화 및 관광 등에 대한 지원

법	감면규정	감면율		일몰 기한	감면분 농특세	감면 추징
		취득세	재산세			
§50	**종교단체 또는 향교에 대한 면제** ① 종교단체 또는 향교가 종교행위 또는 제사를 목적으로 하는 사업에 직접 사용하기 위하여 취득하는 부동산 ② 사찰림과 전통사찰이 소유하는 전통사찰보존지	① 100% ② -	① 100% ② 100%	별도 없음	비과세	○
§52	**문화·예술 지원을 위한 과세특례** ① 문화예술단체가 문화예술사업에 직접 사용하기 위하여 취득하는 부동산 ② 체육단체가 체육진흥사업에 직접 사용하기 위하여 취득하는 부동산	100%	100%	2021	비과세	○
§53	**사회단체 등에 대한 감면** 국민신탁법인이 그 고유업무에 직접 사용하기 위하여 취득하는 부동산(임대용 부동산 제외)	100%	100%	2021	비과세	
§54	**관광단지 등 과세특례** ① 관광단지개발 사업시행자가 관광단지개발사업을 시행하기 위하여 취득하는 부동산	25%	-	2022	과세	

법	감면규정	감면율		일몰 기한	감면분 농특세	감면 추징
		취득세	재산세			
	② 아래의 재단, 기업, 사업시행자가 그 고유업무에 직접 사용하기 위하여 취득하는 부동산 • 2012여수세계박람회재단 • 여수 해양박람회특구에서 창업 및 사업장을 신설하는 기업(기존 사업장 이전 제외) • 여수세계박람회 관련법에 따른 사업 시행자	50~100%	50~100%	2019	비과세	
	③ 2018 평창 동계올림픽대회 및 동계패럴림픽대회 관련법에 따른 선수촌을 건축하여 취득	100%	-	2017	과세	
	④ 2018 평창 동계올림픽대회 및 동계패럴림픽대회 관련법에 따른 선수촌이 대회 이후 사치성재산(별장)에 해당하는 경우	-	주택세율 적용	2022	과세	
§55	**문화재에 대한 감면** ① 사적지로 지정된 토지(소유자가 사용·수익하는 사적지 제외)와 문화재(국가무형문화재 제외) ② 문화재 관련 지정된 보호구역에 있는 부동산과 국가등록문화재와 그 부속토지	-	① 100% ② 50%	별도 없음	해당 없음	

5) 기업구조 및 재무조정 등에 대한 지원

법	감면규정	감면율		일몰 기한	감면분 농특세	감면 추징
		취득세	재산세			
§56	**기업의 신용보증 지원을 위한 감면** 신용보증재단이 신용보증업무에 직접 사용하기 위해 취득하는 부동산	50%	50%	2022	과세	
§57의2	**기업합병 및 분할 등에 대한 감면** ① 적격합병으로 양수하는 사업용 재산	㉮ 50% ㉯ 60%	-	2021	비과세	○

법	감면규정	감면율		일몰기한	감면분 농특세	감면추징
		취득세	재산세			
	㉮ 일반적인 합병 ㉯ 중소기업 간 합병, 법인의 기술혁신형사업법인과의 합병					
	② 아래 법인이 적격합병으로 양수받은 재산 • 농업협동조합법, 수산업협동조합법 및 산림조합법에 따라 설립된 조합 간의 합병 • 새마을금고 간의 합병 • 신용협동조합 간의 합병	100%	-	2021	비과세	
	③ 국유재산법에 따라 현물출자한 재산 ㉰ 2019년까지 ㉱ 2020년까지 ㉲ 2021년까지	㉰ 75% ㉱ 50% ㉲ 25%	-	2021	비과세	
	④ 적격인적분할 및 적격물적분할로 취득하는 재산	75%	-	2021	비과세	○
	⑤ 과세특례(법인세법 §47조의 2)를 적용받는 현물출자에 따라 취득하는 재산	75%	-	2021	비과세	○
	⑥ 교환 자산양도차익을 손금산입할 수 있는 자산교환(법인세법 §50)에 따라 취득하는 재산	75%	-	2021	과세	
	⑦ 중소기업 간의 통합(조특법 §31)에 따라 설립되거나 존속하는 법인이 양수하는 사업용 재산	75%	-	2021	과세	○
	⑧ 자산의 포괄적 양도(조특법 §37)로 인하여 취득하는 재산	100%	-	2018	과세	○
	⑨ 특별법에 따라 설립된 공공기관이 그 특별법의 개정 또는 폐지로 인하여 상법 상의 회사로 조직 변경됨에 따라 취득하는 사업용 재산	75%	-	2021	과세	
	⑩ 법인전환 양도소득세 이월과세 (조특법 §32)를 적용받는 현물출	75%	-	2021	과세	○

법	감면규정	감면율		일몰기한	감면분 농특세	감면 추징
		취득세	재산세			
	자 및 사업양수도에 따라 취득하는 사업용 고정자산(부동산 임대 및 공급업은 제외)					
	⑪ 특정한 경우에 따른 과점주주 간 주취득 • 계약이전결정 부실금융기관으로부터 주식 취득 • 금융기관의 법인 대출금 출자전환 주식 취득 • 지주회사가 되거나 지주회사가 자회사 주식 취득 • 예금보험공사 · 정리금융회사의 부실금융회사 정리업무 및 부보금융회사 자금지원 목적 주식 취득 • 한국자산관리공사가 부실채권 보전 목적으로 인수한 채권을 출자전환함에 따른 주식 취득 • 농업협동조합자산관리회사가 인수한 부실자산을 출자전환함에 따른 주식 취득 • 주식의 포괄적 교환 · 이전(조특법§38)으로 완전자회사의 주식 취득 • 코스닥시장 상장법인 주식 취득	100%	-	2021	과세	○
	⑫ 농협경제지주회사가 농업협동조합중앙회로부터 경제사업을 이관받아 취득하는 재산	100%	-	2017	비과세	
	⑬ 금융위원회의 인가를 받은 금융회사 간의 적격합병에 따라 금융기관이 양수받은 재산	50%	-	2021	과세	○
§57의3	기업 재무구조 개선 등에 대한 감면 ① 다음에 해당하는 재산의 취득 • 금융기관, 한국자산관리공사, 예금보험공사, 정리금융회사가 적기시정조치(영업 양도 또는 계약이전 관련 명령으로 한정) 또	100%	-	2021	일부 과세 (농협)	

법	감면규정	감면율		일몰 기한	감면분 농특세	감면 추징
		취득세	재산세			
	는 계약이전결정을 받은 부실금융기관으로부터 양수한 재산 • 농업협동조합, 수협협동조합, 산림조합, 상호금융예금자보호기금, 농업협동조합자산관리회사가 적기시정조치(사업양도 또는 계약이전 관련 명령으로 한정) 또는 계약이전결정을 받은 부실조합으로부터 양수한 재산 • 신용협동조합이 계약이전의 결정을 받은 부실조합으로부터 양수한 재산 • 새마을금고가 계약이전의 결정을 받은 부실금고로부터 양수한 재산					
	② 한국자산관리공사가 국가기관 등으로부터 대행을 의뢰받은 압류재산 매각 등을 위해 취득하는 재산	100%	-	2021	비과세	
	③ 한국자산관리공사가 구조개선기업 자산관리 등 목적으로 취득하는 중소기업 보유자산	50%	-	2020	과세	
	④ 한국자산관리공사가 중소기업의 경영 정상화를 지원하기 위하여 특정 요건을 갖추어 중소기업의 자산을 임대조건부로 2020년 12월 31일까지 취득하여 해당 중소기업에 임대중인 자산	-	50%	2020	해당 없음	
§58	**벤처기업 등 과세특례** ① 벤처기업집적시설·신기술창업집적지역을 개발·조성하여 분양·임대할 목적으로 취득하는 부동산	50%	50%	2023	과세	○
	② 벤처기업집적시설·산업기술단지에 입주하는 자의 취득	대도시 중과제외	대도시 중과제외	2023	과세	
	③ 신기술창업집적지역에서 산업용 건축물을 신축·증축하려는 자	50%	50%	2023	과세	○

법	감면규정	감면율		일몰 기한	감면분 농특세	감면 추징
		취득세	재산세			
	(특정 공장용 부동산을 중소기업자에게 임대하려는 자를 포함)가 취득하는 부동산					
	④ 벤처기업육성촉진지구에서 그 고유업무에 직접 사용하기 위해 취득하는 부동산	37.5%	37.5%	2022	과세	
§58의2	지식산업센터 등에 대한 감면 ① 사업시설용으로 직접 사용하기 위하여 신축·증축하여 취득하는 부동산(부속토지 포함)과 사업시설용으로 분양·임대(중소기업 대상에 한정)하기 위해 신축·증축하여 취득하는 부동산 ② 지식산업센터를 신축·증축하여 설립한 자로부터 최초로 해당 지식산업센터를 분양받은 입주자(중소기업에 한정)가 2022.12.31.까지 사업시설용으로 직접 사용하기 위하여 취득하는 부동산	① 35% ② 50%	① 37.5% ② 37.5%	2022	비과세	○
§58의3	창업중소기업 등에 대한 감면 ① 2020.12.31.까지 창업하는 창업중소기업·창업벤처중소기업이 창업일부터 4년(청년창업기업 5년)이내에 창업일 당시 업종의 사업을 계속 영위하기 위해 취득하는 부동산	75%	100% (처음3년) 50% (다음2년)	2023	비과세	○
§59	중소벤처기업진흥공단 등에 대한 감면 ① 중소벤처기업진흥공단이 중소기업 전문기술인력 양성을 위하여 취득하는 교육시설용 부동산	25%	-	2022	과세	
	② 중소벤처기업진흥공단이 중소기업자에게 분양·임대할 목적으로 취득하는 부동산	50%	50%	2022	과세	○

법	감면규정	감면율		일몰 기한	감면분 농특세	감면 추징
		취득세	재산세			
	③ 협동화실천계획의 승인을 받은 자 (과밀억제권역 및 광역시는 산업 단지에서 승인을 받은 경우로 한 정)가 해당 사업에 직접 사용하거 나 분양·임대하기 위해 최초로 취득하는 공장용 부동산(이미 해 당 사업용으로 사용하던 부동산을 승계하여 취득한 경우 및 과세기 준일 현재 60일 이상 휴업하고 있 는 경우는 제외)	50%	50%	2020	과세	
§60	**중소기업협동조합 과세특례** ① 중소기업협동조합(사업협동조합, 연합회, 중앙회 포함)이 제품의 생산·가공·수주·판매·보 관·운송을 위하여 취득하는 공 동시설용 부동산 ② 전통시장 상인이 조합원으로서 설 립한 협동조합 또는 사업협동조 합 등이 조합원으로 설립하는 협 동조합과 사업협동조합이 제품의 생산·가공·수주·판매·보 관·운송을 위하여 취득하는 공 동시설용 부동산	① 50% ② 75%	-	2022	과세	
	③ 중소기업중앙회가 그 중앙회 및 회원 등에게 사용하게 할 목적으 로 신축한 건축물	2% 세율적용	-	2022	과세	○
	④ 창업보육센터에 관한 아래의 취득 ㉮ 창업보육센터사업자 지정을 받 은 자가 창업보육센터용으로 직접 사용하기 위해 취득하는 부동산 ㉯ 학교 등이 창업보육센터사업 자 지정을 받고 창업보육센터 용으로 직접 사용하기 위해 취 득하는 부동산	① 75% ② 75% (대도시 중과제외)	① 50% ②100% (대도시 중과제외)	2023	과세	

법	감면규정	감면율 취득세	감면율 재산세	일몰 기한	감면분 농특세	감면 추징
	⑤ 지방중소기업 종합지원센터가 그 고유업무에 직접 사용하기 위해 취득하는 부동산	50%	50%	2022	비과세	
§62	**광업 지원을 위한 감면** ① 출원에 의하여 취득하는 광업권 ② 광산용에 사용하기 위하여 취득하는 지상임목	100%	-	2021	과세	
	③ 한국광물자원공사가 석재기능공 훈련시설과 광산근로자의 위탁교육시설에 직접 사용하는 건축물 및 그 부속토지(건축물 바닥면적 7배 이내 한정)	-	25%	2019	과세	

6) 수송 및 교통에 대한 지원

법	감면규정	감면율 취득세	감면율 재산세	일몰 기한	감면분 농특세	감면 추징
§63	**철도시설 등에 대한 감면** ① 국가철도공단이 철도시설용으로 직접 사용하기 위하여 취득하는 부동산	25%	-	2022	과세	
	② 국가철도공단이 취득하는 다음 중 어느 하나에 해당하는 재산 • 국가 등에 귀속 또는 기부채납 하는 것을 조건으로 취득하는 철도차량 • 국가로 귀속되는 부동산(사업시행자가 국가철도공단인 경우에 한정)	100%	100%	2022	과세	
	③ 한국철도공사가 철도역사 개발사업 등 사업에 직접 사용하기 위해 취득하는 부동산	25%	50%	2022	과세	

법	감면규정	감면율 취득세	감면율 재산세	일몰기한	감면분농특세	감면추징
	④ 한국철도공사가 철도역사 개발사업 등 사업에 직접 사용하기 위해 취득하는 철도차량 ㉮ 일반 철도차량 ㉯ 고속 철도차량	㉮ 50% ㉯ 25%	-	2022	과세	
	⑤ 철도건설사업으로 인하여 철도건설부지로 편입된 토지의 확정·분할에 따른 토지의 취득	100%	-	별도없음	과세	
	⑥ 도시철도공사가 도시철도사업에 직접 사용하기 위하여 취득하는 부동산 및 철도차량	100% (조례)	100% (조례)	2022	과세	
§64	**해운항만 등 지원을 위한 과세특례** ① 국제선박등록법에 따른 국제선박으로 등록하기 위하여 취득하는 선박	2% 경감	50%	2021	비과세	○
	② 연안항로에 취항하기 위하여 취득하는 화물운송용 선박과 외국항로에만 취항하기 위하여 취득하는 외국항로취항용 선박	1% 경감	50%	2021	과세	○
	③ 연안항로에 취항하기 위하여 취득하는 화물운송용 선박 중 천연가스를 연료로 사용하는 선박	2% 경감	-	2021	과세	
§65	**항공운송사업 등에 대한 과세특례** 항공사업 면허·등록을 한 자가 국내항공운송사업, 국제항공운송사업, 소형항공운송사업, 항공기사용사업에 사용하기 위하여 취득하는 항공기(사업보고서 제출대상법인으로 직전사업연도 자산총액이 5조원 이상인 자가 취득하는 항공기는 제외)	1.2% 경감	50%	2021	과세	
§66	**교환자동차 등에 대한 감면** ① 자동차등 제작 결함으로 반납한 자동차등과 같은 종류의 자동차등으로 교환받는 자동차등(종전	100%	-	별도없음	비과세	

법	감면규정	감면율 취득세	감면율 재산세	일몰 기한	감면분 농특세	감면 추징
	자동차등 가액을 초과하는 경우 초과분 제외)					
	② 하이브리드자동차로 고시된 자동차의 취득 ㉮ 2019년까지(취득세액 140만원 한도로 감면) ㉯ 2020년까지(취득세액 90만원 한도로 감면) ㉰ 2021년까지(취득세액 40만원 한도로 감면)	100%	-	2021	비과세	
	③ 전기자동차 또는 수소전기자동차로 고시된 자동차의 취득(취득세액 140만원 한도)	100%	-	2021	비과세	
§66의 2	**노후경유자동차 교체에 대한 취득세 감면** 노후경유자동차(2006.12.31. 이전에 신규등록된 경유 원료 승합자동차·화물자동차)를 2017.1.1. 현재 소유하고 있는 자가 노후경유자동차를 폐차하고 말소등록한 이후 승합자동차·화물자동차를 2017.6.30.까지 본인의 명의로 취득하여 신규등록하는 경우(1대에 한하며, 취득세액 100만원 한도로 감면)	50%	-	2017	과세	
§67	**경형자동차 등에 대한 과세특례** ① 승용자동차 중 배기량 1,000cc 미만, 길이 3.6m, 너비 1.6m, 높이 2.0m 이하의 자동차를 비영업용 승용자동차로 취득하는 경우(취득세액 50만원 한도)	100%	-	2021	비과세	
	② 승합자동차·화물자동차(피견인형 자동차 제외) 중 배기량 1,000cc 미만, 길이 3.6m, 너비 1.6m, 높이 2.0m 이하의 자동차를 취득하는 경우	100%	-	2021	비과세	○

법	감면규정	감면율		일몰 기한	감면분 농특세	감면 추징
		취득세	재산세			
§68	**매매용 및 수출용 중고자동차 등에 대한 감면** ① 자동차매매업자, 건설기계매매업자가 매매용으로 취득하는 중고자동차·중고건설기계	100%	-	2021	비과세	○
	② 무역업자가 수출용으로 취득하는 중고선박, 중고기계장비, 중고항공기	2% 경감	-	2021	비과세	○
	③ 무역업자가 수출용으로 취득하는 중고자동차	100%	-	2021	비과세	
§69	**교통안전 등을 위한 감면** ① 한국교통안전공단이 자동차 성능·안전도의 시험 및 연구 사업을 위해 부동산을 취득 ② 한국교통안전공단이 자동차검사업무를 대행하는 자동차검사소용 부동산을 취득	100%	-	2022	과세	
§70	**운송사업 지원을 위한 감면** ① 시내버스·농어촌버스·마을버스·시외버스·일반택시·개인택시의 운송사업에 직접 사용하기 위해 취득하는 자동차	50%	-	2021	과세	
	② 여객자동차운송사업에 직접 사용하기 위하여 천연가스 버스를 취득 ㉮ 2020년까지 ㉯ 2021년까지	㉮ 100% ㉯ 50%	-	2021	과세	
	③ 여객자동차운송사업에 직접 사용하기 위하여 고시된 전기버스 또는 수소전기버스를 취득	100%	-	2021	과세	

법	감면규정	감면율		일몰 기한	감면분 농특세	감면 추징
		취득세	재산세			
§71	**물류단지 등에 대한 감면** ① 물류단지개발사업의 시행자가 물류단지를 개발하기 위하여 취득하는 부동산	35%	35%	2022	과세	
	② 물류단지에서 물류사업을 직접 하려는 자가 물류사업에 직접 사용하기 위해 취득하는 물류시설용 부동산	50%	35%	2022	과세	
	③ 복합물류터미널사업자가 인가받은 공사계획을 시행하기 위하여 취득하는 부동산	25%	-	2022	과세	○
	④ 복합물류터미널사업자가 복합물류터미널사업에 직접 사용하는 부동산	-	25%	2022	해당 없음	
§72	**별정우체국에 대한 과세특례** ① 과학기술정보통신부장관의 피지정인이 별정우체국사업에 직접 사용하기 위하여 취득하는 부동산	2% 경감	100%	2022	비과세	○
	② 별정우체국 연금관리단이 아래 업무에 직접 사용하기 위하여 취득하는 부동산 ㉮ 복리증진사업 ㉯ 자산운용 및 급여관련 업무	㉮ 100% ㉯ 50%	㉮ 100% ㉯ 50%	2014	과세	

7) 국토 및 지역개발에 대한 지원

법	감면규정	감면율		일몰 기한	감면분 농특세	감면 추징
		취득세	재산세			
§73	**토지수용 등으로 인한 대체취득에 대한 감면** ① 관계 법령에 따라 토지 등을 수	100%	-	별도 없음	과세	

법	감면규정	감면율		일몰 기한	감면분 농특세	감면 추징
		취득세	재산세			
	용할 수 있는 사업인정을 받은 자에게 부동산 등(선박·어업권·양식업권 및 광업권 포함)이 매수·수용·철거된 자가 계약일·사업인정 고시일 이후에 대체취득할 부동산등에 관한 계약을 체결하거나 건축허가를 받고, 그 보상금을 마지막으로 받은 날부터 1년(농지는 2년) 이내 아래 구분에 따른 지역에서 종전의 부동산 등을 대체할 부동산 등을 취득하였을 때(새로 취득한 부동산 등의 가액 합계액이 종전의 부동산 등의 가액 합계액을 초과하는 경우 그 초과액에 대해서는 취득세 부과하며, 사치성 재산의 취득과 부재부동산 소유자의 대체취득은 제외)					
	② 공익사업을 위한 토지 등의 취득 및 보상에 관한 법률에 따른 환매권을 행사하여 매수하는 부동산	100%	-	별도 없음	비과세	
§73의 2	**기부채납용 부동산 등에 대한 감면** 지방세가 비과세되는 부동산 및 사회기반시설 중에서 국가 등에 귀속 또는 기부채납의 반대급부로 국가 등이 소유하고 있는 부동산 또는 사회기반시설을 무상으로 양여받거나 기부채납 대상물의 무상 사용권을 제공받는 조건으로 취득하는 부동산 또는 사회기반시설 ① 2020년까지 ② 2021년까지	① 100% ② 50%	-	2021	비과세	○

법	감면규정	감면율		일몰 기한	감면분 농특세	감면 추징
		취득세	재산세			
§74	**도시개발사업 등에 대한 감면** ① 도시개발사업과 재개발사업의 시행으로 해당 사업의 대상이 되는 부동산의 소유자(상속인 포함)가 환지계획 등에 따라 취득하는 부동산	100%	-	2022	비과세	
	② 도시개발사업의 사업시행자가 해당 도시개발사업의 시행으로 취득하는 체비지 또는 보류지	75%	-	2022	비과세	
	③ 주거환경개선사업의 시행에 따라 취득하는 주택 ㉮ 주거환경개선사업 시행자가 주거환경개선사업의 대지조성을 위하여 취득하는 주택 ㉯ 주거환경개선사업의 시행자가 해당 사업의 시행으로 취득하는 체비지 또는 보류지 ㉰ 주거환경개선사업의 정비구역지정 고시일 현재 부동산의 소유자가 스스로 개량하는 방법으로 취득하는 주택 또는 주거환경개선사업의 시행으로 취득하는 전용면적 85㎡ 이하 주택	㉮ 75% ㉯ 75% ㉰ 100%	-	2022	과세	○
	④ 재개발사업의 시행에 따라 취득하는 부동산 ㉮ 재개발사업 시행자가 재개발사업의 대지조성을 위하여 취득하는 부동산 ㉯ 재개발사업 시행자가 관리처분계획에 따라 취득하는 주택 ㉰ 재개발사업의 정비구역지정 고시일 현재 부동산의 소유자가 재개발사업의 시행으로 주택(청산금 상당 부동	㉮ 50% ㉯ 50% ㉰ Ⓐ 75% ㉰ Ⓑ 50%	-	2022	과세	○

법	감면규정	감면율		일몰기한	감면분 농특세	감면추징
		취득세	재산세			
	산 포함)을 취득함으로써 1가구 1주택이 되는 경우(일시적 2주택 포함) Ⓐ 전용면적 60㎡ 이하 주택 Ⓑ 전용면적 60㎡ 초과 85㎡ 이하 주택					
§75의 2	**기업도시개발구역 및 지역개발사업구역 내 창업기업 등에 대한 감면** 다음 중 어느 하나에 해당하는 사업을 영위하기 위하여 취득하는 부동산으로서 그 업종, 투자금액 및 고용인원이 특정 기준에 해당하는 경우	50%	50%	2022	과세	○
§75의 3	**위기지역 내 중소기업 등에 대한 감면** 위기지역에서 제조업 등 특정 업종을 경영하는 중소기업이 위기지역으로 지정된 기간 내에 사업전환을 위하여 2021.12.31.까지 사업전환계획 승인을 받고 사업전환계획 승인일부터 3년 이내에 그 전환한 사업에 직접 사용하기 위해 취득하는 부동산	50%	50%	2021	과세	○
§76	**택지개발용 토지 등에 대한 감면** ① 한국토지주택공사가 국가 또는 지방자치단체의 계획에 따라 제3자에게 공급할 목적으로 특정 사업에 사용하기 위하여 일시 취득하는 부동산 ② 한국토지주택공사가 국가 또는 지방자치단체의 계획에 따라 제3자에게 공급할 목적으로 특정 사업에 직접 사용하기 위하여 취득하는 부동산 중 택지개발사업지구 및 단지조성사업지구에 있는 부동산으로서 관계	20%	-	2019	비과세	

법	감면규정	감면율		일몰 기한	감면분 농특세	감면 추징
		취득세	재산세			
	법령에 따라 국가 또는 지방자치단체에 무상으로 귀속될 공공시설물 및 그 부속토지와 공공시설용지	-	100%	2022	해당 없음	
§77	수자원공사의 단지조성용 토지에 대한 감면 ① 한국수자원공사가 국가 또는 지방자치단체의 계획에 따라 분양 목적으로 취득하는 단지조성용 토지	30%	-	2019	과세	
	② 한국수자원공사가 국가 또는 지방자치단체의 계획에 따라 분양 목적으로 취득하는 부동산 중 택지개발사업지구 및 단지조성사업지구에 있는 부동산으로서 관계 법령에 따라 국가 또는 지방자치단체에 무상으로 귀속될 공공시설물 및 그 부속토지와 공공시설용지	-	100%	2022	해당 없음	
§78	산업단지 등에 대한 감면 ① 산업단지개발사업 시행자 등이 산업단지 또는 산업기술단지를 조성하기 위하여 취득하는 부동산(재산세 감면은 조성공사가 시행되고 있는 토지에만 적용)	35%	35% (수도권 외 60%)	2022	과세	○
	② 산업단지개발사업 시행자 등이 산업단지 또는 산업기술단지를 개발·조성한 후 산업용 건축물 등의 용도로 분양·임대할 목적으로 취득·보유하는 부동산 중 신축·증축으로 2022.12.31.까지 취득하는 산업용 건축물(재산세 감면은 조성공사가 끝난 토지를 포함)	35%	35% (수도권 외 60%)	2022	과세	○

법	감면규정	감면율		일몰기한	감면분 농특세	감면 추징
		취득세	재산세			
	③ 산업단지개발사업 시행자 등이 산업단지 또는 산업기술단지를 개발·조성한 후 직접 사용하기 위하여 취득·보유하는 부동산 중 2022.12.31.까지 신축·증축으로 취득하는 산업용 건축물(재산세 감면은 조성공사가 끝난 토지를 포함)	35%	35% (수도권 외 60%)	2022	과세	
	④ 산업단지개발사업 시행자 외의 자가 산업단지·유치지역·산업기술단지에서 취득하는 부동산 ㉮ 산업용 건축물 등을 신축하기 위해 취득하는 토지와 신축·증축하여 취득하는 산업용 건축물 ㉯ 산업단지 등에서 대수선하여 취득하는 산업용 건축물	㉮ 50% ㉯ 25%	㉮ 35% (수도권 외 75%) ㉯ -	2022	과세	○
§78의2	**한국산업단지공단에 대한 감면** 한국산업단지공단이 공장 등의 설치·운영, 입주기업 근로자 후생복지 등 사업을 위하여 취득하는 부동산	35%	50%	2022	과세	○
§78의3	**외국인투자에 대한 감면** ① 외국인투자기업이 외국인투자 신고사업에 직접 사용하기 위하여 사업개시일부터 5년 이내에 취득하는 부동산과 이후 2년 이내에 취득하는 부동산 (2022.12.31.까지 조세감면신청을 하여 조세감면결정을 받은 경우)	100% (처음 5년) 50% (이후 2년)	100% (처음 5년) 50% (이후 2년)	2022	과세	○

법	감면규정	감면율		일몰 기한	감면분 농특세	감면 추징
		취득세	재산세			
	② 2022.12.31.까지 외국인투자자에 대해서 조세감면신청을 하여 조세감면결정을 받은 외국인투자기업이 사업개시일 전에 신성장동력사업 등의 사업에 직접 사용하기 위하여 취득하는 부동산으로 조세감면결정을 받은 날 이후 취득하는 부동산	100%	100% (처음 5년) 50% (이후 2년)	2022	과세	
	③ 2022.12.31.까지 외국인투자자에 대해서 조세감면신청을 하여 조세감면결정을 받은 외국인투자기업이 신성장동력사업 등의 사업에 직접 사용하기 위하여 사업개시일부터 3년 이내에 취득하는 부동산과 이후 2년 이내에 취득하는 부동산	100% (처음 3년) 50% (이후 2년)	100% (처음 3년) 50% (이후 2년)	2022	과세	
	④ 2022.12.31.까지 외국인투자자에 대해서 조세감면신청을 하여 조세감면결정을 받은 외국인투자기업이 신성장동력사업 등의 사업에 직접 사용하기 위하여 취득하는 부동산으로서 조세감면결정을 받은 날 이후 취득하는 부동산	50%	100% (처음 3년) 50% (이후 2년)	2022	과세	
§79	**법인의 지방 이전에 대한 감면** 과밀억제권역에 본점을 설치하여 사업을 직접 하는 법인이 해당 본점을 매각하거나 임차를 종료하고 대도시 외 지역으로 본점을 이전하는 경우에 해당 사업을 직접 하기 위하여 취득하는 부동산	100%	100% (처음 5년) 50% (이후 3년)	2021	비과세	○

법	감면규정	감면율		일몰 기한	감면분 농특세	감면 추징
		취득세	재산세			
§80	**공장의 지방 이전에 따른 감면** 대도시에서 공장시설을 갖추고 사업을 직접 하는 자가 그 공장을 폐쇄하고 대도시 외의 지역으로서 공장 설치가 금지되거나 제한되지 아니한 지역으로 이전한 후 해당 사업을 계속하기 위하여 취득하는 부동산	100%	100% (처음 5년) 50% (이후 3년)	2021	비과세	○
§81	**이전공공기관 등 지방이전에 대한 감면** ① 이전공공기관이 국토교통부장관의 지방이전계획 승인을 받아 이전할 목적으로 취득하는 부동산	50%	50% (5년)	2017	비과세	
	② 이전공공기관·중앙행정기관을 따라 이주하는 소속 임직원 및 공무원 또는 행정중심복합도시건설청 소속 공무원 등의 자가 해당 지역에 거주할 목적으로 주택을 취득함으로써 1가구 1주택이 되는 경우 ㉮ 전용면적 85㎡ 이하 주택 ㉯ 전용면적 85㎡ 초과 102㎡ 이하 주택 ㉰ 전용면적 102㎡ 초과 135㎡ 이하 주택	① 100% ② 75% ③ 62.5%	-	2022	과세	○
§81의 2	**주한미군 한국인 근로자 평택이주에 대한 감면** 주한미군기지 이전(평택시 외의 지역에서 평택시로 이전하는 경우로 한정)에 따라 민간인 고용원 등 평택시로 이주하는 자가 평택시에 거주할 목적으로 주택(해당 지역에서 최초로 취득하는 주택으로 한정)을 취득함으로써 1가구 1주택이 되는 경우	① 100% ② 75% ③ 62.5%	-	2021	과세	○

법	감면규정	감면율		일몰 기한	감면분 농특세	감면 추징
		취득세	재산세			
§81의 2	① 전용면적 85㎡ 이하 주택 ② 전용면적 85㎡ 초과 102㎡ 이하 주택 ③ 전용면적 102㎡ 초과 135㎡ 이하 주택					
§82	**개발제한구역에 있는 주택의 개량 에 대한 감면** 개발제한구역 거주자(과밀억제권 역 거주자는 1년 이상 거주한 사 람으로 한정) 및 그 가족이 해당 지역에 상시 거주할 목적으로 취 득하는 취락지구 지정대상 지역에 있는 주택으로서 취락정비계획에 따라 개량하는 전용면적 100㎡ 이 하 주택(부속토지는 주거용 건축 물 바닥면적의 7배 이내로 한정)	-	100% (5년)	2021	해당 없음	
§83	**시장정비사업에 대한 감면** ① 시장정비사업시행자가 해당 사 업에 직접 사용하기 위하여 취 득하는 부동산(토지분 재산세 감면은 건축공사 착공일부터 적용) ② 시장정비구역에서 기존 전통시 장에서 3년 전부터 계속 입점한 상인 또는 부동산을 소유한 자 가 시장정비사업시행자로부터 시장정비사업시행에 따른 부동 산을 최초로 취득하는 경우 해 당 부동산(주택은 제외하며, 재 산세 감면은 건축물에 한함)	100%	50% (5년)	2021	비과세	○
§84	**사권 제한토지 등에 대한 감면** ① 도시 · 군계획시설로서 지형도 면이 고시된 후 10년 이상 장 기간 미집행된 토지, 지상건축 물, 주택	-	50%	2021	해당 없음	

법	감면규정	감면율		일몰 기한	감면분 농특세	감면 추징
		취득세	재산세			
§84	② 공공시설을 위한 토지(주택 부속토지 포함)로서 도시·군관리계획의 결정 및 도시·군관리계획에 관한 지형도면의 고시가 된 후 과세기준일 현재 미집행된 토지 ③ 철도보호지구에 따라 건축 등이 제한된 토지	-	50%	2021	해당 없음	

8) 공공행정 등에 대한 지원

법	감면규정	감면율		일몰 기한	감면분 농특세	감면 추징
		취득세	재산세			
§85	**한국법무보호복지공단 등에 대한 감면** 한국법무보호복지공단 및 갱생보호사업의 허가를 받은 비영리법인이 갱생보호사업에 직접 사용하기 위하여 취득하는 부동산 ① 2020.12.31.까지 ② 2021.1.1.~2021.12.31. ③ 2022.1.1.~2022.12.31.	① 100% ② 50% ③ 25%	① 100% ② 50% ③ 25%	2022	비과세	
§85의 2	**지방공기업 등에 대한 감면** ① 지방공사가 목적사업에 직접 사용하기 위하여 취득하는 부동산	50%	50%	2022	비과세	
	② 주택사업·토지개발사업에 따른 사업용 부동산 중 택지개발사업지구 및 단지조성사업지구에 있는 부동산으로서 관계 법령에 따라 국가 또는 지방자치단체에 무상으로 귀속될 공공시설물 및 그 부속토지와 공공시설용지	-	100%	2022	해당 없음	
	③ 지방공단이 그 목적사업에 직접 사용하기 위하여 취득하는 부동산	100%	100%	2022	비과세	

법	감면규정	감면율		일몰 기한	감면분 농특세	감면 추징
		취득세	재산세			
	④ 지방출자·출연기관이 그 목적사업에 직접 사용하기 위하여 취득하는 부동산	50%	50%	2022	비과세	
§86	**주한미군 임대용 주택 등에 대한 감면** 한국토지주택공사가 주한미군에 임대하기 위하여 취득하는 임대주택용 부동산	100%	50%	2016	과세	
§87	**새마을금고 등에 대한 감면** ① 신용협동조합과 새마을금고(중앙회 제외)가 신용사업 업무 등에 직접 사용하기 위하여 취득하는 부동산	100%	100%	2020	과세	
	② 신용협동조합중앙회와 새마을금고 중앙회가 가 사업의 지도 등 업무에 직접 사용하기 위하여 취득하는 부동산	25%	25%	2017	과세	
§88	**새마을운동조직 등에 대한 감면** 새마을운동조직이 그 고유업무에 직접 사용하기 위하여 취득하는 부동산(임대용 부동산 제외)	100%	100%	2022	비과세	
§89	**정당에 대한 면제** ① 정당이 해당 사업에 직접 사용하기 위하여 취득하는 부동산	100%		2022	비과세	○
	② 정당이 과세기준일 현재 해당 사업에 직접 사용하는 부동산. 단 해당 재산이 아래에 해당할 경우 감면 제외 • 수익사업에 사용하는 경우 • 유료로 사용되는 경우 • 그 목적에 직접 사용되지 아니하는 경우	-	100%	2022	해당 없음	
§90	**마을회 등에 대한 감면** ① 마을회 등의 주민 공동소유를 위한 부동산·선박의 취득	100%	-	2022	비과세	○

법	감면규정	감면율		일몰 기한	감면분 농특세	감면 추징
		취득세	재산세			
	② 마을회 등이 소유한 부동산. 단 해당 재산이 아래에 해당할 경우 감면 제외 • 수익사업에 사용하는 경우 • 유료로 사용되는 경우 • 그 목적에 직접 사용되지 아니하는 경우	-	100%	2022	해당 없음	
§91	**재외 외교관 자녀 기숙사용 부동산에 대한 과세특례** 사단법인 한국외교협회의 재외 외교관 자녀 기숙사용 토지 및 건축물	2% 세율적용	-	2022	과세	○
§92	**천재지변 등으로 인한 대체취득에 대한 감면** 천재지변, 그 밖의 불가항력으로 멸실 또는 파손된 건축물·선박·자동차·기계장비를 그 멸실일 또는 파손일부터 2년 이내에 다음 중 어느 하나에 해당하는 취득을 하는 경우(대체취득 후 건축물 연면적, 선박 톤수, 자동차·기계장비 가액이 각각 대체전보다 초과하는 경우 초과분은 과세) ① 복구를 위하여 건축물을 건축 또는 개수 ② 선박을 건조하거나 종류 변경 ③ 건축물·선박·자동차·기계장비를 대체취득	100%	-	별도 없음	비과세	

제**10**장 　신고납부

관할 지방자치단체에 늦지 않게
신고납부합시다!

(1) 신고납부

신고납부는 앞서 살펴본 바와 같이 납세의무자가 지방세의 과세표준과 세액을 신고하고 납부하는 방법이다. 취득세는 취득한 날로부터 60일 이내에 신고납부 방법으로 납세의무를 이행한다.

1) 신고납부 기한

취득세 신고납부 기한은 ① 일반세율 적용 취득 ② 중과세율 적용 취득 ③ 취득세 추징 등 사유 발생의 3가지 경우에 따라 다음과 같이 구분할 수 있다.

| 취득세 신고납부기한 |

구분	구분	신고납부기한
1	일반세율을 적용하는 취득	취득일로부터 60일 이내
2	중과세율을 적용하는 취득	중과세율 적용대상이 된 날부터 60일 이내
3	취득세를 비과세, 과세면제 또는 경감받은 후 해당 과세물건이 취득세 과세대상 또는 추징대상이 된 경우	그 사유 발생일부터 60일 이내

① 일반세율 적용 취득

취득세 과세물건을 취득한 자는 취득한 날부터 60일[31]이내에 취득세를

---

31) 상속으로 인한 경우는 상속개시일이 속하는 달의 말일부터, 실종으로 인한 경우는 실

신고납부해야 한다. 이때 취득한 날은 앞서 살펴본 취득의 시기에 따른다.

② 중과세율 적용 취득

취득세 과세물건을 취득한 후에 해당 과세물건이 중과세율 적용대상이
된 경우에는 중과세율 적용대상이 된 날부터 60일 이내[32]에 중과세율을 적
용한 취득세에서 이미 납부한 취득세(가산세 제외)를 공제한 금액을 신고
납부해야 한다.

중과세율 적용대상이 된 날은 다음과 같다.

| 중과세율 적용대상이 된 날 |

지방세법	구분	중과세율 적용대상이 된 날	
§13 ①	본점 사업용 부동산의 취득	사무소로 최초로 사용한 날	
	공장의 신설·증설을 위한 사업용 과세물건의 취득	생산설비를 설치한 날(그 이전에 영업허가·인가 등을 받은 경우 영업허가·인가 등을 받은 날)	
§13 ②	대도시 내 법인설립·지점 설치·법인이전에 따른 부동산의 취득	해당 사무소 또는 사업장을 사실상 설치한 날	
	공장의 신설·증설에 따른 부동산의 취득	생산설비를 설치한 날(그 이전에 영업허가·인가 등을 받은 경우 영업허가·인가 등을 받은 날)	
§13 ⑤	별장 또는 고급주택	취득 사유	내용
		건축물 증축·개축	증축·개축의 사용 승인서 발급일
		기타의 사유	그 사유가 발생한 날

종선고일이 속하는 달의 말일부터 각각 6개월(외국에 주소를 둔 상속인이 있는 경우
에는 각각 9개월)

32) 2019년 지방세법 개정 전에는 중과세율 적용대상이 된 날부터 30일 이내에 취득세를
신고하고 납부해야 했음. 납세자의 편의를 고려하여 2019.1.1. 이후 중과세율 적용대
상이 된 날부터 30일이 경과하지 않은 과세물건부터는 60일로 그 기간이 연장됨.

지방세법	구분	중과세율 적용대상이 된 날
	골프장	① 체육시설의 설치·이용에 관한 법률에 따라 체육시설업으로 등록(변경등록을 포함)한 날 ② 등록을 하기 전에 사실상 골프장으로 사용하는 경우 그 부분에 대해서는 사실상 사용한 날
	고급오락장	① 건축물의 사용승인서 발급일 이후에 관계 법령에 따라 고급오락장이 된 경우 그 대상 업종의 영업허가·인가 등을 받은 날 ② 영업허가·인가 등을 받지 아니하고 고급오락장이 된 경우에는 고급오락장 영업을 사실상 시작한 날
	고급선박	선박의 종류를 변경하여 고급선박이 된 경우 사실상 선박의 종류를 변경한 날

③ 취득세 추징 등 사유 발생

취득세를 비과세, 과세면제 또는 경감받은 후에 해당 과세물건이 취득세 부과 대상 또는 추징 대상이 된 경우에는 그 사유 발생일부터 60일 이내[33]에 취득세(가산세 제외)를 신고납부해야 한다.

---

33) 중과세율의 적용규정과 마찬가지로 30일에서 60일로 연장됨(2019.1.1. 이후 그 사유가 발생한 날부터 30일이 경과하지 않은 과세물건부터).

2) 납세지

취득세의 납세지는 다음과 같다.

| 취득세 납세지 |

구분	납세지		
부동산	부동산 소재지		
차량	**구분**		**납세지**
	원칙		자동차관리법에 따른 등록지
	등록지≠사용본거지		사용본거지
	철도차량		철도차량의 청소, 유치, 조성, 검사, 수선 등을 주로 수행하는 철도차량기지의 소재지
기계장비	건설기계관리법에 따른 등록지		
항공기	항공기의 정치장 소재지		
선박	**구분**		**납세지**
	원칙		선적항 소재지
	동력수상레저기구		동력수상레저기구 소재지
	선적항이 없는 선박		정계장 소재지(정계장이 일정하지 않은 경우 선박 소유자 주소지)
입목	입목 소재지		
광업권	광구 소재지		
어업권·양식업권	어장 소재지		
회원권	**구분**		**납세지**
	골프회원권		골프장 소재지
	승마회원권		승마장 소재지
	콘도미니엄회원권		콘도미니엄 소재지
	종합체육시설 이용회원권		종합체육시설 소재지
	요트회원권		요트 보관소 소재지

국세는 국가에 신고납부하는 세금이므로 전국 어디에서도 국세의 세무 행정처리가 가능하다.[34) 지방세는 관할 지방자치단체가 아니라면 지방세 세무 행정이 다소 불편하거나 불가능할 수 있다. 따라서 지방세는 관할 지방자치단체 및 납세지를 정확히 확인하여야 할 필요가 있다.

(2) 가산세

취득세와 관련된 가산세는 크게 3가지가 있다.

| 가산세 |

구분			가산세액	
1	신고납부 가산세	신고불성실 가산세	무신고	무신고 납부세액 × 20%
			부정 무신고	무신고 납부세액 × 40%
			과소신고	과소신고 납부세액 × 10%
			부정 과소신고	과소신고 납부세액 × 40%
		납부불성실 가산세	= MIN[①, ②(한도)] ① 미납세액 × 미납기간 × 0.025% ② 미납세액 × 75%(한도)	
2	중가산세		산출세액 × 80%	
3	장부 작성과 보존의 가산세		산출세액 × 10%	

1) 신고납부 가산세

취득세 납세의무자가 취득세를 신고 또는 납부의무를 다하지 않을 경우 지방세기본법에 따른 신고불성실가산세(무신고가산세 및 과소신고가산세)와 납부불성실가산세[35)를 부담한다.

---

34) 국세 역시 관할 국세청 및 세무서를 통하여 세무 처리를 하는 것이 효율적임. 다만, 관할이 아닌 국세청 및 세무서를 방문하여도 관할 국세청 및 세무서로의 행정 이관이 지방세에 비하여 용이한 편이라고 이해됨. 특히 국세는 전자신고 제도가 많이 활성화되어 전산에서 자동으로 관할 국세청 및 세무서가 결정되는 비율이 높음.

2) 중가산세

취득세 납세의무자가 취득세 과세물건을 사실상 취득한 후 취득세 신고를 하지 않고 매각하는 경우에는 산출세액의 80%를 중가산세로 징수한다. 중가산세는 취득세에만 존재하는 가산세다.

등기 또는 등록의 절차를 거치지 않은 부동산의 매각행위(미등기전매)에 따른 조세포탈을 막기 위해 신고납부 관련 가산세보다 고율의 중가산세를 적용한다.

다만, 다음의 경우에는 중가산세를 적용하지 않는다.

① 취득세 과세물건 중 등기 또는 등록이 필요하지 아니하는 과세물건(골프회원권, 승마회원권, 콘도미니엄 회원권, 종합체육시설 이용회원권, 요트회원권은 중가산세 적용)
② 지목변경, 차량·기계장비 또는 선박의 종류 변경, 주식 등의 취득 등 취득으로 보는 과세물건

3) 장부 작성과 보존 관련 가산세

취득세 납세의무가 있는 법인은 취득 당시의 가액을 증명할 수 있는 장부와 관련 증거서류를 작성하여 갖춰 두어야 한다. 만약 취득세 납세의무가 있는 법인이 장부 작성과 보존의무를 이행하지 않으면 취득세 산출세액의 10%를 가산세로 징수한다.

법인은 일반적으로 법인세법, 소득세법, 부가가치세법 등 규정에 따라 높은 수준의 장부작성 의무를 요구받기 때문에 법인에 장부 작성과 보존 관련 가산세가 적용되는 경우는 많지 않을 것으로 보인다.

---

35) 2021.1.1.부터는 납부불성실가산세와 가산금을 납부지연가산세로 통합하는 것으로 개정

Part 2

취득세 이제 신고해봅시다

제1장 **신축의 취득세**

신축은 취득세에 대한 전체적인 이해가
필요합니다!

| 1 page Summary |

구분	내용
신축 취득세 업무진행	① 건축물 및 취득자 현황 파악(중과세율, 감면 등 취득세액 결정요소 확인) ② 신축 건축물에 발생할 수 있는 세율구조 파악(일반세율, 중과세율, 특례세율) ③ 과세표준 집계(취득시기를 기준으로 그 이전에 신축을 위하여 거래상대방에게 지급하였거나 지급하여야 할 직접비용과 간접비용의 합계액) ④ 집계한 과세표준을 세율구조에 대응(구분 또는 안분) ⑤ 비과세 검토(기부채납 비과세, 임시건축물 비과세 등) ⑥ 감면 검토(일몰기한, 감면율, 감면 최저한 규정, 감면 추징 등)

구분		제출서류
제출자료 (요청자료)	취득세 신고서류	① 취득세 신고서(별지3호 서식) ② 비과세 신청서(취득세 비과세 해당될 경우) ③ 감면 신청서(취득세 감면 해당할 경우)
	취득세 상세계산내역	취득세 상세 계산내역 자료(엑셀시트 등)
	취득자 정보	① 사업자등록증 ② 법인등기부등본
	건축물 현황	① 사용승인서 또는 임시사용승인서 ② 건축물대장 ③ 건축물등기부등본 ④ 건축물 면적 자료
	재무정보	① 공사비용 명세서 ② 도급계약서 등 공사비용의 증빙자료 ③ 회계처리 내역(건설중인 자산, 유형자산 등)

(1) 건축물 및 취득자 현황 파악

신축의 취득세는 건축물과 취득자의 현황을 파악하는 것이 취득세 신고를 준비하는 출발점이다. 중과세율, 비과세 또는 감면 등 취득세액을 결정하는 주요 요소가 그 현황에 따르기 때문이다. 가령 수도권에서 건축물을 신축한다면 중과세율 규정을, 신축과 관련하여 기부채납하는 부동산이 있다면 비과세 규정을 확인해야 한다. 또한 신축과 관련하여 지방세특례제한법 및 감면조례에 따른 감면이 적용되는지도 확인해야 한다. 결국 건축물과 취득자의 현황을 파악하는 것이 신축에 따른 취득세의 핵심이다.

취득세는 사실상의 현황에 따라 부과한다. 다만, 그 사실상 현황이 분명하지 않으면 공부상 현황에 따라 부과한다. 사실상의 현황은 취득자와 과세관청의 해석에 따라 다툼이 있을 수 있으므로 건축물과 취득자의 공부상 현황을 기본으로 하여 취득세 업무를 진행해야 할 것이다.

1) 건축물 현황

건축물의 대표적인 공부상 자료는 사용승인서와 건축물대장이다. 사용승인서와 건축물대장을 이해하고 그 내용이 취득세 신고에 어떻게 적용되는지를 살펴본다.

| 사용승인서의 주요 내용 |

기재사항	정의	취득세 신고목적 확인사항
사용 승인일	사용승인을 받은 날	취득세 신고납부기한(사용승인일 + 60일) → 가장 중요함!!
건축주	건축공사의 주문자	취득세 신고서 취득자와의 일치 여부
대지위치	건축물 및 그 부속토지가 위치한 장소	취득세 신고서 기재사항과의 일치 여부

기재사항		정의	취득세 신고목적 확인사항
주용도		관할 구역 면적, 인구 규모, 지역 특성을 고려하여 법률에서 정하고 있는 기준에 따른 해당 건축물의 용도	① 취득세 신고서 기재사항과 일치 여부 ② 중과세율 및 감면 판단 기준 ③ 건축물 전체 용도는 건축물대장에서 확인
대지면적		건축물이 위치한 대지의 수평투영면적 (=위에서 바라봤을 때의 면적)	신축 시 부속토지의 추가취득 여부
건축면적		건축물의 외벽 또는 기둥의 중심선으로 둘러싸인 부분의 수평투영면적	신축 시 부속토지의 추가취득 여부
연면적		건축물 바닥면적의 합계	취득세 과세표준 안분 기준으로 활용
건폐율	공식	=건축면적/대지면적	건축물 기본사항 이해목적
	의미	건폐율이 높으면 토지 대비 건축물 밀집도가 높음	
용적률	공식	=연면적/대지면적	건축물 기본사항 이해목적
	의미	용적률이 높으면 건물을 높게 올릴 수 있음	

| 건축물대장의 주요 내용[36] |

기재사항	정의	취득세 신고목적 확인사항
건축물 현황	건축물을 구성하는 각층별 ① 구조 ② 용도 ③ 면적을 규정	① 층별 용도는 중과세율 적용 여부 및 감면 적용 여부의 판단에 근거가 될 수 있음 ② 층별 면적은 과세표준 안분의 근거로 사용될 수 있음
소유자 현황	소유자와 소유자의 지분을 기재	취득세 신고서상 취득자와 일치 여부

---

36) 건축주, 대지위치, 주용도, 대지면적, 건축면적, 연면적, 건폐율, 용적률 등의 정보는 사용승인서에서 설명한 바와 같음.

기재사항	정의	취득세 신고목적 확인사항
인증등급	아래의 인증등급을 기재 ① 제로에너지건축물 인증 ② 건축물 에너지효율등급 인증 ③ 녹색건축 인증	취득세 감면요건 충족 여부

김회계사의 Tip

○ **사용승인서와 건축물대장의 비교**

　사용승인서에는 건축주, 대지위치, 주용도, 대지면적, 건축면적, 연면적, 건폐율, 용적률 등의 정보를 포함합니다. 이러한 정보들은 건축물대장의 기재사항이기도 합니다.

　사용승인서와 건축물대장에서 기재된 정보는 같아야 하지만, 간혹 차이가 발생할 수 있습니다. 어느 것이 맞느냐는 관점보다는 왜 그런 차이가 발생했는지 원인을 파악하고, 해당 정보가 취득세 계산에 영향을 미치는지를 점검해야 합니다. 이러한 공부상 현황은 취득세 신고를 준비하는 과정에서 반드시 확인하고 업무를 진행해야 합니다.

■ 건축법 시행규칙 [별지 제18호 서식] 〈개정 2018.11.29.〉

사 용 승 인 서

• 건축물의 용도/규모는 전체 건축물의 개요입니다.

건축구분	허가(신고)번호

건축주 ㈜구름다리

대지위치 서울특별시 중구 구름로 2가

지번 5-06

※ 「공간정보의 구축 및 관리 등에 관한 법률」에 따른 지번을 적으며, 「공유수면의 관리 및 매립에 관한 법률」 제8조에 따라 공유수면의 점용·사용 허가를 받은 경우 그 장소가 지번이 없으면 그 점용·사용 허가를 받은 장소를 적습니다.

대지면적		2,000㎡
건축물명칭 더구름	주용도	판매시설
건축면적 1,000㎡	건폐율	50%
연면적 합계 4,500㎡	용적률	450%

가설건축물 존치기간

그 밖의 기재사항

※ 「건축법」 제77조의 4에 따른 건축협정을 체결한 건축물 또는 「건축법」 제77조의 15에 따른 결합건축협정을 체결한 건축물에 해당하는 경우 이를 적습니다

귀하께서 건축·대수선 또는 용도변경한 (가설)건축물의 사용승인서를 「건축법 시행규칙」 제16조에 따라 교부합니다.

2020 년   07 월   20 일

특별시장·광역시장·특별자치시장·특별자치도지사, 시장·군수·구청장   직인

210㎜×297㎜[보존용지(2종) 70g/㎡]

■ 건축물대장의 기재 및 관리 등에 관한 규칙 [별지 제1호 서식] <개정 2018. 12. 4.>

(3쪽 중 제1쪽)

일반건축물대장(갑)

고유번호

대지위치 서울특별시 중구 구름로 27가	지번 5-06	※명칭	도로명주소 서울특별시 중구 구름대로 302	호수/가구수/세대수
※대지면적 2,000㎡	연면적 5,000㎡	※지역 일반상업지역 외 1	※지구 구름지구 1	※구역 상업구역
건축면적 1,000㎡	용적률 산정용 연면적 4,500㎡	주구조 철근콘크리트 구조	주용도 판매시설	층수 지하: 1층, 지상: 4층
※건폐율 50%	※용적률 450%	높이 20m	지붕 평슬라브	부속건축물 동 ㎡
※조경면적 133㎡	※공개 공지·공간 면적 31㎡	※건축선 후퇴면적 61㎡	※건축선 후퇴거리 3m	

건축물 현황

구분	층별	구조	용도	면적(㎡)
	4층	철근콘크리트구조	사무용	1,000
	3층	철근콘크리트구조	사무용	1,000
	2층	철근콘크리트구조	판매시설	1,000
	1층	철근콘크리트구조	판매시설	1,000
	지1층	철근콘크리트구조	주차장	1,000

소유자 현황

성명(명칭) 주민(법인)등록번호 (부동산등기용등록번호)	주소	소유권 지분	변동일 변동원인
(주)구름다리 999999-9999999	서울특별시 중구 구름대로	100/100	2020.07.20 소유자등록

이 등(초)본은 건축물대장의 원본내용과 틀림없음을 증명합니다.

발급일: 2020 년 07 월 20 일
담당자:
전 화:

특별자치시장·특별자치도지사 또는 시장·군수·구청장 [인]

※ 표시 항목은 총괄표제부가 있는 경우에는 적지 않을 수 있습니다.

297㎜×210㎜[백상지 80g/㎡]

■ 건축물대장의 기재 및 관리 등에 관한 규칙 [별지 제호 서식]

고유번호					명칭		호수/가구수/세대수
대지위치 서울특별시 중구 구름로 2가	지번 5-06				도로명주소 서울특별시 중구 구름대로 302		

구분	성명 또는 명칭	면허(등록)번호	※주차장				승강기		허가일	2019.07.20.
			구분	옥내	옥외	인근	승용 2 대	비상용 1 대	착공일	2019.08.10.
건축주	(주)구름		자주식	대 ㎡	1 대 ㎡	대 ㎡	※하수처리시설		사용승인일	2020.07.20.
설계자	김다리(주)구름다리 종합건축사사무소		기계식	14 대 ㎡	대 ㎡	대 ㎡	형식	부패탱크방법	관련 주소	
공사감리자	이구름(주)한국종합 건축사사무소						용량	50인용	지번	
공사시공자 (현장관리인)	(주)나우건설					대				

※제로에너지건축물 인증	※건축물 에너지효율등급 인증	※에너지성능지표 (EPI) 점수	※녹색건축 인증	※지능형건축물 인증	도로명
등급	등급 1등급	점	등급	등급	
에너지자립률 %	1차에너지 소요량 (또는 에너지절감률) kWh/㎡(%)	※에너지소비총량 kWh/㎡	인증점수 점	인증점수 100 점	점
유효기간: ~	유효기간: 20.7.20.~21.7.20.		유효기간: 20.7.20.~21.7.20.	유효기간: ~	

내진설계 적용 여부	내진능력	특수구조 건축물	특수구조 건축물 유형	
지하수위 G.L m	기초형식 (지내력기초, 파일기초)	특수구조 건축물 (해당, 미해당)	설계지내력(지내력기초인 경우) t/㎡	구조설계 해석법 (등가정적해석법, 동적해석법)

변동사항

변동일	변동내용 및 원인	변동일	변동내용 및 원인	그 밖의 기재사항

※ 표시 항목은 총괄표제부가 있는 경우에는 적지 않을 수 있습니다.

2) 취득자 현황

신축과 관련하여 취득자의 현황을 확인해야 하는 주요 3가지 이유는 다음과 같다.

① 과세표준의 결정

법인이 건물을 신축하는 경우 일반적으로는 법인장부 등에 따라 그 취득가격이 입증될 것이므로 사실상의 취득가격을 취득세 과세표준으로 한다. 이때 지방세법상 시가표준액은 적용하지 않는다.

법인이 아닌 자가 건물을 신축하는 경우 취득가격의 90%를 넘는 가격이 거래상대방인 법인장부에 따라 입증되는 경우에는 법인장부로 증명된 금액 등을 취득가격을 취득세 과세표준으로 한다.

따라서 신축과 관련하여 첫 번째로 확인해야 할 취득자의 현황은 취득자가 법인인지 혹은 개인인지에 관한 것이다.

② 중과세율 확인

신축의 취득세에 적용될 수 있는 중과세는 본점 등 중과세, 지점 등 중과세, 사치성재산 중과세가 있다. 중과세를 판단할 때는 취득자의 현황을 파악하는 것이 중요하다.

취득자가 수도권에 신축하는 건축물을 본점 사무용으로 사용한다면 본점 등 중과세가 적용된다. 따라서 신축하는 건축물에서 취득자가 본점으로 사용하고자 하는 부분을 사업자등록증 등 공부상 자료와 비교하여 확인해야 한다.

취득자가 수도권에 신축하는 건축물을 지점으로 사용한다면 지점 등 중과세가 적용된다. 취득자가 인적 및 물적 시설을 갖추고 사업을 하는 장소가 신축하는 건축물에 있다면 지점에 해당하므로 이러한 사실을 확인해야 한다. 또한 취득자의 업종이 중과세율을 적용하지 않는 대도시 중과 예외 업종에 해당한다면 신축 건축물이 실제 대도시 중과 예외 업종으로 사용되는지도 확인할 필요가 있다.

③ 감면 확인

취득자가 감면요건을 충족하는 목적에 직접 사용하기 위하여 건축물을 신축한다면 취득세의 감면이 적용된다. 취득자의 현황이 감면요건에 부합하는지를 확인할 필요가 있다. 또한 취득자가 감면목적에 사용하지 않는 경우 취득세가 추징될 수 있으므로 그러한 상황도 고려하여 감면 적용 여부를 검토하여야 한다.

(2) 과세표준

1) 세율구조의 분석

건축물과 취득자의 현황을 파악하였다면 취득세 계산을 시작하면 된다. 취득세를 계산한다고 하면 과세표준을 구하는 것을 먼저 떠올릴 것이다. 그런데 그 전에 해야 할 작업이 있다. 그것은 신축하는 건축물에 적용될 수 있는 세율의 구조부터 분석하는 것이다.

A동, B동, C동, D동으로 구성된 건축물을 예로 들어 본다. A동 공사(1,000원)는 비과세가 적용되고, B동 공사(2,000원)는 일반세율, C동 공사(3,000원)는 중과세율, D동 공사(4,000원)는 50% 감면이 적용된다면, 취득세 과세표준과 세율은 다음과 같다.

| CASE 1 |

구분	① 과세표준	② 세율		③ 취득세액(=①x②)
A동	1,000원	비과세	0%	0원
B동	2,000원	일반세율 3% 가정	3%	60원
C동	3,000원	중과세율 6% 가정	6%	180원
D동	4,000원	50% 감면	1.5%	60원
소계	10,000원			300원

만약 위 사례에서 각 동에 적용되는 세율구조를 역순으로 변경했을 때의
취득세 과세표준과 세율은 다음과 같다.

| CASE 2 |

구분	① 과세표준	② 세율		③ 취득세액(=①x②)
A동	1,000원	50% 감면	1.5%	0원
B동	2,000원	중과세율 6% 가정	6%	120원
C동	3,000원	일반세율 3% 가정	3%	90원
D동	4,000원	비과세	0%	0원
소계	10,000원			210원

즉, 과세표준 금액은 10,000원으로 같아도, 동별로 어떤 세율이 적용되
느냐에 따라 취득세액은 달라진다. 이렇게 하나의 건축물에 다양한 취득세
율이 적용되면, 과세표준을 계산하는 과정에서 과세표준의 세부 구성항목
을 취득세율별로 구분하는 작업이 필요하다. 그래서 '① 과세표준'의 금액
을 구하기 전에 신축 건축물에 적용되는 '② 세율'의 구조를 먼저 파악해
야 한다.

신축에 적용될 수 있는 취득세율의 구조는 다음과 같다.

① 일반세율

신축에 적용하는 일반세율은 원시취득에 따른 2.8%의 취득세율이다. 비과세, 중과세율 등 다른 규정이 적용되지 않을 때의 기본적인 세율이다.

② 비과세

비과세는 취득에 따른 세부담이 발생하지 않는다. 다만, 비과세라고 판단하고 취득세 신고납부를 진행했다가 추후 과세관청에 의해 비과세가 아니라는 결론이 나오면 각종 가산세도 추가로 부담하기 때문에 비과세 여부는 신중하게 검토해야 한다.

취득세 비과세 규정 중 신축에 적용될 수 있는 것은 크게 2가지가 있다. 첫 번째는 국가 등에 귀속 또는 기부채납을 조건으로 취득하는 부동산 및 사회기반시설이다. 기부채납의 약정 및 반대급부의 존재 여부 등 취득세 비과세 요건을 충족하는지 확인해야 한다.

두 번째는 현장사무소 등 신축과 관련된 임시건축물이다. 존속기간이 1년을 초과하지 않는 임시건축물은 취득세를 비과세한다. 임시건축물 현황은 공사비 자료와 관계없이 공사담당자 등과의 인터뷰를 통하여 확인할 필요도 있다. 공사비 자료에는 임시건축물에 사용된 공사비용이 별도로 구분되지 않을 수도 있고, 결국 없어질 건축물이므로 자료관리가 상대적으로 소홀할 수 있기 때문이다.

③ 중과세율

중과세율은 일반세율보다 더 높은 세율이므로, 중과세율이 적용되면 신축에 따른 세금부담이 증가한다. 중과세율 적용 여부를 제대로 파악하지 못하면 취득세액을 과소신고납부하게 된다.

신축에서 적용될 수 있는 중과세율 규정은 앞서 살펴본 바와 같이 본점 등 중과세, 지점 등 중과세 그리고 별장, 골프장, 고급주택, 고급오락장의 사치성 재산 중과세가 있다.

④ 감면

감면은 취득세의 전부 또는 일부를 줄여준다. 비과세와 마찬가지로 감면으로 판단하고 취득세 신고납부를 진행했다가 추후 과세관청에 의해 감면이 아니라는 결론이 나오면 각종 가산세도 추가로 부담하기 때문에 감면 역시 신중하게 검토해야 한다.

위 내용을 종합해보면 감면율이 같다는 전제하에 한 개의 건축물에 10가지 이상의 취득세율이 적용될 수 있다. 그래서 다음 2)의 내용에 따라 과세표준을 각 세율구조에 귀속시키는 작업이 필요하다.

| 과세표준의 구분 |

구분		취득세율	
		③ 감면 적용	③ 감면 제외
① 일반세율		일반세율 × (1-감면율)	일반세율
② 중과세율	Ⓐ 본점 등 중과세	중과세율 Ⓐ × (1-감면율)	중과세율 Ⓐ
	Ⓑ 지점 등 중과세	중과세율 Ⓑ × (1-감면율)	중과세율 Ⓑ
	Ⓒ 사치성 재산 중과세	중과세율 Ⓒ × (1-감면율)	중과세율 Ⓒ
	Ⓓ 2 이상 중과세	중과세율 Ⓓ × (1-감면율)	중과세율 Ⓓ
③ 비과세		0%	0%

2) 과세표준의 귀속(구분과 안분)

과세표준을 각 세율구조에 귀속하는 방법에는 '구분'과 '안분'이 있다. 구분은 일정한 기준에 따라 전체를 몇 개로 갈라 나누는 것을 말한다. 취득세에서 일정한 기준은 사실상의 현황에 따른 실질 귀속을 의미한다. 예를 들어 A동, B동, C동으로 구성된 건축물이 있고 A동은 일반세율, B동은 중과세율, C동은 비과세가 적용된다면, 전체 신축 공사비용 중 A동, B동, C동의 건축에 실제로 사용된 비용을 과세표준으로 적용하는 것이 '구분'이다.

반면 '안분'의 개념은 일정한 비율에 따라 전체를 고르게 나누는 것을 말한다. 일정한 비율은 면적 등 합리적인 기준 등에 따른다. 위 사례에서 공사비용 중 간접비용에 해당하는 건설자금이자가 발생한 경우를 예로 든다. A동, B동, C동에 대하여 각각 별개의 대출을 받은 것이 아니라면 건설자금이자는 그 구분이 사실상 어렵다. 이때 전체 건설자금이자를 'A동, B동, C동의 면적' 또는 'A동, B동, C동에 사용된 직접비용의 비율' 등 합리적인 기준으로 나누어 각각의 과세표준에 적용하는 것이 '안분'이다.

취득세 과세표준은 그 실질 귀속에 따라 '구분'하는 것을 원칙으로 한다. 즉, A동의 과세표준은 A동의 신축에 실제 사용된 공사비용이어야 한다. 그런데 건설자금이자와 같이 A동에 사용되었다고 명확히 구분하기 어려운 비용들이 있다. 이렇게 그 구분이 불분명한 비용만 합리적인 기준에 따라 '안분'해야 한다.

| 구분과 안분의 적용 |

	개념	예시
구분	명확한 기준에 따라 전체를 몇 개로 나누는 것	• 직접비용
안분	일정한 비율에 따라 전체를 고르게 나누는 것	• 직접비용 중 구분이 불분명한 비용 • 직접비용 중 공통비용 성격 • 간접비용(일부 예외 있을 수 있음)

유의할 것은 '안분'의 방법은 그 구분이 불분명한 비용에만 적용해야 한다는 것이다. 안분은 전체를 합리적인 기준에 따라 나누는 것이다. 그런데 세법에서 '합리적인 기준'은 각자의 관점에서 다르게 해석될 수 있다.

예를 들어 A동과 B동에 실제로 들어간 공사비용은 각각 500원이다. 그런데 A동은 넓고 저렴하게 건축하고, B동은 좁지만 고급스럽게 건축하여 실제 면적은 각각 800㎡과 200㎡이다. A동은 일반세율 10%, B동은 중과세율 20%가 적용되는 것을 가정한다.

구분	실제 공사비용		면적		취득세율(가정)
	금액	비율	면적	비율	
A동	500원	50%	800㎡	80%	10%
B동	500원	50%	200㎡	20%	20%
계	1,000원	100%	1,000㎡	100%	

위 예시의 조건에서 취득세 과세표준을 실제 공사비용에 따라 구분하는 경우와 면적이라는 합리적인 기준에 따라 안분하는 경우의 과세표준과 세액은 다음과 같다.

구분	구분(공사비용 기준) - 원칙			안분(면적 기준) - 예외		
	과세표준 (원)	세율	취득세액	과세표준 (원)	세율	취득세액
A동	500	10%	50	800	10%	80
B동	500	20%	100	200	20%	40
계	1,000		150	1,000		120

원칙적인 방법인 '구분'에 따른다면 취득세액이 150원이고, '안분'에 따른다면 취득세액이 120원이다. 이러한 상황이라면 납세의무자가 면적을 기준으로 안분하여 과세표준을 적용하면 과세관청은 '① 공사비용의 구분이 불분명하지 않으므로 실제 각 동에 사용된 공사비용 기준으로 과세표준을 적용해야 한다' 또는 '② 공사비용 비율과 면적 비율에 현저한 차이가 있으므로 면적은 합리적인 안분 기준이 아니다'라는 논리로 더 높은 세율인 150원이 취득세액이 되어야 한다고 주장할 수 있다.

즉, 하나의 건축물에 2가지 이상의 세율이 적용된다면 어느 방법을 적용하느냐에 따라 취득세액이 달라진다. 이 경우 납세의무자는 취득세액이 낮게 계산되는 방법을 합리적이라고 주장할 것이고, 과세관청은 취득세액이 높게 계산되는 방법을 합리적이라고 주장할 수 있다. 합리적이라는 개념 자체가 하나의 정답이 있는 것이 아니므로 안분의 방법을 적용해야 한다면 아래 2가지 질문을 고려해야 할 것이다.

① 공사비용의 귀속이 실제로 불분명한가? (불분명한 경우에만 안분을 적용)
② 안분의 기준은 충분히 합리적인가? (합리적이라는 논리를 갖추어 안분을 적용)

3) 과세표준의 범위

위 작업이 끝났다면 이제는 과세표준에 포함할 금액을 결정하는 작업을 한다. 신축은 일반적으로 그 취득가격이 법인 장부에 따라 증명된다. 따라서 신축의 과세표준은 취득시기를 기준으로 그 이전에 해당 물건을 취득하기 위하여 거래상대방 또는 제3자에게 지급하였거나 지급하여야 할 직접비용과 간접비용의 합계액을 적용한다. 신축 과세표준은 3가지 관점으로 나누어 살펴볼 수 있다.

① 취득시기 이전에 지출한 비용

신축 취득세 과세표준은 취득시기를 기준으로 그 이전에 지출한 비용이다. 신축의 취득시기는 사용승인일(또는 임시사용승인일)과 사실상의 사용일 중 빠른 날이다. 사용승인서는 공부상 자료로서 사용승인서에 기재된 사용승인일은 사실상의 사용일보다 취득시기의 입증이 쉽다. 따라서 일반적으로 신축은 사용승인일을 취득시기로 본다.

종합하면 사용승인일 이전의 비용은 과세표준에 포함하나 사용승인일 이후에 발생한 비용은 과세표준에 포함하지 않는다.

[예시] 사용승인일이 2020년 10월 31일인 경우

구분	계약일	공사비용 (원)	취득세 과세표준
계약 A	2019.1.1.	100,000,000	100,000,000
계약 B	2020.10.1.	30,000,000	30,000,000
계약 C	2020.11.10.	10,000,000	-
계		140,000,000	130,000,000

위 예시에서 계약 A와 계약 B는 사용승인일 이전에 체결된 계약이므로 해당 공사비용은 과세표준에 포함된다. 계약 C는 사용승인일 이후에 체결된 계약이므로 과세표준의 정의만 놓고 보면 계약 C는 과세표준에 포함되지 않아야 한다. 하지만 계약 C와 같은 사용승인일 이후의 계약이라도 무조건 취득세 과세표준에서 제외해서는 안 된다. 취득시기를 기준으로 그 이전에 '해당 물건을 취득하기 위하여'라는 법 문구 때문이다. 공사계약일이 사용승인일 이후라도 공사계약의 원인이 신축과 관련된 것이라면 해당 계약은 건축물을 신축하기 위하여 체결된 것이므로(단지 계약체결일만 늦어진 것) 취득세 과세표준에 포함될 수 있다.

| 사용승인일 이후의 공사계약 |

공사계약의 내용	취득세 과세표준
신축 건축물과 관련된 공사 (예: 최종 인테리어 공사, 마감공사 등)	포함
신축 건축물과 별개인 공사인 경우 (예: 건축물과 별개인 시설공사 등)	제외

② 지급하였거나 지급하여야 할 비용

취득세 과세표준은 취득시기를 기준으로 그 이전에 지급하였거나 지급해야 할 비용이다. 신축의 경우 사용승인일 기준으로 대금 지급이 완료된 비용뿐 아니라 대금 지급은 완료되지 않았지만 지급해야 할 의무가 성립한 비용까지도 과세표준에 포함해야 한다.

[예시] 사용승인일이 2020년 10월 31일인 경우

구분	계약일	계약금액 (원)			과세표준
		지급액	미지급액	계	
계약 A	2018.1.1.	70,000,000	30,000,000	100,000,000	100,000,000
계약 B	2019.10.1.	10,000,000	20,000,000	30,000,000	30,000,000
계약 C	2019.11.10.	-	10,000,000	10,000,000	10,000,000
계		80,000,000	60,000,000	140,000,000	140,000,000

김회계사의 Tip

○ 지급하여야 할 비용(공사비의 정산)

신축에 따른 취득세 과세표준을 계산할 때 '지급하여야 할 비용'을 정확히 결정하기 어려울 때가 있습니다. 가장 큰 이유는 공사비의 정산 때문입니다. 건축물을 신축하는 경우 취득자가 직접 신축공사를 할 수도 있지만, 대부분 도급계약에 따라 시공사(또는 원도급자)에게 공사를 의뢰합니다. 시공사는 공사의 일부를 하도급계약에 따라 하도급자에게 의뢰하기도 합니다.

공사가 완료되면 도급계약의 당사자 간에 공사비를 정산합니다. 공사비의 정산은 계약에 따른 공사비와 실제 발생한 공사비의 차이를 협의하는 것입니다. 기존 계약에 없었던 추가공사가 발생하였다면 실제 공사비는 계약된 공사비보다 증가합니다(공사비 증액). 반대로 기존 계약에 있었지만 실제로 해당 공사가 수행되지 않았다면 실제 공사비는 계약된 공사비보다 감소합니다(공사비 감액).

문제는 공사비 정산과정이 어렵고 시간이 소요된다는 것에 있습니다. 규모가 큰 공사 또는 다수의 하도급자가 참여하는 공사는 공사비 정산에 많은 시간이 걸립니다. 정산이 원만하게 이루어지지 않는다면 취득세 신고납부기한까지 그 정산이 완료되지 못하는 경우도 있습니다.

공사비 정산이 지연되는 경우 취득세 과세표준에 포함해야 하는 '지급해야 할 금액'이 확정되지 못한 상태로 취득세를 신고납부해야 하는 상황이 발생할 수 있습니다. 이때 취득자가 선택할 수 있는 것은 최선의 추정치 금액으로 '지급해야 하는 비용'을 취득세 과세표준에 반영한 후, 공사비 정산이 완료되면 그 결과에 따라 수정신고나 경정청구를 진행하는 것입니다.

다만, 공사비 정산 후의 공사비가 취득세 과세표준으로 신고한 금액보다 증가하였다면, 취득세를 과소신고납부한 것입니다. 따라서 과소신고한 금액만큼 취득세 수정신고를 진행해야 하는데, 수정신고 시 과소신고납부분에 대해서 신고불성실가산세 및 납부불성실가산세가 발생합니다.

과거에는 수정신고 사유가 공사비의 정산이라면 신고불성실가산세 및 납부불성실가산세를 면제하였습니다. 그러나 2011년 지방세법 개정 이후에는 해당 규정이 삭제되었고 '공사비 정산은 수정신고에 따른 가산세를 면제할 만한 정당한 사유에 해당하지 않는다'라고 해석하고 있습니다.[37]

따라서 취득자는 공사관계자에게 취득세 신고납부기한 내에 공사비 정산이 완료되어야 함을 이해시킬 필요가 있습니다. 하지만 현실적으로 공사비의 정산이 취득세만을 고려하여 이루어질 수는 없습니다. 따라서 공사비 정산과정을 감안하여 '지급해야 할 금액'을 예측 가능한 범위에서 보수적으로 적용하여 수정신고에 따른 가산세를 줄이는 방법으로 취득세 신고납부를 진행하는 것이 취득세 과세 위험을 줄이는 방법이 될 것입니다.

③ 직접비용과 간접비용의 합계액

직접비용은 취득에 직접적으로 소요된 비용을 말한다. 신축의 경우 건축주로서 시공사 또는 원도급자에게 의뢰하는 도급공사비 혹은 건축주가 직접 공사하는 직접공사비 등을 직접비용으로 볼 수 있다.

신축과 관련하여 발생할 수 있는 직접비용과 과세표준 포함 여부는 다음과 같다.

---

37) 조심 2015지1089, 2015.10.27. 등

| 직접비용 |

직접비용	내용
공사비용	일반적인 공사비용은 신축 과세표준에 포함하며, 건축과 관련이 없는 항목들은 별도로 판단하여 제외함 ① 도급공사비 : 건축주가 시공사 등에게 공사를 의뢰할 경우의 공사비 ② 직접공사비 : 건축주가 직접 공사를 진행할 경우의 공사비
토지 철거비용	토지 철거비용은 토지 철거상황에 따라 다음과 같이 과세표준 포함여부를 판단 <table><tr><th colspan="2">토지 철거상황</th><th>과세표준</th></tr></table>

표 (토지 철거비용):

토지 철거상황	과세표준
토지의 철거가 토지의 지목변경을 수반	포함 (= 토지 지목변경)
신축공사와 동시에 토지 철거비용이 발생	포함(= 건축물)
토지의 철거가 토지 지목변경 및 신축과 무관 (건축공사 없이 토지만 단순 정비하는 경우 등)	제외

직접비용	내용
기존 건축물 철거비용	신축 건축물 과세표준에 포함(단, 기존 건축물의 장부가액을 과세표준에 포함하는 것이 아니라 순수 철거비용 자체만을 과세표준에 포함)
도로 및 포장공사	도로공사비 및 포장공사비는 건축물과 주변 환경의 특성을 고려하여 과세표준 포함 여부를 판단

도로공사비 및 포장공사비	과세표준
신축부지 내	포함
신축부지 외	제외 (포함되는 경우도 있음)

직접비용	내용
조경공사	조경공사비는 조경공사의 범위 등에 따라 과세표준 포함 여부를 판단

조경공사 범위	과세표준
토지 지목변경과 관련된 조경공사	포함 (= 토지 지목변경)
건축물과 관련된 조경공사 (건축물 부속토지 내 및 건축물 옥상의 조경공사 등)	포함(= 건축물)
건축물과 관련 없는 조경공사(건축물 구역 외 공사)	제외

직접비용	내용
빌트인 (built-in) 등 설치형 공사	건축물의 신축과 함께 수행되는 빌트인 등 설치형 공사는 건축물의 가치 및 이동가능성 등에 따라 과세표준 포함 여부를 판단(단, 신축 이후 별도로 수행되는 설치형 공사는 과세표준에 포함되지 않음) 아래 표 참조

빌트인 공사의 성격	과세표준
건축물의 효용과 가치를 증가시키는 것으로서 사실상 분 리 및 이동이 불가능하거나 상당히 어렵고, 분리할 경우 건축물의 효용을 크게 감소시키는 것 • (예) 영화관 등 건축물의 객석 의자 • (예) 음향시설, 무대시설, 조명시설(공연장 등)	포함
탈부착 등 분리 및 이동이 쉽게 가능하며 분리할 경우에 도 건축물의 효용이 크게 감소되지 않는 것 • (예) 냉장고, 가스렌지, 식기세척기 등	제외 (비품 성격)

직접비용	내용
인테리어 공사	인테리어 공사는 공사 범위 및 시점을 고려하여 과세표준 포함 여부를 판단

구분		과세표준
시점	공사 범위	
신축시점	일반적인 인테리어 공사	포함
	미술품, 의자 등 비품 성격의 비용	
신축시점 이후	일반적인 인테리어 공사	제외
	인테리어 공사가 건축법상 증축 및 리모델링 에 해당하는 경우	

직접비용	내용
인입공사	전기인입공사비, 상수도인입공사비 등 인입공사비는 그 공사의 성격 및 범위에 따라 과세표준 포함 여부를 판단

구분	과세표준
외부에서 건축물 부지경계까지의 인입	제외
건축물 부지경계에서 건축물까지의 인입	포함

직접비용	내용
임시사용승인	임시사용승인은 최종 사용승인 전에 건축물 중 일부에 대하여 그 사용을 승인하는 제도이다. 이러한 경우 공사비의 구분에 어려움 이 있을 수 있다. 일반적으로는 아래와 같이 구분하면 될 것이나 사실판단에 따라 달라질 수 있다.

직접비용	내용	
	공사의 시점 및 내용의 구분	**과세표준**
	① 공사의 원인행위가 임시사용승인 시점 이전에 발생하였으며 공사내용이 임시사용승인 건축물과 관련된 경우	포함 (임시사용승인 건축물)
	② 공사의 원인행위가 임시사용승인시점 이전에 발생했고 공사내용이 임시사용승인 건축물과 관련된 경우	포함 (임시사용승인 건축물)
	③ 공사의 원인이 임시사용승인시점 이후이고, 임시사용승인 건축물과 관련 없는 경우	포함 (최종사용승인 건축물)

간접비용은 간접이라는 단어의 특성상 어떤 비용이 간접적으로 신축과 관련되었는지 그 판단이 모호할 수 있다. 따라서 지방세법에서는 간접비용의 범위를 열거하고 있다.

| 간접비용 |

구분	내용
과세표준에 포함	① 건설자금에 충당한 차입금의 이자 또는 이와 유사한 금융비용 ② 할부·연부 계약에 따른 이자 상당액 및 연체료(취득자가 법인이 아니면 취득가격에서 제외) ③ 관계 법령에 따라 의무적으로 부담하는 비용 　• 농지보전부담금(농지법) 　• 미술작품의 설치 또는 문화예술진흥기금에 출연하는 금액 　　(문화예술진흥법) 　• 대체산림자원조성비(산지관리법) 등 ④ 취득에 필요한 용역을 제공받은 대가로 지급하는 용역비·수수료 ⑤ 취득대금 외에 당사자의 약정에 따른 취득자 조건 부담액과 채무인수액 ⑥ 부동산을 취득하는 경우 매입한 국민주택채권을 해당 부동산의 취득 이전에 양도함으로써 발생하는 매각차손(한도 : 금융회사 등 외의 자에게 양도한 경우 동일한 날에 금융회사등에 양도하였을 경우 발생하는 매각차손)

구분	내용
	⑦ 공인중개사에게 지급한 중개보수(취득자가 법인이 아니면 취득가격에서 제외)
	⑧ 건축물에 부착되거나 일체를 이루며 건축물의 효용을 유지 또는 증대시키기 위한 설비·시설 등의 설치비용(붙박이가구·가전제품 등)
	⑨ 정원·부속시설물 등을 조성·설치하는 비용
	⑩ ①부터 ⑨까지의 비용에 준하는 비용
과세표준에 포함하지 않음	① 취득하는 물건의 판매를 위한 광고선전비 등 판매비용과 그와 관련한 부대비용
	② 전기사업법, 도시가스사업법, 집단에너지사업법, 그 밖의 법률에 따라 전기·가스·열 등을 이용하는 자가 분담하는 비용
	③ 이주비, 지장물 보상금 등 취득물건과는 별개의 권리에 관한 보상 성격으로 지급되는 비용
	④ 부가가치세
	⑤ ①부터 ④까지의 비용에 준하는 비용

다만, 간접비용으로 열거된 것의 마지막 항목은 '~의 비용에 준하는 비용'이라는 포괄적인 표현을 사용하고 있다. 결국 간접비용은 취득자가 개별적으로 판단하여 과세표준 포함 여부를 결정해야 한다.

| 간접비용 |

구분	과세표준 포함 여부		
건설자금이자	○	• 지방세법에서 건설자금이자의 구체적인 범위는 명시하지 않음 • 다만, 납세의무자의 회계처리(건설중인 자산 인식 후 감가상각 또는 이자비용 인식)과 관계없이 그 실질이 건설자금에 충당한 차입금의 이자에 해당한다면 취득세 과세표준에 포함해야 함	
부담금	○ (△)	• 신축과 관련하여 관계 법령 등에 따라 의무적으로 부담하는 비용인 부담금은 과세표준에 포함 • '의무적'이라는 표현은 신축과 관련하여 피할 수 없는 비용이라는 의미로 해석할 수 있음 • 명칭과 관계없이 신축과 관련하여 의무적으로 부담하는 부담금은 과세표준에 포함하나 의무적이지 않다면 신축과 관련성이 없으므로 과세표준에 포함하지 않음	

분담금	× (△)	• 부담금 및 분담금은 그 용어가 비슷하므로 구분에 유의해야 함 • 분담금은 아래에 따라 과세표준에 포함하지 않음	
		구분	**내용**
		부담금 (취득자 부담)	건축물의 취득자로서 부담하는 비용 → 취득세 과세표준에 포함
		분담금 (이용자 부담)	건축물과 관련된 설비 등의 이용자로서 부담하는 비용 → 취득세 과세표준에 포함하지 않음

용역비 및 수수료 등	× ○	과세범위	용역비 및 수수료 중 신축과 관련된 것은 취득세 과세표준에 포함하고 그 외 신축과 무관한 비용은 과세표준에 포함하지 않음
		주요 예시	• 지급보증수수료 및 공사이행보증 수수료 • 자문수수료(법률, 회계, 세무분야의 컨설팅 수수료 등) • 각종 인허가 관련 용역비 및 수수료(지반평가, 환경평가, 교통평가 등) • 각종 인증 관련 용역비 및 수수료(녹색건축인증, 에너지효율등급인증 등의 용역비)

구분		과세표준 포함 여부
광고선전비	×	준공기념행사비, 분양광고비, 분양 관련 조형물 제작비 등 해당 건축물의 광고선전과 관련된 비용은 신축과 무관한 비용으로 과세표준에 포함하지 않음

구분		구분	과세표준
보상비용	× (○)	신축하는 건축물과 별개의 권리 등에 대한 보상비용 (예: 이주비, 지장물 보상금, 임차권·영업권 보상비용)	제외 (일부 포함 가능)
		신축하는 건축물과 관련하여 보상하는 비용	포함

구분		구분	내용
세금	○ (×)	과세표준에 포함	등록면허세, 인지세
		과세표준에 포함하지 않음	공사기간 중 부속토지에 대한 재산세

구분		과세표준 포함 여부
특정 충당금	×	① 공사손실충당금 및 ② 하자보수충당금은 실제 발생한 공사비용이 아니라 회계목적에서 공사로 인하여 발생할 수 있는 예상손실액 및 예상 보수금액의 추정액이므로 취득세 과세표준에 포함하지 않음
부가가치세	×	• 부가가치세는 과세표준에 포함하지 않음 • 따라서 공사비용 자료는 ① 공급가액 ② 부가가치세를 구분하여 관리하는 것이 계약 검증 등 취득세 자료 검증에 도움이 됨

○ **과세표준 판단**

　신축에 따른 취득세는 법인세, 소득세, 부가가치세와 같이 매분기, 매년 등 반복해서 접하는 세금이 아닙니다. 특정 업종을 제외하면 신축이라는 행위는 일회성이기 때문에 신축을 하고 나서야 취득세를 처음 접하는 경우가 많습니다. 그렇게 처음 접하는 취득세의 과세표준을 계산하려면, 회계 및 세무에 대한 지식뿐 아니라 건축 및 공사에 대한 이해도 필요합니다.

　취득세 과세표준을 계산하는 과정에서 지방세법에 대한 이해가 아니라 공사에 대한 이해가 부족해서 발생하는 문제점도 종종 있습니다. 그래서 효과적인 취득세 신고납부를 위해서는 신축공사관계자와의 소통도 세무 지식 못지않게 중요하다고 생각합니다. 따라서 공사관계자에게 아래의 관점으로 질문하고 소통한다면 효과적인 취득세 신고에 도움이 될 것입니다.

① **해당 비용이 신축에 필수불가결한, 즉 없어서는 안 될 비용인가?**

　건축물의 신축과 관련하여 반드시 필요한 비용이라면 취득세 과세표준에 포함하고 그렇지 않으면 포함하지 않습니다.

② **건축물(목적물)과 관련된 비용인가?**

　신축에 따른 직·간접비용 중에서 건축물과 관련된 것이 아니라 건축물과 별개의 다른 목적물과 관련된 것이 있을 수 있습니다. 취득세는 과세물건을 취득할 때 납세의무가 성립하는 것이므로, 신축하는 건축물과 관련이 없는 비용이라면 과세표준에 포함하지 않습니다.

③ **해석사례의 사실관계와 유사한가?**

　취득세 과세표준 포함 여부에 관해서는 다양한 해석사례가 존재합니다. 해석사례가 많다는 것은 과세표준의 범위에 대해 다툼이 많았다는 것이고, 그러한 해석사례에서 취득세 과세표준의 적정성을 확인할 수 있습니다. 따라서 취득세 과세표준을 계산할 때는 지방세 해석사례를 많이 참고합니다. 다만, 그 해석사례를 참고할 때는 현재 신축하는 건축물에 적용되는 사실관계와 해석사례 속 사실관계가 유사한지를 확인해야 합니다. 사실관계가 다르다면 그 해석도 바뀔 수 있기 때문입니다.

위 ①에서 ③의 질문에 대하여 세무담당자와 공사담당자의 의견이 다를 수 있습니다. 하지만 의견 충돌 과정은 취득세 과세표준의 적정성을 다시 한번 확인하는 기회가 될 수도 있으므로, 서로의 입장을 충분히 듣고 고민한다면 효과적인 취득세 준비에 도움이 될 것입니다.

(3) 세율

신축 취득세의 세율은 세율구조별로 다음과 같이 적용한다.

1) 일반세율

과세표준 구분		신축에 따른 부담세율						
		취득세		지방교육세		농어촌특별세		계
토지	부속토지 취득	4.0%	[*1]	0.4%	[*2]	0.2%	[*3]	4.60%
	토지 지목변경	2.0%	[*4]	-	[*5]	0.2%	[*6]	2.20%
건축물		2.8%	[*7]	0.16%	[*8]	0.2%	[*9]	3.16%
시설 또는 시설물		2.0%	[*10]	-	[*11]	0.2%	[*12]	2.20%

구분	관련법령	계산방법
[*1]	지방세법 제11조 제1항 제7호	4%
[*2]	지방세법 제151조 제1항 제1호	0.4% = (4% - 2%) × 20%
[*3]	농어촌특별세법 제5조 제1항 제6호	0.2% = 2% × 10%
[*4]	지방세법 제15조 제2항 제2호	2%
[*5]	지방세법 제151조 제1항 제1호	0% = (2% - 2%) × 20%
[*6]	농어촌특별세법 제5조 제1항 제6호	0.2% = 2% × 10%
[*7]	지방세법 제11조 제1항 제3호	2.8%
[*8]	지방세법 제151조 제1항 제1호	0.16% = (2.8% - 2%) × 20%
[*9]	농어촌특별세법 제5조 제1항 제6호	0.2% = 2% × 10%
[*10]	지방세법 제15조 제2항 제7호	2%

구분	관련법령	계산방법
[*11]	지방세법 제151조 제1항 제1호	0% = (2% - 2%) × 20%
[*12]	농어촌특별세법 제5조 제1항 제6호	0.2% = 2% × 10%

2) 중과세율

① 본점 등 중과세(= 표준세율 + 2% × 2)

과세표준 구분		신축에 따른 부담세율						
		취득세		지방교육세		농어촌특별세		계
토지	부속토지 취득	8.0%	[*1]	0.4%	[*2]	0.6%	[*3]	9.0%
	토지 지목변경	6.0%	[*4]	-	[*5]	0.6%	[*6]	6.6%
건축물(원시취득)		6.8%	[*7]	0.16%	[*8]	0.6%	[*9]	7.56%
시설 또는 시설물		6.0%	[*10]	-	[*11]	0.6%	[*12]	6.6%

구분	관련법령	계산방법
[*1]	지방세법 제13조 제1항	8% = 4% + 2% × 2
[*2]	지방세법 제151조 제1항 제1호	0.4% = (4% - 2%) × 20%
[*3]	농어촌특별세법 제5조 제1항 제6호)	0.6% = (2% + 2% × 2) × 10%
[*4]	지방세법 제13조 제1항	6% = 2% + 2% × 2
[*5]	지방세법 제151조 제1항 제1호	0% = (2% - 2%) × 20%
[*6]	농어촌특별세법 제5조 제1항 제6호	0.6% = (2% + 2% × 2) × 10%
[*7]	지방세법 제13조 제1항	6.8% = (2.8% + 2% × 2) × 10%
[*8]	지방세법 제151조 제1항 제1호	0.16% = (2.8% - 2%) × 20%
[*9]	농어촌특별세법 제5조 제1항 제6호	0.6% = (2% + 2% × 2) × 10%
[*10]	지방세법 제13조 제1항	6% = 2% + 2% × 2
[*11]	지방세법 제151조 제1항 제1호	0% = (2% - 2%) × 20%
[*12]	농어촌특별세법 제5조 제1항 제6호	0.6% = (2% + 2% × 2) × 10%

② 지점 등 중과세(= 표준세율 × 3 − 2% × 2)

과세표준 구분		신축에 따른 부담세율						
		취득세		지방교육세		농어촌특별세		계
토지	부속토지 취득	8.0%	[*1]	1.2%	[*2]	0.2%	[*3]	9.4%
	토지 지목변경	2.0%	[*4]	−	[*5]	0.2%	[*6]	2.2%
건축물	원시취득(신축)	4.4%	[*7]	0.48%	[*8]	0.2%	[*9]	5.08%
	승계취득[38]	8.0%	[*10]	1.2%	[*11]	0.2%	[*12]	9.4%
시설 또는 시설물		2.0%	[*13]	−	[*14]	0.2%	[*15]	6.6%

구분	관련법령	계산방법
[*1]	지방세법 제13조 제2항	8% = 4% × 3 − 2% × 2
[*2]	지방세법 제151조 제1항 제1호 가목	1.2% = (4% − 2%) × 20% × 3
[*3]	농어촌특별세법 제5조 제1항 제6호	농어촌특별세법 제5조 제1항 제6호
[*4]	지방세법 제13조 제2항	2% = 2% × 3 − 2% × 2
[*5]	지방세법 제151조 제1항 제1호	과세제외
[*6]	농어촌특별세법 제5조 제1항 제6호	0.2% = (2% × 3 − 2% × 2) × 10%
[*7]	지방세법 제13조 제2항	4.4% = 2.8% × 3 − 2% × 2
[*8]	지방세법 제151조 제1항 제1호 가목	0.16% = (2.8% − 2%) × 20% × 3
[*9]	농어촌특별세법 제5조 제1항 제6호	0.2% = (2% × 3 − 2% × 2) × 10%
[*10]	지방세법 제13조 제2항	8% = 4% × 3 − 2% × 2
[*11]	지방세법 제151조 제1항 제1호 가목	1.2% = (4% − 2%) × 20% × 3
[*12]	농어촌특별세법 제5조 제1항 제6호	0.2% = (2% × 3 − 2% × 2) × 10%
[*13]	지방세법 제13조 제2항	2% = 2% × 3 − 2% × 2
[*14]	지방세법 제151조 제1항 제1호	과세제외
[*15]	농어촌특별세법 제5조 제1항 제6호	0.2% = (2% × 3 − 2% × 2) × 10%

---

38) 지점 등 중과세는 신축 등 원시취득뿐 아니라 매매 등 승계취득에도 적용하므로 참고 목적으로 기재

③ 사치성 재산 중과세(= 표준세율 + 2% × 4)

과세표준 구분		신축에 따른 부담세율						
		취득세		지방교육세		농어촌특별세		계
토지	부속토지 취득	12.0%	[*1]	0.4%	[*2]	1.0%	[*3]	13.40%
	토지 지목변경	10.0%	[*4]	-	[*5]	1.0%	[*6]	11.00%
건축물	원시취득(신축)	10.8%	[*7]	0.16%	[*8]	1.0%	[*9]	11.96%
	승계취득[39]	12.0%	[*10]	0.4%	[*11]	1.0%	[*12]	13.40%
시설 또는 시설물		10.0%	[*13]	-	[*14]	1.0%	[*15]	11.00%

구분	관련법령	계산방법
[*1]	지방세법 제13조 제5항	$12\% = 4\% + 2\% \times 4$
[*2]	지방세법 제151조 제1항 제1호	$0.4\% = (4\% - 2\%) \times 20\%$
[*3]	농어촌특별세법 제5조 제1항 제6호	$1.0\% = (2\% + 2\% \times 4) \times 10\%$
[*4]	지방세법 제13조 제5항	$10\% = 2\% + 2\% \times 4$
[*5]	지방세법 제151조 제1항 제1호	과세제외
[*6]	농어촌특별세법 제5조 제1항 제6호	$1.0\% = (2\% + 2\% \times 4) \times 10\%$
[*7]	지방세법 제13조 제5항	$10.8\% = 2.8\% + 2\% \times 4$
[*8]	지방세법 제151조 제1항 제1호	$0.16\% = (2.8\% - 2\%) \times 20\%$
[*9]	농어촌특별세법 제5조 제1항 제6호	$1.0\% = (2\% + 2\% \times 4) \times 10\%$
[*10]	지방세법 제13조 제5항	$12\% = 4\% + 2\% \times 4$
[*11]	지방세법 제151조 제1항 제1호	$0.4\% = (4\% - 2\%) \times 20\%$
[*12]	농어촌특별세법 제5조 제1항 제6호	$1.0\% = (2\% + 2\% \times 4) \times 10\%$
[*13]	지방세법 제13조 제5항	$10\% = 2\% + 2\% \times 4$
[*14]	지방세법 제151조 제1항 제1호	과세제외
[*15]	농어촌특별세법 제5조 제1항 제6호	$1.0\% = (2\% + 2\% \times 4) \times 10\%$

---

39) 지점 등 중과세는 신축 등 원시취득뿐 아니라 매매 등 승계취득에도 적용하므로 참고 목적으로 기재

(4) 감면

취득세 감면 규정은 대부분 부동산에 관한 것이다. 따라서 신축 취득세를 신고납부할 때는 해당 건축물에 적용될 수 있는 취득세 감면 규정을 확인해야 한다. 신축 취득세에 감면을 적용할 때는 PART 1. '9장. 감면'을 살펴보면 될 것이다. 다만 추가로 다음의 사항을 유의해야 한다.

1) 일몰 기한

일몰 기한은 법에서 미리 정한 기한으로서 그 기한이 지나면 법의 효력이 없어진다. 일몰은 해가 저무는 일몰을 말하며, 일몰법(Sunset law)에서 나온 단어다.

지방세특례제한법 제47조의 2에 따른 '녹색건축 인증 건축물에 대한 감면'을 예로 들면, 해당 감면의 일몰기한은 2023년 12월 31일이다. 일몰기한이 연장되지 않는다면 2023년 12월 31일까지의 취득에 대해서만 녹색건축 인증 건축물에 대한 감면을 적용한다.

> **지방세특례제한법 제47조의 2 [녹색건축 인증 건축물에 대한 감면]**
> ① 신축(증축 또는 개축을 포함한다. 이하 이 조에서 같다)하는 건축물(건축법 제2조 제1항 제2호에 따른 건축물 부분으로 한정한다. 이하 이 조에서 같다)로서 다음 각 호의 요건을 모두 갖춘 건축물(취득일부터 70일 이내에 다음 각 호의 요건을 모두 갖춘 건축물을 포함한다)에 대해서는 취득세를 100분의 3부터 100분의 10까지의 범위에서 대통령령으로 정하는 바에 따라 <u>2023년 12월 31일까지 경감한다.</u> (2020.12.29. 개정)
> 1. 녹색건축물 조성 지원법 제16조에 따른 녹색건축의 인증(이하 이 조에서 "녹색건축의 인증"이라 한다) 등급이 대통령령으로 정하는 기준 이상일 것 (2017.12.26. 개정)
> 2. 녹색건축물 조성 지원법 제17조에 따라 인증받은 건축물 에너지효율등급(이하 이 조에서 "에너지효율등급"이라 한다)이 대통령령으로 정하는 기준 이상일 것 (2017.12.26. 개정)

일몰 기한은 정책적 효과 등을 고려하여 연장될 수 있다. 하지만 정책적 효과를 달성하는 등의 사유로 일몰 기한이 연장되지 않는다면 그 이후의 취득에 대해서는 감면 규정을 적용할 수 없다. 따라서 신축의 취득세에서 감면을 검토할 때는 사용승인일 등의 취득시기가 일몰 기한 이전인지를 확인해야 한다.

2) 감면율

취득세 감면율은 30%, 50%, 100% 등 감면 규정별로 다르다. 지방세특례제한법이 개정되면서 감면율은 계속 변한다. 최근에는 취득시기별로 단계적으로 감면율을 축소하는 감면 규정도 나타나고 있다.

취득세는 반복적으로 신고하는 세금이 아니므로 과거에 알고 있었던 취득세 감면율을 현재의 취득에 그대로 적용할 여지가 있다. 취득세 감면율은 법의 개정에 따라 변동될 수 있다는 점을 이해하고 취득 시점의 지방세특례제한법에 따른 감면율을 적용해야 한다.

3) 감면 최저한

감면 최저한 규정은 감면율이 100%인 감면이라도 최소 15%의 취득세는 부담하게 하는 것이다. 감면 최저한 규정을 적용할 때는 두 가지 사항에 유의할 필요가 있다.

첫 번째는 감면 최저한 규정의 적용 시점이다. 감면 최저한 규정은 2015년부터 감면 규정별로 단계적으로 적용하고 있다. 신축 건축물에 적용되는 감면율이 100%라면 해당 감면 규정에 대한 감면 최저한 규정이 언제부터 적용되는지를 확인해야 한다.

두 번째는 감면 최저한 규정의 예외이다. 농어업 지원 등 특정한 목적을 달성하기 위한 감면은 감면율이 100%라도 감면 최저한 규정을 적용하지 않는다. 따라서 신축에 적용되는 감면율이 100%라면 감면 최저한 규정의 예외에 해당하는지도 확인해야 한다.

4) 감면 추징

취득세를 감면받은 후 특정한 사유가 발생하면 감면받은 취득세액을 추징한다. 감면 규정 내에서 별도로 정하는 추징 사유도 있고, 그러한 추징 사유가 없다면 다음 중 어느 하나에 해당하는 경우[40] 감면받은 취득세액을 추징한다.

① 정당한 사유 없이 그 취득일부터 1년이 경과할 때까지 해당 용도로 직접 사용하지 않는 경우
② 해당 용도로 직접 사용한 기간이 2년 미만인 상태에서 매각·증여하거나 다른 용도로 사용하는 경우

감면 추징 사유의 요지는 감면 규정에서 정하는 용도에 직접 사용하라는 것이다. 신축 시점에서 감면 용도로 사용할 것이라고 하여 감면을 적용할 때도 취득일로부터 1년 또는 2년 이내에 감면 용도로 사용하지 않을 가능성은 없는지 미리 확인을 해두어야 향후 감면세액 추징에 따른 세무 위험에 대비할 수 있다.

김회계사의 Tip

○ **감면 적용은 신중히**

취득세 감면을 적용하기 위해서는 지방세특례제한법의 감면신청서와 감면 규정에서 정하는 부속서류 등을 제출해야 합니다.

감면율은 통상 30%에서 100%(감면 최저한 규정 적용 시 85%)에 달하므로 취득세 감면이 적용되는 취득이라면, 감면은 취득세 신고에서 가장 핵심적인 요소입니다. 그럼에도 취득자는 감면의 중요성을 대수롭지 않게 생

---

40) 지방세특례제한법 제178조

각할 수 있습니다. 내야 할 세금을 줄여주는 것이 아니라 애초부터 낼 세금이 아니라는 개념으로 접근하기 때문입니다.

반대로 세금을 거두는 과세관청 입장에서는 원래 받아야 할 세금인데 받지 않는 것이므로 감면의 적용에 문제는 없는지를 면밀하게 검토합니다. 이 과정에서 지방자치단체는 취득세감면신청서 및 감면 신청에 따른 부속서류 외에도 공부상 및 사실상의 현황 등 감면의 충족을 입증할 수 있는 근거자료를 요구할 수 있습니다.

따라서 신축하는 건축물에 취득세 감면을 적용할 때는 미리 세무조사를 받는다는 느낌으로 감면자료를 준비할 필요가 있습니다.

(5) 사례

1) 사실관계

취득자 ㈜구름은 2020년 7월 서울특별시 중구 충정로에서 지하 1층, 지상 4층으로 구성된 건축물을 신축하였다. 총 공사비용은 5억 5천만원이며, 공사비용의 세부 내역은 다음과 같다.

구분	공사비용(원)	비고
토목공사	100,000,000	42,000,000원은 국가에 기부채납한 부동산 공사비용 8,000,000원은 비품 및 홍보비용
건축공사	250,000,000	
전기공사	30,000,000	
인테리어공사	50,000,000	
조경공사	30,000,000	
건축관련용역	40,000,000	
건설자금이자	30,000,000	
각종 운영비용	20,000,000	
계	550,000,000	

건축물의 현황과 각 현황별 취득세율은 다음과 같다. 취득자는 건축물을 본점과 지점의 용도로 사용하며, 지점 중 일부는 대도시 중과 예외 업종인 유통산업발전법에 따른 유통산업을 영위하는 지점이다.

구분	현황	면적	취득세율 적용
지상 4층	본점	1,000㎡	본점 중과세율
지상 3층	지점	1,000㎡	지점 중과세율
지상 2층	지점(유통산업발전법)	1,000㎡	일반세율(대도시 중과 예외 업종)
지상 1층	지점(유통산업발전법)	1,000㎡	일반세율(대도시 중과 예외 업종)
지하 1층(주차장)	지점	1,000㎡	지점 중과세율

한편 신축하는 건축물은 지방세특례제한법 제47조의 2 녹색건축 인증 건축물에 대한 감면 규정을 적용받는다. 해당 건축물은 녹색건축 인증등급이 최우수이고, 에너지효율등급이 1등급에 해당하는 것을 가정하여 15%의 감면율이 적용된다.

| 녹색건축 인증 건축물의 감면율 |

녹색건축 인증등급	에너지효율등급	취득세 감면율
최우수	1등급	15%
	2등급	10%
우수	1등급	10%
	2등급	5%

2) 취득세 신고과정

① 취득세 과세표준 집계

취득세를 계산하기 위해서는 우선 취득세 과세표준에 포함되어야 할 금액을 파악해야 한다. 총 공사비용 5억 5천만원 중 국가에 기부채납한 부동산에 대한 공사비용 42,000,000원은 비과세이고 비품 및 홍보비용 8,000,000원은 건축물의 취득에 필수적인 비용이 아니라는 가정[41]에 따라 취득세 과세표준에 포함하지 않았다. 따라서 취득세 과세표준으로 신고할 금액은 5억원이다.

(단위 : 원)

| 구분 | 내역 | ① 공사비용 | ② 과세표준 제외금액 | | 과세표준 (=①-②) |
			비과세	과세제외	
직접비용 (도급공사비)	토목공사	100,000,000	10,000,000		90,000,000
	건축공사	250,000,000	15,000,000		225,000,000
	전기공사	30,000,000	6,000,000		30,000,000
	인테리어공사	50,000,000	4,000,000	8,000,000	42,000,000
	조경공사	30,000,000	3,000,000		27,000,000
	건축관련용역	40,000,000	4,000,000		36,000,000
	소계	500,000,000	42,000,000	8,000,000	450,000,000
간접비용	건설자금이자	30,000,000			30,000,000
	운영비용	20,000,000			20,000,000
	소계	50,000,000			50,000,000
계		550,000,000	42,000,000	8,000,000	500,000,000

② 취득세 과세표준 구분

건축물에 적용되는 세율 구조가 다양하다면 취득세 과세표준은 원칙상 실질적인 귀속에 따라 세율의 구간별로 구분하여야 한다. 본 사례에서는 전체 공사비용을 ① 본점 중과세율을 적용받는 지상 4층 ② 지점 중과세율을 적용받는 지상 3층과 지하 1층 ③ 일반세율을 적용받는 지상 1층과 2층으로 구분하여 각각의 과세표준으로 귀속시켜야 한다.

다만, 본 사례에서는 면적 비율로 귀속되는 것을 가정하여 다음과 같이

___

41) 비품과 홍보비용을 취득세 과세표준에 포함하지 않는 것은 실제로는 별도 판단이 필요함.

과세표준을 구분하였다.

세율 적용	건축물 구분	면적	과세표준의 안분		
			안분 전 과세표준	안분 비율	안분 후 과세표준
일반세율	지상 1층, 2층	2,000㎡		40%	200,000,000
본점 중과세율	지상 4층	1,000㎡	500,000,000	20%	100,000,000
지점 중과세율	지상 3층, 지하 1층	2,000㎡		40%	200,000,000
계		5,000㎡	500,000,000		500,000,000

③ 취득세액 산출

과세표준, 과세표준 구성 별 취득세율, 감면율을 반영한 취득세액은 다음 과 같다.

구분	세목	①과세표준		②세율	③산출세액 (=①x②)	④감면세액 (=③x15%)	납부할세액 (=③-④)
일반 세율	취득세	200,000,000	[*1]	2.80%	5,600,000	840,000	4,760,000
	지방교육세	1,360,000	[*2]	20%	272,000		272,000
	농어촌특별세 (부과분)	3,400,000	[*3]	10%	340,000		340,000
	농어촌특별세 (감면분)	840,000	[*4]	20%	168,000		168,000
	소계				6,380,000	840,000	5,540,000
본점 중과 세율	취득세	100,000,000	[*5]	6.80%	6,800,000	1,020,000	5,780,000
	지방교육세	680,000	[*6]	20%	136,000		136,000
	농어촌특별세 (부과분)	1,700,000	[*7]	10%	170,000		170,000
	농어촌특별세 (감면분)	1,020,000	[*8]	20%	204,000		204,000
	소계				7,310,000	1,020,000	6,290,000

구분	세목	①과세표준		② 세율	③ 산출세액 (=①x②)	④ 감면세액 (=③x15%)	납부할 세액 (=③-④)
지점 중과 세율	취득세	200,000,000	[*9]	4.40%	8,800,000	1,320,000	7,480,000
	지방교육세	4,080,000	[*10]	20%	816,000		816,000
	농어촌특별세 (부과분)	3,400,000	[*11]	10%	340,000		340,000
	농어촌특별세 (감면분)	1,320,000	[*12]	20%	264,000		264,000
	소계				10,220,000	1,320,000	8,900,000
계					23,910,000	3,180,000	20,730,000

구분	내용
[*1]	= 500,000,000(전체 과세표준) × 40%(일반세율 안분비율)
[*2]	= 200,000,000 × (2.8% − 2.0%) × (1 − 15%)
[*3]	= 200,000,000 × 2% × (1 − 15%)
[*4]	= 840,000(= 취득세 감면세액)
[*5]	= 500,000,000(전체 과세표준) × 20%(본점 중과세율 안분비율)
[*6]	= 100,000,000 × (2.8% − 2.0%) × (1 − 15%)
[*7]	= 100,000,000 × 2% × (1 − 15%)
[*8]	= 1,020,000(= 취득세 감면세액)
[*9]	= 500,000,000(전체 과세표준) × 40%(지점 중과세율 안분비율)
[*10]	= 200,000,000 × (2.8% − 2.0%) × 3 × (1 − 15%)
[*11]	= 200,000,000 × 2% × (1 − 15%)
[*12]	= 1,320,000(= 취득세 감면세액)

④ 요약

위 사례를 종합하여 정리하면 다음과 같다.

구분	내용			
	구분	금액	판단근거	
과세 표준	① 총공사비용	550,000,000	직접비용(도급공사) + 간접비용	
	② 비과세 항목	42,000,000	기부채납 부동산 공사비용	
	③ 과세제외 비용	8,000,000	비품 및 홍보비용	
	취득세 과세표준	500,000,000	(=①-②-③)	
	구분	구성요소	판단근거	과세표준
세율	일반세율	1층, 2층	중과 예외(유통시설발전법)	200,000,000
	본점 중과세율	4층	본점 사무소로 사용	100,000,000
	지점 중과세율	지하1층, 3층	지점 용도로 사용	200,000,000
	구분	내용		
감면	감면조항	지방세특례제한법 제47조의 2 녹색건축 인증 건축물에 대한 감면		
	감면율	15%	녹색건축 인증등급 최우수 에너지효율등급 1등급	
납부 세액	세목	① 일반세율	② 중과세율 (본점)	③ 중과세율 (지점)	납부세액 계 (=①+②+③)
	취득세	4,760,000	5,780,000	7,480,000	18,020,000
	지방교육세	272,000	136,000	816,000	1,224,000
	농어촌특별세 (취득분)	340,000	170,000	340,000	850,000
	농어촌특별세 (부과분)	168,000	204,000	264,000	636,000
	계	5,540,000	6,290,000	8,900,000	20,730,000

3) 취득세 신고 제출 서류

구분	내용		
기본정보	취득자(신축 건축주)의 기본정보		
	취득자	확인사항	필요자료
	법인	법인명, 법인등록번호, 사업자등록번호 등	법인등기부등본, 사업자등록증
	개인	이름, 주민등록번호	주민등록증(필요한 경우)
	주식발행법인의 기본정보(법인등기부등본, 사업자등록증)		
신고서	취득세 신고서(별지3호 서식) 지방세감면신청서		
계산내역	취득세 세부 계산내역 자료(엑셀시트 등) - 위 2)의 자료를 정리하여 제출		

취득세 ([v]기한 내 / [ ]기한 후]) 신고서

(앞쪽)

관리번호		접수 일자		처리기간	즉시

신고인	취득자 (신고자)	성명(법인명) ㈜구름	주민등록번호(외국인등록번호, 법인등록번호) 999999-9999999		
		주소 서울특별시 종로구 구름대로 99번길 구름빌딩 7층	전화번호 02-9999-9999		
	전 소유자	성명(법인명)	주민등록번호(외국인등록번호, 법인등록번호)		
		주소	전화번호		

매도자와의 관계	□ 배우자 □ 직계존비속 □ 기타

취 득 물 건 내 역

소재지		경기도 안양시 만안구 구름대로 11번길				
취득물건	취득일	면적	종류(지목/차종)	용도	취득 원인	취득가액
건물	2020.7.19	5,000㎡	영업용	상업용	신축	500,000,000

세목			과세표준액	세율	① 산출 세액	② 감면 세액	③ 기납부 세 액	가산세		계 ④	신고세액 합 계 (①-②-③+④)
								신 고 불성실	납 부 불성실		
신고 세액	합계		517,800,000								20,730,000
	취득세		500,000,000	2.8%외	21,200,000	3,180,000					18,020,000
	지방교육세		6,120,000	20%	1,224,000						1,224,000
	농어촌특별세	부과분	8,500,000	10%	850,000						850,000
		감면분	3,180,000	20%	636,000						636,000

「지방세법」 제20조 제1항, 제152조 제1항, 같은 법 시행령 제33조 제1항, 「농어촌특별세법」 제7조에 따라 위와 같이 신고합니다.

접수(영수)일자
(인)

2020 년 08 월 14 일

신고인
대리인

㈜구름 대표이사 xxx (서명 또는 인)
(서명 또는 인)

안양시 만안구청장 귀하

첨부 서류	1. 매매계약서, 증여계약서, 부동산거래계약 신고필증 또는 법인 장부 등 취득가액 및 취득일 등을 증명할 수 있는 서류 사본 1부 2. 「지방세특례제한법 시행규칙」 별지 제1호 서식의 지방세 감면 신청서 1부 3. 별지 제4호 서식의 취득세 납부서 납세자 보관용 영수증 사본 1부 4. 별지 제8호 서식의 취득세 비과세 확인서 1부 5. 근로소득 원천징수영수증 또는 소득금액증명원 1부	수수료 없음

위임장

위의 신고인 본인은 위임받는 사람에게 취득세 신고에 관한 일체의 권리와 의무를 위임합니다.

위임자(신고인)
(서명 또는 인)

위임받는 사람	성명	위임자와의 관계
	주민등록번호	전화번호
	주소	

* 위임장은 별도 서식을 사용할 수 있습니다.

- 자르는 선 -

접수증(취득세 신고서)

신고인(대리인)	취득물건 신고내용	접수 일자	접수번호
「지방세법」 제20조 제1항, 제152조 제1항, 같은 법 시행령 제33조 제1항, 「농어촌특별세법」 제7조에 따라 신고한 신고서의 접수증입니다.			접수자 (서명 또는 인)

210㎜×297㎜[백상지 80g/㎡(재활용품)]

작성방법

1. ■■■■■■■ 란은 과세관청에서 적는 사항이므로 신고인은 적지 않습니다.
2. "기한 내 신고"란에는 취득일(잔금지급일 등)부터 60일 이내에 신고하는 경우에 표기[✓]하고, "기한 후 신고"란은 기한 내 신고기간이 경과한 후에 신고하는 경우에 표기[✓]합니다.
3. "신고인"란에는 납세의무자를 적고, "전 소유자"란에는 취득하는 과세대상인 부동산(토지 · 건축물), 차량, 기계장비, 입목, 항공기, 선박, 광업권, 어업권, 회원권의 전 소유자를 적습니다.
4. 매도자와의 관계는 반드시 적어야 하며, 사실과 달리 적은 경우에는 「지방세기본법」 제53조 등에 따라 가산세를 포함하여 추징될 수 있습니다.
5. "취득물건 내역"란에는 취득세 · 과세대상이 되는, 물건의 내역 등을 적습니다.
   가. "소재지"란은 부동산(토지 · 건축물)은 토지 · 건축물의 소재지, 선박은 선적항, 골프회원권은 골프장 소재지, 차량(기계장비)은 등록지 등을 적습니다.
   나. "취득물건"란에는 취득세 과세대상이 되는 부동산(토지 · 건축물), 선박, 차량, 기계장비, 항공기, 어업권, 광업권, 골프회원권, 종합체육시설이용회원권 등을 물건별로 적습니다.
   다. "취득일자"란에는 잔금지급일(잔금지급일 전에 등기 · 등록 또는 사실상 사용하거나 사용 · 수익하는 경우에는 등기 · 등록일 또는 사용 · 수익일 등「지방세법 시행령」 제20조에 따른 취득시기에 해당되는 취득일자를 말합니다) 등을 적습니다.
   라. "면적"란에는 부동산의 경우에는 ○○㎡(지분의 경우 ○○ 분의 ○)으로, 차량의 경우에는 ○○ · cc · 적재정량으로, 선박의 경우에는 ○○ 톤으로, 어업권의 경우에는 어업권 설정 면적 등을 적습니다.
   마. "종류(차종)"란에는 부동산의 경우에는 주거용 · 영업용 · 주상복합용 등 사용형태를 적고, 차량(항공기)의 경우에는 차종(항공기 종류) · 연식 및 차량번호(항공기는 제외합니다)를 적으며, 선박의 경우에는 선박종류 및 구조를 적고, 골프회원권의 경우에는 회원의 종류인 법인 · 개인 등을 적습니다.
   바. "용도"란에는 취득한 물건의 사용용도(주거용, 상업용, 공장용, 자가용, 영업용, 법인용, 개인용 등)를 적습니다.
   사. "취득원인"란에는 매매로 취득하여 소유권이 이전되는 경우에는 매매로, 상속 또는 증여의 경우에는 상속 또는 증여로 각각 적으며, 소유권 보존(신축 등)으로 인한 취득은 원시취득 등을 적습니다.
   아. "취득가액"란에는 취득당시의 가액을 말하는 것이므로 매매계약서 또는 취득에 소요된 사실상 비용(법인의 경우 장부가액 등) 등을 입증할 수 있는 서류에 의하여 확인되는 것과 일치해야 합니다.
   ※ 취득가액이 입증되는 매매계약서(부동산검인계약서 등)를 이중으로 작성하거나, 허위로 작성하여 취득가액을 허위 · 과소 신고하는 경우 불이익을 받을 수 있습니다.
6. "세율"란에는 「지방세법」 제11조, 제12조 및 제15조에 따른 세율을 적되, 「지방세법」 제13조 및 제13조의 2에 해당하는 경우에는 해당 중과세율을 적습니다.
7. "산출세액"란에는 취득가액에 세율을 곱하여 산출된 세액을 적습니다.
8. "감면세액"란에는 「지방세특례제한법」, 「조세특례제한법」 및 지방자치단체 감면조례에 따라 지방세가 감면되는 대상을 말하며 해당되는 감면율을 적용하여 산출한 감면세액을 적습니다.
9. "기납부세액"란에는 동일한 과세물건에 대하여 취득가액의 변동, 경감취소 등으로 과소납부한 세액 또는 납부해야 할 세액을 기한 후 신고하는 경우 등으로서 이미 납부한 세액을 적습니다.
10. 취득세 중 중 "가산세"란에는 취득세신고기한까지 과세표준신고서를 제출하지 아니한 자가 기한 후 신고를 하는 경우에만 해당됩니다. 이 경우 신고불성실가산세는 50퍼센트 감면되는 신고불성실가산세[(①-②-③)×10퍼센트]를 적고, 납부불성실가산세는 취득일부터 60일이 경과한 날부터 납부일까지의 일자 수에 1일 100,000분의 25의 세율을 곱하여 산출한 세액을 적습니다.
    기한 후 신고에 따른 가산세의 감면신청은 가산세의 감면 등 신청서(「지방세기본법 시행규칙」 별지 제15호 서식)를 제출해야 합니다.
11. "신고세액 합계"란에는 신고인이 납부해야 할 세액(①-②-③+④)을 적습니다.
12. "농어촌특별세신고세액"란에는 취득세와 동시에 신고 · 납부해야 하는 농어촌특별세를 말하는 것으로서 「농어촌특별세법」 제3조 및 제5조에 따라 산출한 세액을 적고, "지방교육세 신고세액"란에는 「지방세법」 제151조에 따라 산출한 세액을 적습니다.
13. 첨부 서류
    가. 「지방세특례제한법 시행규칙」 별지 제1호 서식의 지방세 감면 신청서는 취득세 감면을 받으려는 경우에 첨부합니다.
    나. 별지 제4호 서식의 취득세 납부서 납세자 보관용 영수증 사본은 기납부세액이 있는 경우에 첨부합니다.
    다. 별지 제8호 서식의 취득세 비과세 확인서는 비과세 또는 감면된 취득세가 있는 경우에 첨부합니다.
    라. 근로소득 원천징수영수증 또는 소득금액증명원은 세대 분리 등의 증명이 필요한 경우에 첨부합니다.
14. 신고인을 대리하여 취득신고를 하는 경우에는 반드시 위임장을 제출해야 합니다.
15. 신고인은 납세의무자를 말하며, 서명 또는 날인이 없는 경우에는 신고서는 무효가 되며, 대리인이 신고하는 경우에도 서명 또는 날인이 없거나 위임장이 없으면 무효가 됩니다.
16. 신고인은 반드시 접수증을 수령해야 하고, 접수증의 간인 및 접수자의 서명 또는 날인을 확인해야 합니다.
17. 주택을 무상 또는 유상거래로 취득하는 경우에는 주택 취득 상세명세서(부표)를 제출해야 합니다.

지방세 감면 신청서

※ 뒤쪽의 작성방법을 참고하시기 바라며, 색상이 어두운 난은 신청인이 적지 않습니다.

(앞쪽)

접수번호		접수일		처리기간	5일
신청인	성명(대표자) xxx			주민(법인)등록번호 999999-9999999	
	상호(법인명) ㈜구름			사업자등록번호 999-99-99999	
	주소 또는 영업소 서울특별시 종로구 구름대로 99번길 구름빌딩 7층				
	전자우편주소 sunny@cloud.com			전화번호(휴대전화번호) 02-9999-9999	
감면대상	종류 건축물			면적(수량) 5,000㎡	
	소재지 서울시 중구 충정로 2가 도레미 빌딩				
감면세액	감면세목 취득세		과세연도 2020년	기분	
	과세표준액 500,000,000		감면구분 15% 세액감면		
	당초 산출세액 21,200,000		감면받으려는 세액 3,180,000		
감면 신청 사유	신청인이 취득하는 건축물은 녹색건축 인증 건축물에 해당하여 지방세특례제한법 제47조의 2 규정에 따라 15% 취득세액 감면을 신청함				
감면 근거규정	「지방세특례제한법」 제 47조의 2 및 같은 법 시행령 제 24 조				
관계 증명 서류	① 녹색건축 인증서 ② 건축물대장				
감면 안내 방법	직접교부[v] 등기우편[ ] 전자우편[ ]				

신청인은 본 신청서의 유의사항 등을 충분히 검토했고, 향후에 신청인이 기재한 사항과 사실이 다른 경우에는 감면된 세액이 추징되며 별도의 이자상당액 및 가산세가 부과됨을 확인했습니다.
「지방세특례제한법」 제4조 및 제183조, 같은 법 시행령 제2조 제6항 및 제126조 제1항, 같은 법 시행규칙 제2조에 따라 위와 같이 지방세 감면을 신청합니다.

2020 년   08 월   14 일

신청인   ㈜구름   xxx   (서명 또는 인)

서울특별시장 귀하

첨부서류	감면받을 사유를 증명하는 서류	수수료 없음

210㎜×297㎜(미색모조 80g/㎡)

작성방법

1. 성명(대표자): 개인은 성명, 법인은 법인 대표자의 성명을 적습니다.
2. 주민(법인)등록번호: 개인(내국인)은 주민등록번호, 법인은 법인등록번호, 외국인은 외국인등록번호를 적습니다.
3. 상호(법인명): 개인사업자는 상호명, 법인은 법인 등기사항증명서상의 법인명을 적습니다.
4. 사업자등록번호: 「부가가치세법」에 따라 등록된 사업장의 등록번호를 적고, 사업자가 아닌 개인은 빈칸으로 둡니다.
5. 주소 또는 영업소
   - 개인: 주민등록표상의 주소를 원칙으로 하되, 주소가 사실상의 거주지와 다른 경우 거주지를 적을 수 있습니다.
   - 법인 또는 개인사업자: 법인은 주사무소 소재지, 개인사업자는 주된 사업장 소재지를 적습니다. 다만, 주사무소 또는 주된 사업장 소재지와 분사무소 또는 해당 사업장의 소재지가 다를 경우 분사무소 또는 해당 사업장의 소재지를 적을 수 있습니다.
6. 전자우편주소: 수신이 가능한 전자우편주소(E-mail 주소)를 적습니다.
7. 전화번호: 연락이 가능한 일반전화와 휴대전화번호를 적습니다.
8. 감면대상: 감면신청 대상 물건의 종류, 면적(수량) 및 소재지를 적습니다.
9. 감면세액: 감면대상이 되는 세목, 연도, 기분(期分), 과세표준액 등을 적습니다.
10. 감면구분: 100% 과세면제, 50% 세액경감 등 감면비율을 적습니다.
11. 당초 산출세액: 감면 적용 전의 산출세액을 적습니다.
12. 감면받으려는 세액: 감면을 받으려는 금액을 적습니다.
13. 감면 신청 사유: 감면 신청 사유를 적습니다.
14. 감면 근거규정: 감면 신청의 근거 법령 조문을 적습니다.
15. 관계 증명 서류: 관련된 증명 서류의 제출 목록을 적습니다.
16. 감면 안내 방법: 직접교부, 등기우편, 전자우편 중 하나를 선택합니다.

처 리 절 차

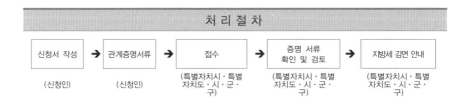

신청서 작성	→	관계증명서류	→	접수	→	증명 서류 확인 및 검토	→	지방세 감면 안내
(신청인)		(신청인)		(특별자치시·특별자치도·시·군·구)		(특별자치시·특별자치도·시·군·구)		(특별자치시·특별자치도·시·군·구)

제2장 과점주주 간주취득세

세금 계산보다 납세의무 여부를 확인하는
것이 우선입니다!

| 1 Page Summary |

구분	내용
과점주주 간주취득세 개념	취득자가 주식을 취득함으로써 ① 최초로 과점주주가 되거나(설립시 과점주주 제외) ② 과점주주로서의 지분율이 증가한 경우 과점주주가 주식발행법인의 취득세 과세물건을 새로이 취득한 것으로 간주하여 취득세를 과세하는 제도
과세 취지	과점주주가 되면 주식발행법인을 실질적으로 지배하므로, 주식발행법인이 보유한 취득세 과세물건을 직접 취득한 것과 그 경제적 실질이 동일함

	단계	주식발행법인			내용		
납세의무자 판단	1	설립여부 확인	설립 시 과점주주인 경우 과점주주 간주취득세 납세의무 없음				
	2	상장여부 확인	상장법인	구분	과점주주 간주취득세 납세의무		
				코스피 (유가증권시장)	납세의무 없음(과세대상 아님)		
				코스닥	납세의무 있음(단, 아래의 감면 적용)		
					~2018.12.31.	① 취득세 100% 감면 ② 감면분 농특세 20%	
					2019.1.1. ~2021.12.31.	① 취득세 85% 감면 ② 감면분 농특세 20%	
			비상장법인		납세의무 있음(전액 과세)		
	3	취득세 과세물건 확인	과점주주가 되거나 과점주주 지분율이 증가한 시점에 주식발행법인이 취득세 과세물건을 보유하고 있다면 과점주주 간주취득세 납세의무 있음				

구분		내용
4	과점주주 판단	주주와 그의 특수관계인 중 해당 주주와 특수관계(① 친족관계 ② 경제적 연관관계 ③ 경영지배관계)에 있는 자로서 그들의 소유주식의 합계가 해당 법인의 발행주식총수의 50%를 초과하면서 그에 관한 권리를 실질적으로 행사하는 자들 ① 친족관계(6촌 이내 혈족, 4촌 이내 인척, 배우자 등) ② 경제적 연관관계(임원, 생계유지자 등) ③ 경영지배관계(영리법인은 50%이상 출자, 비영리법인은 30% 이상 출연하는 등의 지배적인 영향력 행사자 등)

과세표준 및 세율	과세표준		세율
	주식발행법인이 보유한 취득세 과세물건의 가액 × 과점주주 지분율		2% (10%)

제출자료 (요청자료)	구분	제출서류
	취득세 신고서류	취득세 신고서(별지 3호 서식)
	취득세 계산내역	취득세 상세 계산내역 자료(엑셀시트 등)
	결산자료	① 과점주주가 된 시점의 가결산 재무제표 ② 취득세 과세물건 관련 결산명세서
	주식인수 자료	① 주식매매계약서 (Stock Purchase Agreement) ② 과점주주가 된 시점 전·후의 주주명부 ③ 그 외 과점주주가 된 거래를 입증하는 자료(통장사본 등)
	기타서류	① 사업자등록증 사본(취득자 및 주식발행법인) ② 법인등기부등본 사본(취득자 및 주식발행법인)

(1) 개념

법인의 주식을 취득함으로써 최초로 과점주주가 된 경우 및 과점주주로서의 지분율이 증가하는 경우에는 주식발행법인이 소유하고 있는 취득세 과세물건을 과점주주가 새로 취득한 것으로 보아(간주하여) 취득세를 부과하는 것이 과점주주 간주취득세 규정이다.

과점주주 간주취득세는 지방세법에서 가장 낯선 개념 중 하나라고 생각한다. 과점주주가 주식발행법인이 보유한 취득세 과세물건을 직접 취득하는 것이 아님에도 취득한 것으로 간주하여 과세하는 이유는 '과점주주는 그 지분율의 범위에서 해당 법인을 실질적으로 지배할 수 있다'라는 논리[42]에 따른 것이다. 즉, 주식발행법인의 과점주주가 되면 해당 법인이 보유한 취득세 과세물건을 직접 취득한 것과 그 경제적 실질이 동일하다고 보기 때문에 취득세를 과세한다.

(2) 납세의무자

과점주주 간주취득세 규정의 핵심은 주식을 취득한 자가 과점주주 간주취득세의 납세의무자에 해당하는지를 판단하는 것이다. 과점주주 간주취득세 납세의무자 해당 여부는 아래 1단계에서 4단계의 순서로 확인하는 것이 주식발행법인에 대한 자료접근 측면에서 효율적일 것이다.

| 과점주주 간주취득세 납세의무자 판단순서 |

단계	질문사항	확인 결과	과점주주 간주취득 납세의무
1단계	설립 시 과점주주인가?	YES	납세의무 없음(검토 종결)
		NO	→ 2단계로
2단계	주식발행법인은 상장되었는가?	YES (유가증권시장)	없음(검토 종결)
		YES (코스닥시장)	납세의무 있음 (단, 취득세 100%[43] 감면) → 3단계로
		NO (비상장법인)	납세의무 있음 → 3단계로

---

42) 과점주주 간주취득세 과세논리는 동일한 물건에 대한 이중과세 논란은 있음.

43) 2018년까지의 취득은 100% 감면, 2019년~2021년까지의 취득은 85% 감면(감면 최저한 규정 적용)

단계	질문사항	확인 결과	과점주주 간주취득 납세의무
3단계	주식발행법인이 보유한 취득세 과세물건이 있는가?	YES	→ 4단계로
		NO	납세의무는 있으나 과세표준이 없어 간주취득세 발생하지 않음(검토 종결)
4단계	주식 취득으로 과점주주가 되거나 과점주주로서의 지분율이 증가하였는가?	YES	납세의무가 있으며 간주취득세 발생
		NO	납세의무 없음(검토 종결)

[1단계] 주식발행법인의 설립 여부 확인

법인이 설립될 때 발행하는 주식을 취득하여 과점주주가 된 경우에는 과점주주 간주취득 규정을 적용받지 않는다. 주식발행법인의 설립 여부를 확인하는 것은 어렵지 않으므로 가장 처음에 확인하는 것이 효율적이다.

[2단계] 주식발행법인의 상장 여부 확인

과점주주 간주취득세 규정은 모든 주식발행법인에 적용되는 것은 아니다. 첫 번째, 주식발행법인이 유가증권시장(코스피) 상장법인이라면 과점주주 간주취득세 납세의무가 없다. 유가증권시장 상장법인은 이해관계자가 다수이기 때문에 과점주주에 해당할지라도 주식발행법인을 실질적으로 지배하는 것은 어렵다는 논리에 따라 주식 취득자에게 과점주주 간주취득세 규정을 적용하지 않는다.

두 번째, 주식발행법인이 코스닥시장 상장법인이라면 과점주주 간주취득세 납세의무가 있으나 지방세특례제한법에 따라 간주취득세가 100% 감면된다. 다만, 2019년부터 과점주주 간주취득에 대한 감면에 감면 최저한 규정이 적용되기 때문에 15%의 취득세는 부담한다.

세 번째, 주식발행법인이 비상장법인이라면 과점주주 간주취득세 납세의무가 있다. 비상장법인에 대해서는 취득세 감면이 적용되지 않아 과점주주 간주취득세를 전액 부담해야 한다.

| 과점주주 간주취득세 적용법인 |

구분			과점주주 간주취득세 납세의무	
상장 법인	코스피시장 (유가증권 시장)	×	납세의무 없음(과세대상 아님)	
	코스닥시장	○	취득시기	내용
			2018.12.31. 이전	① 취득세 100% 감면 ② 감면분 농어촌특별세 20% 부담
			2019.1.1.~ 2021.12.31.	① 취득세 85% 감면(감면 최저한) ② 감면분 농어촌특별세 20% 부담
비상장법인		○	전액 과세	

[3단계] 주식발행법인의 취득세 과세물건 보유 여부 확인

2단계까지 검토한 결과 설립시 과점주주가 아니며, 주식발행법인이 코스닥 상장법인이거나 비상장법인이라면 과점주주 간주취득세 납세의무가 있다. 다음 단계는 주식취득 시점에서 주식발행법인이 취득세 과세물건을 보유하고 있는지를 확인하는 것이다.

과점주주 간주취득세 과세표준은 주식발행법인이 보유하고 있는 취득세 과세물건의 가액이다. 따라서 주식발행법인이 취득세 과세물건을 보유하고 있다면 간주취득세가 발생할 것이다. 반면 주식발행법인이 취득세 과세물건을 보유하고 있지 않다면 간주취득세 납세의무는 있어도 실제 간주취득세는 발생하지 않는다. 과세표준이 0원이기 때문이다.

아래 4단계의 과점주주 해당 여부 판단보다 3단계인 취득세 과세물건 보유 여부 확인이 상대적으로 더 쉬우므로 3단계를 먼저 검토하는 것이 효율적이다.

주식발행법인의 취득세 과세물건 보유 여부는 주식발행법인의 재무제표 및 결산자료를 통하여 확인할 수 있다. 외부감사 대상법인이라면 금융감독원 전자공시시스템(dart.fss.or.kr)에 공시된 재무제표를 통하여 확인할 수 있다. 다만, 한국채택국제회계기준(K-IFRS)을 적용하는 주식발행법인이라면 재무제표가 포괄적으로 표시되어 공시된 재무제표로는 취득세 과세물건을 확인하는 것이 어려울 수 있다. 이런 경우 취득자는 주식발행법인에 상세 재무제표, 결산명세서, 계정별 원장 등을 요청하여 확인해야 한다.

[4단계] 과점주주 해당여부 판단

3단계까지의 검토 결과 과점주주 간주취득세 납세의무가 있다면 이제는 과점주주 해당 여부를 판단[44]해야 한다. 지방세법에 따른 과점주주는 다음과 같다.

| 과점주주 |

구분	내용
과점주주 정의	주주 또는 유한책임사원 1명과 그의 특수관계인 중 다음 중 어느 하나에 있는 관계에 있는 자로서 그들의 소유주식의 합계 또는 출자액의 합계가 해당 법인의 발행주식 총수 또는 출자총액의 50%를 초과하면서 그에 관한 권리를 실질적으로 행사하는 자들 ① 친족관계[*1] ② 경제적 연관관계[*2] ③ 경영지배관계[*3]
[*1] 친족관계	다음 중 어느 하나에 해당하는 관계 ① 6촌 이내의 혈족 ② 4촌 이내의 인척 ③ 배우자(사실상의 혼인관계에 있는 사람을 포함) ④ 친생자로서 다른 사람에게 친양자로 입양된 사람 및 그 배우자·직계비속

---

44) 1단계에서 3단계의 절차는 확인이라는 표현을 썼는데 그 이유는 단순히 사실을 확인하는 절차이기 때문임. 반면 4단계 과점주주 해당 여부는 취득자와 주식발행법인의 주주 구성 및 특수관계 여부에 근거하여 파악하여야 하므로 판단이라는 표현을 사용함.

구분	내용
[*2] 경제적 연관관계	다음 중 어느 하나에 해당하는 관계 ① 임원과 그 밖의 사용인 ② 본인의 금전이나 그 밖의 재산으로 생계를 유지하는 사람 ③ ① 또는 ②의 사람과 생계를 함께하는 친족

구분	본인	관계
[*3] 경영지배관계	개인	본인이 직접 또는 그와 친족관계 또는 경제적 연관관계에 있는 자를 통하여 법인의 경영에 대하여 지배적인 영향력을 행사하고 있는 경우 그 법인
	법인	① 개인 또는 법인이 직접 또는 그와 친족관계 또는 경제적 연관관계에 있는 자를 통하여 본인인 법인의 경영에 대하여 <u>지배적인 영향력</u>을 행사하고 있는 경우 그 개인 또는 법인 ② 본인이 직접 또는 그와 경제적 연관관계 또는 ①의 관계에 있는 자를 통하여 어느 법인의 경영에 대하여 <u>지배적인 영향력</u>을 행사하고 있는 경우 그 법인

[비고] 지배적인 영향력 판단기준

구분	내용
영리법인	① 법인 발행주식총수·출자총액의 50% 이상을 출자한 경우 ② 임원의 임면권의 행사, 사업방침의 결정 등 법인의 경영에 대하여 사실상 영향력을 행사하고 있다고 인정되는 경우
비영리법인	① 법인의 이사의 과반수를 차지하는 경우 ② 법인의 출연재산(설립을 위한 출연재산만 해당)의 30% 이상을 출연하고 그 중 1명이 설립자인 경우

과점주주의 유형은 크게 3가지가 있다.

1) 최초 과점주주(처음으로 과점주주가 된 경우)

주식을 취득하거나 증자 등으로 최초로 과점주주가 된 경우 최초로 과점주주가 된 날 현재 해당 과점주주가 소유하고 있는 주식발행법인의 주식을 모두 취득한 것으로 보아 과점주주 간주취득세를 과세한다.

2) 기존 과점주주(기존 과점주주가 주식을 추가 취득하여 지분율이 증가한 경우)

이미 과점주주가 된 주주가 주식을 추가 취득하여 과점주주로서의 지분율이 증가한 경우에는 그 증가분을 취득으로 보아 과점주주 간주취득세를 과세한다. 다만, 과점주주 지분율이 증가하였더라도 그 과점주주가 이전에 가지고 있던 과점주주 최고지분율 보다 증가하지 않았다면 과점주주 간주취득세를 과세하지 않는다.

예를 들어 기존에 70%의 지분율로 과점주주인 자가 20%를 추가 취득하여 90%의 지분을 보유하게 되었고 그 과점주주의 과거 최고지분율이 80%임을 가정한다면, 기존 과점주주 최고지분율 80%를 초과하는 10%를 취득으로 보아 과점주주 간주취득세를 과세한다. 만약 기존 70%의 지분율로 과점주주인 자가 10%를 추가취득하여 80%의 지분을 보유하게 된다면 그 과점주주의 과거 최고지분율 80%를 초과하지 않으므로 과점주주 간주취득세를 과세하지 않는다.

3) 재차 과점주주(과점주주를 벗어났다가 다시 과점주주가 된 경우)

기존 과점주주였던 자가 주식의 양도, 주식발행법인의 증자 등으로 과점주주에 해당하지 않았다가 주식을 추가 취득하여 다시 과점주주가 된다면 그 과점주주를 재차 과점주주라고 한다. 재차 과점주주에 대하여는 다시 과점주주가 된 당시의 과점주주 지분율이 그 이전에 과점주주가 된 당시의 과점주주 지분율보다 증가한 경우에만 그 증가분만을 취득으로 보아 과점주주 간주취득세를 과세한다.

예를 들어 기존에 70%의 지분율로 과점주주였던 자가 30% 지분율에 상당하는 주식을 양도하여 40%가 된 이후 다시 90%의 지분율로 과점주주가 되었다면, 기존 과점주주 지분율 70%를 초과하는 20%를 취득으로 보아 과점주주 간주취득세를 과세한다. 만약 60%의 지분율로 다시 과점주주가 된 경우에는 그 이전에 과점주주가 된 당시의 과점주주 지분율 70%를 초과하지 않으므로 과점주주 간주취득세를 과세하지 않는다.

| 과점주주별 간주취득세 |

구분	사실관계		간주취득세 과세대상 지분율	
	상황	지분율 변동		
1	법인설립 시 과점주주	0% → 70%	0%(과세제외)	[*1]
	설립 이후 최초 취득	0% → 70%	70%	
	설립 이후 추가 취득	40% → 70%	70%	[*2]
2	과점주주의 추가취득 (가정-기존 과점주주 최고지분율 : 80%)	70% → 90%	10%	[*3]
		70% → 80%	0%(과세제외)	[*4]
3	재차 과점주주 추가취득 (가정-이전에 과점주주가 된 지분율 : 70%)	70% → 40% → 90%	20%	[*5]
		70% → 40% → 60%	0%(과세제외)	[*6]
추가 설명	[*1]	설립 시 과점주주가 된 경우에는 간주취득세 과세대상 아님		
	[*2]	증가분 30%가 아닌 최초 과점주주 된 때의 전체 지분율 70%를 과세		
	[*3]	과점주주 지분율이 20% 증가했으나, 증가된 후의 지분율이 90%로서 기존 과점주주 최고 지분율 80%보다는 10% 증가하여 그 지분율 증가분 10%를 과세(= 90% - 80%)		
	[*4]	과점주주 지분율이 10% 증가했으나, 증가된 후의 지분율이 80%로서 기존 과점주주 최고 지분율 80%보다 증가하지 않았으므로 간주취득세를 과세하지 않음		
	[*5]	다시 과점주주가 된 지분율이 90%이고 그 이전에 과점주주가 된 지분율이 70%이므로 그 지분율 증가분 20%를 과세(= 90% - 70%)		
	[*6]	60%로 다시 과점주주가 되었으나, 그 이전에 과점주주가 된 지분율 70%보다는 증가하지 않았으므로 간주취득세를 과세하지 않음		

과점주주 규정 중 자주 언급되는 사항은 다음과 같다.

과점주주 간주취득세 규정에서 과점주주의 개념은 '집단'이다. A와 B가 법인 C를 각각 30%, 40% 보유하고 있고 A와 B가 특수관계에 있다고 가정한다. 이때 A와 B의 지분율 합계가 70%이므로, A와 B는 각각 법인 C의 과점주주에 해당된다.

①의 내용에 따라 과점주주 지분율 변동은 과점주주 집단 전체를 기준으로 판단한다. 따라서 B가 A에 10% 지분을 양도하는 등 과점주주 내부의 거래는 간주취득세 과세 대상이 아니다. 과점주주 집단의 지분율 변동에 영향을 미치지 않기 때문이다.

과점주주의 지분율 계산 시 의결권이 없는 주식은 제외한다. 과점주주 간주취득세는 '과점주주는 실질적으로 주식발행법인을 지배할 수 있다'라는 논리로 과세한다. 의결권이 없는 주식으로는 주식발행법인을 지배할 수 없으므로 과점주주 지분율 계산 대상에서 제외한다.

일반적으로 '주식 명의개서일'을 과점주주가 된 시점으로 본다. 과점주주가 된 시점을 확인하는 주요 이유는 그 시점을 기준으로 과점주주 간주취득세를 계산하기 때문이다.

(3) 과세표준

과점주주 간주취득세 과세표준은 주식발행법인이 보유한 취득세 과세물건의 가액에 과점주주 과세대상 지분율을 곱한 금액이다.

> 과점주주 간주취득세 과세표준
> = 주식발행법인이 보유한 취득세 과세물건의 가액 × 과점주주 과세대상 지분율

과점주주 간주취득세 과세표준을 계산할 때 고려할 주요 사항은 다음과 같다.

취득세 과세물건의 가액은 과점주주가 되는 시점 또는 과점주주로서의 지분율이 증가하는 시점에 주식발행법인이 소유하고 있는 취득세 과세물건의 총 가액이다. 따라서 과점주주가 된 시점 또는 지분율이 증가하는 시점 현재 주식발행법인이 취득세 과세물건을 보유하고 있지 않거나, 해당 시점 이후에 취득한 취득세 과세물건에 대해서는 과점주주 간주취득세를 과세하지 않는다.

주식발행법인이 연부취득 중인 취득세 과세물건은 연부 취득시기가 도래한 부분에 한하여 과점주주 간주취득세가 과세된다.

취득세 과세물건의 가액은 법인의 장부상 가액을 적용한다. 이때 건물, 차량 등 감가상각자산은 과점주주가 된 시점 또는 과점주주 지분율이 증가한 시점을 기준으로 계산한 감가상각누계액을 차감한 금액이다.

취득일 전에 부동산 등에 대해 기업회계기준 등에 따라 재평가를 한 경우에는 해당 재평가차액이 장부상 가액에 반영되어 있으므로 과점주주 간주취득세 과세표준에 포함한다. 다만, 취득일 현재 재평가 계획만 있고 재평가 가액이 결정되지 않은 경우에는 추후 재평가차액이 결정되더라도 소급하여 과세표준에 포함하지 않는다.

(4) 세율

과점주주 간주취득세의 세율은 2%의 단일세율이다. 다만, 사치성 재산 중과세가 적용되는 과세물건은 10%의 높은 세율을 적용한다.

과세물건	과점주주 간주취득세 부담세율			
	취득세	지방교육세	농어촌특별세	계
부동산 등 과세물건	2.0%	-	0.2%	2.2%
차량	2.0%	-	-	2.0%
사치성 재산 중과세 과세물건 (별장, 골프장, 고급주택, 고급오락장, 고급선박)	10.0%	-	1.0%	11.0%

김회계사의 Tip

◎ 과점주주 간주취득세의 납세지

취득세의 납세지는 과세물건 별로 다음과 같습니다. 단, 아래의 납세지가 분명하지 않은 경우에는 해당 취득물건의 소재지를 그 납세지로 합니다.

구분	납세지
부동산	부동산 소재지

차량	구분	납세지
	원칙	자동차관리법에 따른 등록지
	등록지≠사용본거지	사용본거지
	철도차량	철도차량의 청소, 유치, 조성, 검사, 수선 등을 주로 수행하는 철도차량기지의 소재지

구분	납세지
기계장비	건설기계관리법에 따른 등록지
항공기	항공기의 정치장 소재지

선박	구분	납세지
	원칙	선적항 소재지
	동력수상레저기구	동력수상레저기구 소재지
	선적항이 없는 선박	정계장 소재지 (정계장이 일정하지 않은 경우 선박 소유자 주소지)

구분	납세지
입목	입목 소재지
광업권	광구 소재지
어업권·양식업권	어장 소재지

회원권	구분	납세지
	골프회원권	골프장 소재지
	승마회원권	승마장 소재지
	콘도미니엄회원권	콘도미니엄 소재지
	종합체육시설 이용회원권	종합체육시설 소재지
	요트회원권	요트 보관소 소재지

주식발행법인이 취득세 과세물건 중 부동산, 기계장비를 보유하고 있다면 과점주주 간주취득세는 부동산 납세지인 부동산 소재지와 기계장비 납세지인 등록지에 각각 신고납부하여야 합니다. 이 때문에 과점주주 간주취득세

의 계산과정에서 간주취득의 대상이 되는 과세물건의 납세지를 고려하여 신고서와 납부서를 준비해야 합니다.

제가 처음으로 간주취득세 신고납부 업무를 의뢰받았을 때 이러한 규정을 고민하지 못하고 주식발행법인의 소재지에 간주취득세를 신고납부하러 갔다가 쓸쓸히 발길을 돌린 기억이 생생합니다. 여러분은 제가 이미 한 실수를 하지 마시길 바랍니다!

(5) 사례

1) 요청자료(확인자료)

과점주주 간주취득세를 신고납부하려면 일반적으로[45] 다음의 자료가 필요하다.

| 간주취득세 요청자료 |

구분	내용		
기본정보	① 주식 취득자의 기본정보		
	취득자	확인사항	필요자료
	법인	법인명, 법인등록번호, 사업자등록번호 등	법인등기부등본, 사업자등록증
	개인	이름, 주민등록번호	주민등록증(필요한 경우)
	② 주식발행법인의 기본정보(법인등기부등본, 사업자등록증)		
결산자료	① 과점주주가 된 시점의 가결산 재무제표 ② 취득세 과세물건의 결산명세서		
주식인수 자료	① 주식 취득을 증명하는 자료 (주식매매계약서 Stock Purchase Agreement 등) ② 주식 취득 시점 전후의 주주명부		

---

45) 취득자 및 주식발행법인의 사정, 지분율 증가의 사유 등에 따라 추가적인 자료가 필요할 수 있음.

위 요청자료의 내용을 고려한 다음의 예시를 통하여 과점주주 간주취득세 신고납부의 사례를 살펴본다.

[사실관계]

- ㈜구름(= 과점주주)은 2020.7.19.에 ㈜다리(= 주식발행법인)가 발행한 주식 70%를 ㈜이연으로부터 인수함
- ㈜구름의 기본정보는 다음과 같음
  - 소재지: 서울특별시 종로구 구름대로 99번길 구름빌딩 7층
  - 법인등록번호: 999999-9999999
  - 전화번호: 02-9999-9999
- ㈜다리의 취득세 과세물건은 다음과 같음(소재지: 경기도 안양시 만안구 다리대로 11번길)

㈜다리의 과세물건	장부가액(단위: 원)			비고
	취득가액	감가상각누계액 (2020.7.19.기준)	순장부가액	
토지	200,000,000	-	200,000,000	면적 40,000㎡
건물	400,000,000	150,000,000	250,000,000	면적 10,000㎡
차량운반구	30,000,000	10,000,000	20,000,000	차량번호 99미 9999
콘도회원권	50,000,000	-	50,000,000	법인회원용
계	680,000,000	160,000,000	520,000,000	

- ㈜이연의 기본정보는 다음과 같음
  - 소재지: 부산광역시 수영구 이연대로 99번길 이연빌딩 10층
  - 법인등록번호: 888888-8888888
  - 전화번호: 02-8888-8888

2) 간주취득세의 계산

취득자 및 과세물건에 따라 다소 차이는 있겠지만, 일반적으로 아래의 정보를 포함하여 과점주주 취득세를 계산하면 된다.

| 과점주주 취득세 계산내역 |

구분	회계상 가액(단위 : 원)			④ 지분율	과점주주 취득세(단위: 원)		
과세물건	취득가액 (①)	감가상각 누계액 (②)	③ 장부가액 (=①-②)		⑤ 과세표준 (=③x④)	⑥ 세율	과점주주 취득세 (=⑤x⑥)
토지	200,000,000	-	200,000,000	70%	140,000,000	2.2%	3,080,000
건물	400,000,000	150,000,000	250,000,000	70%	175,000,000	2.2%	3,850,000
차량운반구	30,000,000	10,000,000	20,000,000	70%	14,000,000	2.0%	280,000
콘도회원권	50,000,000	-	50,000,000	70%	35,000,000	2.2%	770,000
계	680,000,000	160,000,000	520,000,000		364,000,000		7,980,000

3) 취득세 신고자료 제출

위 2)와 같이 간주취득세 계산이 완료되었다면, 1)의 요청자료에 신고서와 계산내용을 포함한 다음의 자료를 가지고 관할 지방자치단체에 신고납부한다.

구분	내용
기본정보	① 주식 취득자의 기본정보 <table><tr><td>취득자</td><td>확인사항</td><td>필요자료</td></tr><tr><td>법인</td><td>법인명, 법인등록번호, 사업자등록번호 등</td><td>법인등기부등본, 사업자등록증</td></tr><tr><td>개인</td><td>이름, 주민등록번호</td><td>주민등록증(필요한 경우)</td></tr></table> ② 주식발행법인의 기본정보(법인등기부등본, 사업자등록증)
결산자료	① 과점주주가 된 시점의 가결산 재무제표 ② 취득세 과세물건의 결산명세서
주식인수 자료	① 주식 취득을 증명하는 자료(주식인수계약서Stock Purchase Agreement 등) ② 주식 취득 시점 전후의 주주명부
신고서	취득세 신고서(별지3호 서식)
계산내역	취득세 세부 계산내역 자료(엑셀시트 등)

㈜구름의 과점주주 간주취득세 신고
(취득일 : 2020년 7월 19일)

㈜구름은 ㈜다리의 주식 70%를 취득하여 과점주주 간주취득세 납세의무자가 되었습니다. 이에 따라 ㈜구름은 다음의 자료를 바탕으로 과점주주 간주취득세를 신고하고자 합니다.

[별첨1] 간주취득세 신고서

[별첨2] 취득세 계산내역

[별첨3] 주식회사 다리의 가결산 재무제표(2020년 7월 19일 기준)

[별첨4] 취득세 과세물건 명세서(2020년 7월 19일 기준)
      (1) 토지 명세서
      (2) 건물 명세서
      (3) 차량운반구 명세서
      (4) 콘도회원권 명세서

[별첨5] 주식인수계약서(SPA, Stock Purchase Agreement)

[별첨6] 주식회사 다리의 주주명부
      (1) 2020년 7월 18일 시점 주주명부(주식 인수 전)
      (2) 2020년 7월 19일 시점 주주명부(주식 인수 후)

[별첨7] 주식인수를 증명하는 출금통장 사본

[별첨8] ㈜구름과 ㈜다리의 사업자등록증 및 법인등기부등본

㈜구름
대표이사 김 구 름 (인)

안양시 만안구청장 귀하

취득세 ([v]기한 내 / [ ]기한 후]) 신고서

(앞쪽)

관리번호		접수 일자		처리기간 즉시	

신고인	취득자 (신고자)	성명(법인명) ㈜구름	주민등록번호(외국인등록번호, 법인등록번호) 999999-9999999
		주소 서울특별시 종로구 구름대로 99번길 구름빌딩 7층	전화번호 02-9999-9999
	전 소유자	성명(법인명) ㈜이연	주민등록번호(외국인등록번호, 법인등록번호) 888888-8888888
		주소 부산광역시 수영구 이연대로 99번길 이연빌딩 10층	전화번호 02-8888-8888
매도자와의 관계		□ 배우자 □ 직계존비속 ■ 기타	

취 득 물 건 내 역

소재지		경기도 안양시 만안구 구름대로 11번길					
취득물건	취득일	면적	종류(지목/차종)	용도	취득 원인	취득가액
토지	2020.7.19	40,000㎡	영업용	공장용	과점주주 간주취득	200,000,000
건물	2020.7.19	10,000㎡	영업용	공장용	과점주주 간주취득	400,000,000
차량운반구	2020.7.19		승용(99미9999)	영업용	과점주주 간주취득	30,000,000
콘도회원권	2020.7.19		법인	법인용	과점주주 간주취득	50,000,000

세목			과세표준액	세율	① 산출 세액	② 감면 세액	③ 기납부 세 액	가산세			신고세액 합 계 (①-②-③+④)
								신 고 불성실	납 부 불성실	계 ④	
합계			371,000,000		7,980,000						7,980,000
신고 세액	취득세		364,000,000	2%	7,280,000						7,280,000
	지방교육세										
	농어촌특별세	부과분	7,000,000	10%	700,000						700,000
		감면분									

「지방세법」 제20조 제1항, 제152조 제1항, 같은 법 시행령 제33조 제1항, 「농어촌특별세법」
제7조에 따라 위와 같이 신고합니다.

	접수(영수)일자
2020 년 08 월 14 일 신고인 대리인	(인)
㈜구름 대표이사 xxx (서명 또는 인) (서명 또는 인)	

안양시 만안구청장 귀하

첨부 서류	1. 매매계약서, 증여계약서, 부동산거래계약 신고필증 또는 법인 장부 등 취득가액 및 취득일 등을 증명할 수 있는 서류 사본 1부 2. 「지방세특례제한법 시행규칙」 별지 제1호 서식의 지방세 감면 신청서 1부 3. 별지 제4호 서식의 취득세 납부서 납세자 보관용 영수증 사본 1부 4. 별지 제8호 서식의 취득세 비과세 확인서 1부 5. 근로소득 원천징수영수증 또는 소득금액증명원 1부	수수료 없음

위임장

위의 신고인 본인은 위임받는 사람에게 취득세 신고에 관한 일체의 권리와 의무를 위임합니다.

위임자(신고인)   (서명 또는 인)

위임받는 사람	성명	위임자와의 관계
	주민등록번호	전화번호
	주소	

*위임장은 별도 서식을 사용할 수 있습니다.

- 자르는 선 -

접수증(취득세 신고서)

신고인(대리인)	취득물건 신고내용	접수 일자	접수번호
「지방세법」 제20조제1항, 제152조제1항, 같은 법 시행령 제33조제1항, 「농어촌특별세법」 제7 조에 따라 신고한 신고서의 접수증입니다.			접수자 (서명 또는 인)

210㎜×297㎜[백상지 80g/㎡(재활용품)]

작성방법

1. ▨▨▨▨▨▨▨ 란은 과세관청에서 적는 사항이므로 신고인은 적지 않습니다.
2. "기한 내 신고"란에는 취득일(잔금지급일 등)부터 60일 이내에 신고하는 경우에 표기[✓]하고, "기한 후 신고"란은 기한 내 신고기간이 경과한 후에 신고하는 경우에 표기[✓]합니다.
3. "신고인"란에는 납세의무자를 적고, "전 소유자"란에는 취득하는 과세대상인 부동산(토지·건축물), 차량, 기계장비, 입목, 항공기, 선박, 광업권, 어업권, 회원권의 전 소유자를 적습니다.
4. 매도자와의 관계는 반드시 적어야 하며, 사실과 달리 적은 경우에는 「지방세기본법」 제53조 등에 따라 가산세를 포함하여 추징될 수 있습니다.
5. "취득물건 내역"란에는 취득세·과세대상이 되는 물건의 내역 등을 적습니다.
   가. "소재지"란은 부동산(토지·건축물)은 토지·건축물의 소재지, 선박은 선적항, 골프회원권은 골프장 소재지, 차량(기계장비)은 등록지 등을 적습니다.
   나. "취득물건"란에는 취득세 과세대상이 되는 부동산(토지·건축물), 선박, 차량, 기계장비, 항공기, 어업권, 광업권, 골프회원권, 종합체육시설이용회원권 등을 물건별로 적습니다.
   다. "취득일자"란에는 잔금지급일(잔금지급일 전에 등기·등록 또는 사실상 사용하거나 사용·수익하는 경우에는 등기·등록일 또는 사용·수익일 등 「지방세법 시행령」 제20조에 따른 취득시기에 해당되는 취득일자를 말합니다) 등을 적습니다.
   라. "면적"란에는 부동산의 경우에는 ○○㎡(지분의 경우 ○○분의 ○)으로, 차량의 경우에는 ○○cc·적재정량으로, 선박의 경우에는 ○○톤으로, 어업권의 경우에는 어업권 설정 면적 등을 적습니다.
   마. "종류(차종)"란에는 부동산의 경우에는 주거용·영업용·주상복합용 등 사용형태를 적고, 차량(항공기)의 경우에는 차종(항공기 종류) 연식 및 차량번호(항공기는 제외합니다)를 적으며, 선박의 경우에는 선박종류 및 구조를 적고, 골프회원권의 경우에는 회원의 종류인 법인·개인 등을 적습니다.
   바. "용도"란에는 취득한 물건의 사용용도(주거용, 상업용, 공장용, 자가용, 영업용, 법인용, 개인용 등)를 적습니다.
   사. "취득원인"란에는 매매로 취득하여 소유권이 이전되는 경우에는 매매로, 상속 또는 증여의 경우에는 상속 또는 증여로 각각 적으며, 소유권 보존(신축 등)으로 인한 취득은 원시취득 등을 적습니다.
   아. "취득가액"란에는 취득당시의 가액을 말하는 것이므로 매매계약서 또는 취득에 소요된 사실상 비용(법인의 경우 장부가액 등) 등을 입증할 수 있는 서류에 의하여 확인되는 것과 일치해야 합니다.
      취득가액이 입증되는 매매계약서(부동산검인계약서 등)를 이중으로 작성하거나, 허위로 작성하여 취득가액을 허위·과소 신고하는 경우 불이익을 받을 수 있습니다.
6. "세율"란에는 「지방세법」 제11조, 제12조 및 제15조에 따른 세율을 적되, 「지방세법」 제13조 및 제13조의 2에 해당하는 경우에는 해당 중과세율을 적습니다.
7. "산출세액"란에는 취득가액에 세율을 곱하여 산출된 세액을 적습니다.
8. "감면세액"란에는 「지방세특례제한법」, 「조세특례제한법」 및 지방자치단체 감면조례에 따라 지방세가 감면되는 대상을 감면하여 해당되는 물건에 대하여 산출된 감면세액을 적습니다.
9. "기납부세액"란에는 동일한 과세물건에 대하여 취득가액의 변동, 경감취소 등으로 과소납부한 세액 또는 납부해야 할 세액을 기한 후 신고하는 경우 등으로서 이미 납부한 세액을 적습니다.
10. 취득세 중 "가산세"란에는 취득세신고기한까지 과세표준신고서를 제출하지 아니한 자가 기한 후 신고를 하는 경우에만 해당됩니다. 이 경우 신고불성실가산세는 50퍼센트 감면되는 신고불성실가산세[(①-②-③)×10퍼센트]를 적고, 납부불성실가산세는 취득일부터 60일이 경과한 날부터 납부일까지의 일자 수에 1일 100,000분의 25의 세율을 곱하여 산출한 세액을 적습니다.
    기한 후 신고에 따른 가산세의 감면신청은 가산세의 감면 등 신청서(「지방세기본법 시행규칙」 별지 제15호서식)를 제출해야 합니다.
11. "신고세액 합계"란에는 신고인이 납부해야 할 세액(①-②-③+④)을 적습니다.
12. "농어촌특별세신고세액"란에는 취득세와 동시에 신고·납부해야 하는 농어촌특별세를 말하는 것으로서 「농어촌특별세법」 제3조 및 제5조에 따라 산출한 세액을 적고, "지방교육세 신고세액"란에는 「지방세법」 제151조에 따라 산출한 세액을 적습니다.
13. 첨부 서류
    가. 「지방세특례제한법 시행규칙」 별지 제1호 서식의 지방세 감면 신청서는 취득세 감면을 받으려는 경우에 첨부합니다.
    나. 별지 제4호 서식의 취득세 납부서 납세자 보관용 영수증 사본은 기납부세액이 있는 경우에 첨부합니다.
    다. 별지 제8호 서식의 취득세 비과세 확인서는 비과세 또는 감면된 취득세가 있는 경우에 첨부합니다.
    라. 근로소득 원천징수영수증 또는 소득금액증명원은 세대 분리 등의 증명이 필요한 경우에 첨부합니다.
14. 신고인을 대리하여 취득신고를 하는 경우에는 반드시 위임장을 제출해야 합니다.
15. 신고인은 납세의무자를 말하며, 서명 또는 날인이 없는 경우에는 신고서는 무효가 되며, 대리인이 신고하는 경우에도 서명 또는 날인이 없거나 위임장이 없으면 무효가 됩니다.
16. 신고인은 반드시 접수증을 수령해야 하고, 접수증의 간인 및 접수자의 서명 또는 날인을 확인해야 합니다.
17. 주택을 무상 또는 유상거래로 취득하는 경우에는 주택 취득 상세명세서(부표)를 제출해야 합니다.

[별첨2] 취득세 계산내역 자료

구분	회계상 가액(단위 : 원)			④ 지분율	과점주주 취득세(단위: 원)		
과세물건	취득가액 (①)	감가상각 누계액(②)	③ 장부가액 (=①-②)		⑤ 과세표준 (=③x④)	⑥ 세율	과점주주 취득세 (=⑤x⑥)
토지	200,000,000	-	200,000,000	70%	140,000,000	2.2%	3,080,000
건물	400,000,000	150,000,000	250,000,000	70%	175,000,000	2.2%	3,850,000
차량운반구	30,000,000	10,000,000	20,000,000	70%	14,000,000	2.0%	280,000
콘도회원권	50,000,000	-	50,000,000	70%	35,000,000	2.2%	770,000
계	680,000,000	160,000,000	520,000,000		364,000,000	-	7,980,000

[별첨3] 주식발행법인 가결산 재무제표(2020년 7월 19일 기준)

재무상태표

제05기 2020년 07월 19일 현재
제04기 2019년 12월 31일 현재

주식회사 다리

구분	제05(당)기 - 가결산		제04(전)기	
자산				
1. 유동자산				
(중략)				
2. 비유동자산		520,000,000		534,000,000
(중략)				
(2) 유형자산		470,000,000		484,000,000
토지	200,000,000		200,000,000	
건물	400,000,000		400,000,000	
감가상각누계액	(150,000,000)		(140,000,000)	
차량운반구	30,000,000		30,000,000	
감가상각누계액	(10,000,000)		(6,000,000)	
(3) 무형자산		50,000,000		50,000,000
콘도회원권	50,000,000		50,000,000	
(중략)				

[별첨4] 취득세 과세물건 명세서(2020년 7월 19일 기준)

(1) 토지 명세서

토지 구분	취득가액	비고
안양시 만안구 안양동 토지	150,000,000	취득일: 2014년 12월 29일
안양시 동안구 관양동 토지	50,000,000	취득일: 2018년 09월 14일
계	200,000,000	

(2) 건물 명세서

건물 구분	취득가액	감가상각누계액	장부가액	비고
건물 A	300,000,000	(80,000,000)	220,000,000	취득일: 2010년 05월 08일
건물 B	100,000,000	(70,000,000)	30,000,000	취득일: 1992년 07월 19일
계	400,000,000	(150,000,000)	250,000,000	

(3) 차량운반구 명세서

건물 구분	취득가액	감가상각누계액	장부가액	비고
차량 A	20,000,000	(8,000,000)	12,000,000	취득일: 2018년 07월 01일
차량 B	10,000,000	(2,000,000)	8,000,000	취득일: 2019년 07월 01일
계	30,000,000	(10,000,000)	20,000,000	

(4) 콘도회원권 명세서

회원권 구분	취득가액	비고
A콘도 회원권	40,000,000	취득일: 2019년 01월 04일
B콘도 회원권	10,000,000	취득일: 2018년 03월 31일
계	50,000,000	

[별첨5] 주식인수계약서(SPA, Stock Purchase Agreement)

주식인수계약서(예시)

본 주식매매계약(이하 "본 계약")은 2020년 7월 19일(이하 "본 계약 체결일") 아래 당사자들 사이에서 체결되었다.

1. 서울특별시 종로구 구름대로 99번길 구름빌딩 7층에 등기된 본점을 두고 있는 ㈜구름(이하 "매수인")
2. 부산광역시 수영구 이연대로 99번길 이연빌딩 10층에 등기된 본점을 두고 있는 ㈜이연(이하 "매도인")

전문

1. 주식회사 다리(이하 "대상회사")는 경기도 안양시 만안구 다리대로 11번길에 본점을 둔 상법상 주식회사이며, 고분자 화학제품의 제조 및 판매업을 주된 사업으로 영위하고 있다.
2. 본 계약 체결일 현재 매도인은 대상회사 발행의 기명식 보통주식 140,000주(대상회사 발행주식총수의 70%)를 소유하고 있다.
3. 이에 본 계약에서 정한 조건에 따라, 매도인은 매도인이 보유한 대상 주식을 매수인에게 매도하고자 하고, 매수인은 매도인으로부터 대상 주식을 매수하고자 한다.

(중략)

제1조. 대상 주식의 매매

본 계약에서 정하는 조건에 따라, 매도인은 매수인에게 대상 주식을 매도하고, 매수인은 매도인으로부터 대상 주식을 매수하기로 한다. (이하 "본건 거래")

제2조. 매매대금

매수인은 본 계약 체결일의 익영업일(이하 "거래종결일")에 금 10억원을 매도인이 지정한 매도인 명의의 은행계좌에 즉시 결제 가능한 원화로 지급하여야 한다.

(중략)

[별첨6] 주주명부

(1) 2020년 7월 18일 시점 주주명부(주식 인수 전)

㈜다리

주주명부

번호	주주명	주식수	지분율
1	㈜이연	140,000	70%
2	㈜연이	60,000	30%
	계	200,000	100%

1주당 액면가는 5,000원

본 회사의 주주명부가 상기와 같음을 확인합니다.

2020년 7월 18일

㈜다리

경기도 안양시 만안구 다리대로 11번길

대표이사 정다리 (인)

(2) 2020년 7월 19일 시점 주주명부(주식 인수 후)

주식회사 다리

주주명부

번호	주주명	주식수	지분율
1	㈜구름	140,000	70%
2	㈜연이	60,000	30%
	계	200,000	100%

1주당 액면가는 5,000원

본 회사의 주주명부가 상기와 같음을 확인합니다.

2020년 7월 19일

㈜다리

경기도 안양시 만안구 다리대로 11번길

대표이사 정다리 (인)

[별첨7] 주식인수를 증명하는 출금통장 사본

→ 주식인수대금의 출금을 확인할 수 있는 통장사본을 첨부한다.

[별첨8] 주식회사 구름과 주식회사 다리의 사업자등록증 및 법인등기부등본

→ 취득자와 주식발행법인을 증명할 수 있는 사업자등록증, 법인등기부등본을 첨부한다.

제**3**장 합병과 분할의 취득세

적격합병과 적격분할에도 취득세가
발생할 수 있습니다!

| 1 Page Summary |

1. 법인세법

구분	합병	인적분할	물적분할
개념	합병법인이 피합병법인의 모든 권리·의무를 포괄적으로 승계 (합병 후 피합병법인은 소멸)	수평적 분할 (분할법인의 주주가 분할법인과 분할신설법인을 수평적으로 보유)	수직적 분할 (분할법인이 분할신설법인을 수직적으로 보유)
적격요건	① 사업관련성 (1년 이상) ② 지분연속성 (80% 이상) ③ 사업계속성 ④ 고용승계 (80% 유지)	① 사업관련성 (5년 이상) ② 지분연속성 (100% 이상) ③ 사업계속성 ④ 고용승계 (80% 유지)	① 사업관련성 (5년 이상) ② 지분연속성 (100% 이상) ③ 사업계속성 ④ 고용승계 (80% 유지)
추징사유	① 피합병법인 지배주주가 합병교부주식 50% 이상 처분 ② 합병승계자산 50% 이상 처분 또는 미사용 ③ 합병법인 근로자 비율 80% 미만으로 하락	① 분할법인 지배주주가 분할교부주식 50% 이상 처분 ② 분할승계자산 50% 이상 처분 또는 미사용 ③ 분할신설법인 근로자 비율 80% 미만으로 하락	① 분할법인이 분할교부주식 50% 이상 처분 ② 분할승계자산 50% 이상 처분 또는 미사용 ③ 분할신설법인 근로자 비율 80% 미만으로 하락

2. 취득세

구분			2015년	2016년	2017년	2018년	2019년 이후
합병	과세표준	적격	지방세법상 시가표준액(무상승계취득)				
		비적격					
	취득세율	적격	1.5%				
		비적격	1.5%	3.5%			
	감면율	적격	100%	85%(감면 최저한 규정)			50% (60%)
		비적격	100%	감면없음			감면없음
인적 분할	과세표준	적격	지방세법상 시가표준액(무상승계취득)				
		비적격	장부가액(유상승계취득)				
	취득세율	적격	3.5%				
		비적격	4.0%				
	감면율	적격	100%	85%(감면 최저한 규정)			75%
		비적격	100%	감면없음			감면없음
물적 분할	과세표준	적격	장부가액(유상승계취득)				
		비적격					
	취득세율	적격	4.0%				
		비적격					
	감면율	적격	100%	85%(감면 최저한 규정)			75%
		비적격	100%	감면없음			감면없음

 기업은 시너지 창출, 사업 부문 전문화, 의사결정의 신속성 등의 경영목적
을 달성하기 위해서 합병과 분할을 활용한다. 기업이 합병 또는 분할을 진
행하면 법률, 노무, 회계, 세무 등 다양한 분야를 검토하게 된다.

 세무 분야의 주요 검토대상은 법인세 등 국세와 취득세 등 지방세이다.
국세에서는 법인세법에 따른 적격합병과 적격분할의 개념이 가장 중요하다.

적격합병요건 또는 적격분할요건을 충족하는 경우 세금을 줄여주거나 과세를 이연해주기 때문이다. 적격요건을 충족하지 못하면 당초 계획했던 합병과 분할을 실행할 수 없을 정도로 많은 세금이 부과될 수도 있다.

지방세에서는 취득세가 가장 중요하다. 피합병법인으로부터 자산을 취득하는 합병법인이, 분할법인으로부터 자산을 승계받는 분할신설법인이 각각 합병과 분할에 따른 취득세를 부담해야 하기 때문이다.

법인세법에 따른 적격합병과 적격분할의 개념은 취득세에도 영향을 미친다. 적격합병 및 적격분할 여부에 따라 취득세율의 적용과 취득세 감면 여부가 결정되기 때문이다. 따라서 합병과 분할에 따른 취득세를 이해하기에 앞서 법인세법에 따른 합병과 분할의 개념을 간략히 살펴보도록 한다.

(1) 합병의 이해

합병은 2 이상의 회사가 법적으로 하나의 회사가 되는 것을 말한다. 합병은 흡수합병과 신설합병이 있다. 흡수합병은 합병법인이 피합병법인의 모든 권리와 의무를 포괄적으로 승계하여 합병 후에도 존속하는 형태의 합병이다. 신설합병은 기존의 법인이 모두 소멸하고 새로운 하나의 법인이 신설되는 합병이다.

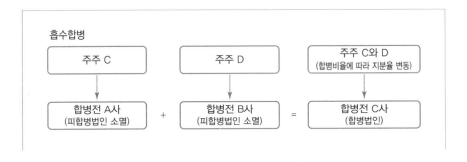

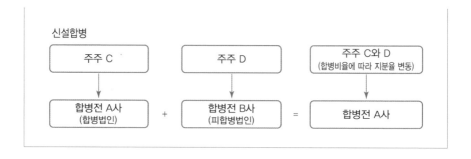

신설합병

주주 C

주주 D

주주 C와 D
(합병비율에 따라 지분율 변동)

합병전 A사
(합병법인)

+

합병전 B사
(피합병법인)

=

합병전 A사

1) 적격합병요건

적격합병요건을 충족하는 합병은 형식적인 조직개편에 불과하다는 논리에 따라 법인세 과세이연 등 세금혜택을 제공한다. 법인세법에서는 아래의 4가지 요건을 모두 충족하는 합병을 적격합병이라고 한다.

| 적격합병 요건 |

	요건	내용(법인세법 제44조 제2항)
1	사업 관련성	합병등기일 현재 1년 이상 사업을 계속하던 내국법인 간의 합병일 것
2	지분 연속성	아래 3가지 요건을 모두 충족할 것 ① 피합병법인의 주주 등이 합병으로 인하여 받은 합병대가의 총합계액 중 합병법인의 주식 등의 가액이 80% 이상일 것 ② 피합병법인 주주 등에 일정 가액 이상의 주식을 배정할 것 (피합병법인의 주주 등이 지급받은 합병교부주식 총합계액 × 각 해당 주주 등의 피합병법인에 대한 지분비율) ③ 피합병법인의 지배주주 등이 합병등기일이 속하는 사업연도의 종료일까지 그 주식 등을 보유할 것
3	사업 계속성	합병법인이 합병등기일이 속하는 사업연도의 종료일까지 피합병법인으로부터 승계받은 사업을 계속할 것
4	고용승계	합병등기일 1개월 전 당시 피합병법인에 종사하는 법소정 근로자 중 합병법인이 승계한 근로자의 비율이 80% 이상이고, 합병등기일이 속하는 사업연도의 종료일까지 그 비율을 유지할 것

2) 적격합병의 추징 사유 및 부득이한 사유

법인세법에서는 적격합병 이후 3년의 범위 이내에 특정한 사유가 발생하면 적격합병에 따른 법인세 세금혜택을 추징한다. 다만, 부득이한 사유가 있다면 추징하지 않는다.

	추징 사유 (법인세법 제44조의 3 제3항)	부득이한 사유 (법인세법시행령 제 80조의 4 제7항)
1	[사업계속성 요건 위반] 피합병법인으로부터 승계한 자산가액의 50% 이상을 처분 또는 사업에 미사용	합병법인이 아래 사유로 승계받은 자산을 처분 또는 사업을 폐지하는 경우 ① 합병법인의 파산 ② 적격합병·적격인적/물적분할·적격현물출자 ③ 기업개선계획의 이행을 위한 약정·특별약정 ④ 회생절자에 따른 법원의 허가
2	[지분연속성 요건 위반] 피합병법인의 지배주주 등이 합병법인으로부터 받은 주식을 처분	피합병법인 지배주주 등이 아래 사유로 합병으로 교부받은 주식을 처분하는 경우 ① 합병교부주식의 50% 미만을 처분 ② 피합병법인 지배주주등의 사망 또는 파산 ③ 적격합병·적격인적/물적분할·적격현물출자 ④ 주식 현물출자 또는 교환·이전하고 과세를 이연 받으면서 주식 등을 처분 ⑤ 회생절차에 따른 법원의 허가 ⑥ 기업개선계획의 이행을 위한 약정·특별약정 ⑦ 법령상 의무를 이행
3	[고용승계 요건 위반] 각사업연도종료일 현재 합병법인에 종사하는 근로자 수가 합병등기일 1개월 전 당시 피합병법인과 합병법인에 각각 종사하는 근로자	합병법인이 아래 사유로 근로자 비율을 유지하지 못한 경우 ① 회생계획 이행 ② 합병법인의 파산 ③ 적격합병·적격인적/물적분할·적격현물출자

추징 사유 (법인세법 제44조의 3 제3항)	부득이한 사유 (법인세법시행령 제 80조의 4 제7항)
수의 80% 미만으로 하락	합병등기일 1개월 전 당시 피합병법인에 종사하는 근로자가 5명 미만인 경우(소규모 법인의 적용 제외 규정)

적격합병요건과 적격합병의 추징 사유 및 추징이 제외되는 부득이한 사유를 종합하면 다음과 같다.

	적격합병 요건	추징사유	부득이한 사유(추징제외)
1	[사업관련성 요건] 합병 전 1년 이상 사업 영위	해당없음	해당없음
2	[지분연속성 요건] 80% 이상 주식 교부·보유	(피합병법인 지배주주 등) 합병법인으로부터 받은 주식 처분	피합병법인 지배주주 등이 아래 사유로 주식을 처분 • 합병교부주식 50% 미만 처분 • 사망 또는 파산 • 적격합병·분할 등 • 현물출자 등 과세이연 • 회생절차 • 기업개선계획 이행 • 법령상 의무이행
3	[사업계속성 요건] 승계한 사업의 계속적 영위	(합병법인) 승계자산가액의 50% 이상 처분·미사용	합병법인이 아래 사유로 자산을 처분 또는 미사용 • 파산 • 적격합병·분할 등 • 기업개선계획 이행 • 법원이 인가한 회생절차
4	[고용승계 요건] 80% 이상 근로자 비율 유지	(합병법인) 근로자 비율 80% 미만	합병법인 근로자 비율이 아래 사유로 하락 • 회생계획 이행 • 파산 • 적격합병·분할 등

(2) 인적분할의 이해

분할은 인적분할과 물적분할로 구분할 수 있다. 인적분할은 분할법인의 주주가 분할 후 분할법인 및 분할신설법인의 주주가 되는 형태(수평적 분할)의 분할이다. 물적분할은 분할법인 주주의 변동없이 분할법인이 분할신설법인의 주주가 되는 형태(수직적 분할)의 분할이다. 인적분할부터 살펴본다.

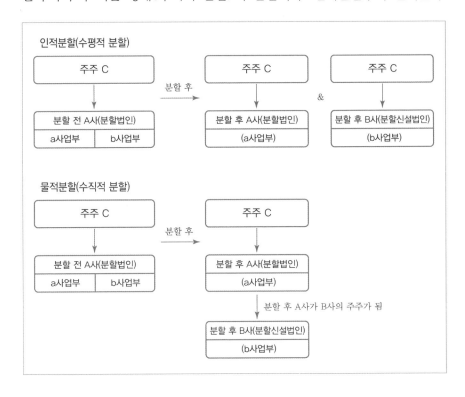

1) 적격인적분할요건

적격인적분할요건은 적격합병요건과 그 구조가 유사하다.

| 적격인적분할요건 |

요건		내용 (법인세법 제46조 제2항)	
1	사업 관련성	분할등기일 현재 5년 이상 사업을 계속하던 내국법인이 아래 ①에서 ③의 요건을 모두 갖추어 분할할 것	
		① 독립된 사업요건	분리하여 사업이 가능한 독립된 사업부문을 분할
		② 포괄승계 요건	분할하는 사업부문의 자산 및 부채를 포괄적으로 승계(공용자산, 채무자 변경이 불가능한 부채 등 분할하기 어려운 자산과 부채 등은 제외)
		③ 단독출자 요건	분할법인등만의 출자에 의하여 분할
2	지분 연속성	아래 3가지 요건을 모두 충족할 것 ① 분할법인 등의 주주가 분할신설법인 등으로부터 받은 분할대가의 100%(분할합병은 80%)가 주식일 것 ② 분할법인 등의 주주가 소유하던 주식의 비율에 따라 배정될 것(분할법인 등의 주주 등이 지급받은 분할신설법인등의 주식의 가액의 총합계액 × 각 주주의 분할법인등에 대한 지분비율) ③ 분할법인 등의 지배주주 등이 분할등기일이 속하는 사업연도의 종료일까지 그 주식을 보유할 것	
3	사업 계속성	분할신설법인 등이 분할등기일이 속하는 사업연도의 종료일까지 분할법인 등으로부터 승계받은 사업을 계속할 것	
4	고용 승계	분할등기일 1개월 전 당시 분할하는 사업부문에 종사하는 법소정 근로자 중 분할신설법인등이 승계한 근로자의 비율이 80% 이상이고, 분할등기일이 속하는 사업연도의 종료일까지 그 비율을 유지할 것	

2) 적격인적분할의 추징 사유 및 부득이한 사유

적격인적분할의 추징 사유와 부득이한 사유는 적격합병과 비슷한 구조이다. 적격인적분할 이후 3년의 범위 이내에 특정한 사유가 발생하면 적격인적분할에 따른 법인세 세금혜택을 추징한다. 다만, 부득이한 사유가 있다면 추징하지 않는다.

추징사유 (법인세법 제46조의 3 제3항)	부득이한 사유 (법인세법시행령 제 82조의 4 제6항)
1	[사업계속성 요건 위반] 분할신설법인등이 분할법인으로부터 승계한 자산가액의 50% 이상을 처분 또는 사업에 미사용	분할신설법인 등이 아래 사유로 승계받은 자산을 처분 또는 사업을 폐지하는 경우 ① 분할신설법인 등의 파산 ② 적격합병·적격인적/물적분할·적격현물출자 ③ 기업개선계획의 이행을 위한 약정·특별약정 ④ 회생절차에 따른 법원의 허가
2	[지분연속성 요건 위반] 분할법인 지배주주등이 분할신설법인으로부터 받은 주식을 처분	분할법인의 지배주주 등이 아래 사유로 분할로 교부받은 주식을 처분하는 경우 ① 분할교부주식의 50% 미만을 처분 ② 분할법인 지배주주 등의 사망 또는 파산 ③ 적격합병·적격인적/물적분할·적격현물출자 ④ 주식 현물출자 또는 교환·이전하고 과세를 이연 받으면서 주식 등을 처분 ⑤ 회생절차에 따른 법원의 허가 ⑥ 기업개선계획의 이행을 위한 약정·특별약정 ⑦ 법령상 의무를 이행
3	[고용승계 요건 위반] 각사업연도종료일 현재 분할신설법인에 종사하는 근로자 수가 분할등기일 1개월 전 당시 분할하는 사업부문에 종사하는 근로자 수의 80% 미	분할신설법인 등이 아래 사유로 근로자 비율을 유지하지 못한 경우 ① 회생계획 이행 ② 합병법인의 파산 ③ 적격합병·적격인적/물적분할·적격현물출자

추징사유 (법인세법 제46조의 3 제3항)	부득이한 사유 (법인세법시행령 제 82조의 4 제6항)
만으로 하락	분할등기일 1개월 전 당시 분할하는 사업부 문에 종사하는 근로자가 5명 미만인 경우(소 규모 법인의 적용 제외 규정)

적격인적분할요건과 적격인적분할의 추징 사유 및 추징이 제외되는 부득
이한 사유를 종합하면 다음과 같다.

	적격인적분할 요건	추징사유	부득이한 사유(추징제외)
1	[사업관련성 요건] 분할 전 5년 이상 계속 사업한 내국법인이 ① 독립된 사업요건 ② 포 괄승계요건 ③ 단독출 자요건을 모두 갖추어 분할	해당없음	해당없음
2	[지분연속성 요건] 100% 주식 교부·보유	(분할법인 지배주주 등) 분할신설법인으로부 터 받은 주식 처분	분할법인 지배주주 등이 아 래 사유로 주식을 처분 • 분할교부주식 50% 미만 처분 • 사망 또는 파산 • 적격합병·분할 등 • 현물출자 등 과세이연 • 회생절차 • 기업개선계획 이행 • 법령상 의무이행
3	[사업계속성 요건] 승계한 사업의 계속적 영위	(분할신설법인) 승계자산가액의 50% 이상 처분·미사용	분할신설법인등이 아래 사 유로 승계자산을 처분 또는 미사용 • 파산 • 적격합병·분할 등 • 기업개선계획 이행 • 법원인가된 회생절차

	적격인적분할 요건	추징사유	부득이한 사유(추징제외)
4	[고용승계 요건] 80% 이상 근로자 비율 유지	(분할신설법인) 근로자 비율 80% 미만	분할신설법인 근로자 비율이 아래 사유로 하락 • 회생계획 이행 • 파산 • 적격합병·분할 등

(3) 물적분할의 이해

1) 적격물적분할요건

적격물적분할요건은 적격인적분할요건과 유사하나 '2. 지분 연속성' 요건에서 다소 차이가 있다. 물적분할은 분할법인이 분할신설법인의 주주가 되는 수직적 분할이므로 분할법인이 분할대가의 100%를 주식으로 받아야 한다. 인적분할은 분할법인의 주주가 분할신설법인의 주주도 되는 수평적 분할이므로 분할법인의 주주가 분할대가의 100%를 주식으로 받아야 한다. 그 외의 요건은 큰 차이가 없다.

	요건	내용 (법인세법 제47조 및 제46조 제2항)		
1	사업 관련성	분할등기일 현재 5년 이상 사업을 계속하던 내국법인이 아래 ①에서 ③의 요건을 모두 갖추어 분할하는 경우		
		①	독립된 사업요건	분리하여 사업이 가능한 독립된 사업부문을 분할
		②	포괄승계 요건	분할하는 사업부문의 자산 및 부채를 포괄적으로 승계(공용자산, 채무자 변경이 불가능한 부채 등 분할하기 어려운 자산과 부채 등은 제외)
		③	단독출자 요건	분할법인등 만의 출자에 의하여 분할
2	지분 연속성	① 분할법인이 분할신설법인등으로부터 받은 분할대가의 100%(분할합병은 80%)가 주식일 것 ② 분할법인이 분할등기일이 속하는 사업연도 종료일까지 그 주식을 보유할 것		

요건		내용 (법인세법 제47조 및 제46조 제2항)
3	사업 계속성	분할신설법인 등이 분할등기일이 속하는 사업연도의 종료일까지 분할법인 등으로부터 승계받은 사업을 계속할 것
4	고용 승계	분할등기일 1개월 전 당시 분할하는 사업부문에 종사하는 법 소정 근로자 중 분할신설법인 등이 승계한 근로자의 비율이 80% 이상이고, 분할등기일이 속하는 사업연도의 종료일까지 그 비율을 유지할 것

2) 적격물적분할의 추징 및 부득이한 사유

적격물적분할의 추징 사유와 부득이한 사유는 적격합병 및 적격인적분할과 비슷한 구조이다. 적격물적분할 이후 3년의 범위 이내에 특정한 사유가 발생하면 적격물적분할에 따른 법인세 세금혜택을 추징한다. 다만, 부득이한 사유가 있다면 추징하지 않는다.

추징사유 (법인세법 제46조의 3 제3항)	부득이한 사유 (법인세법시행령 제82조의 4 제6항)
1	[사업계속성 요건 위반] 분할신설법인이 분할법인으로부터 승계한 자산가액의 50% 이상을 처분 또는 사업에 미사용	분할신설법인이 아래 사유로 승계받은 자산을 처분 또는 사업을 폐지하는 경우 ① 분할신설법인등의 파산 ② 적격합병·적격인적/물적분할·적격현물출자 ③ 기업개선계획의 이행을 위한 약정·특별약정 ④ 회생절차에 따른 법원의 허가
2	[지분연속성 요건 위반] 분할법인이 분할신설법인으로부터 받은 주식을 처분	분할법인이 아래 사유로 분할로 교부받은 주식을 처분하는 경우 ① 분할교부주식의 50% 미만을 처분 ② 분할법인 지배주주등의 사망 또는 파산 ③ 적격합병·적격인적/물적분할·적격현물출자 ④ 주식 현물출자 또는 교환·이전하고 과세를 이연받으면서 주식 등을 처분

추징사유 (법인세법 제46조의 3 제3항)	부득이한 사유 (법인세법시행령 제82조의 4 제6항)
	⑤ 회생절차에 따른 법원의 허가 ⑥ 기업개선계획의 이행을 위한 약정 · 특별 약정 ⑦ 법령상 의무를 이행
3 [고용승계 요건 위반] 각사업연도종료일 현재 분할 신설법인에 종사하는 근로자 수가 분할등기일 1개월 전 당 시 분할하는 사업부문에 종 사하는 근로자 수의 80% 미 만으로 하락	분할신설법인이 아래 사유로 근로자 비율을 유지하지 못한 경우 ① 회생계획 이행 ② 합병법인의 파산 ③ 적격합병 · 적격인적/물적분할 · 적격현물 출자
	분할등기일 1개월 전 당시 분할하는 사업부 문에 종사하는 근로자가 5명 미만인 경우(소 규모 법인의 적용 제외 규정)

적격물적분할요건과 적격물적분할의 추징 사유 및 추징이 제외되는 부득
이한 사유를 종합하면 다음과 같다.

	적격물적분할 요건	추징사유	부득이한 사유(추징제외)
1	[사업관련성 요건] 분할 전 5년 이상 계속 사업한 내국법인이 ① 독립된 사업요건 ② 포 괄승계요건 ③ 단독출 자요건을 모두 갖추어 분할	해당없음	해당없음
2	[지분연속성 요건] 100% 주식 교부 · 보유	(분할법인) 분할신설법인으로부 터 받은 주식 처분	분할법인이 아래 사유로 주 식을 처분 • 분할교부주식 50% 미만 처분 • 사망 또는 파산 • 적격합병 · 분할 등

적격물적분할 요건	추징사유	부득이한 사유(추징제외)
		• 현물출자 등 과세이연 • 회생절차 • 기업개선계획 이행 • 법령상 의무이행
3 [사업계속성 요건] 승계한 사업의 계속적 영위	(분할신설법인) 승계자산가액의 50% 이상 처분·미사용	분할신설법인이 아래 사유로 승계자산을 처분·미사용 • 파산 • 적격합병·분할 등 • 기업개선계획 이행 • 법원인가된 회생절차
4 [고용승계 요건] 80% 이상 근로자 비율 유지	(분할신설법인) 근로자 비율 80% 미만	분할신설법인 근로자 비율 이 아래 사유로 하락 • 회생계획 이행 • 파산 • 적격합병·분할 등

(4) 합병의 취득세

1) 과세표준

지방세법은 합병으로 인한 취득을 무상승계 취득으로 해석하고 있다. 합병은 합병법인이 피합병법인의 부동산 등을 취득하고 피합병법인의 주주에게 합병주식을 주는 것이다. 이때 합병법인이 피합병법인에 합병주식을 주는 것은 피합병법인의 취득에 따른 대가를 지급하는 것이 아니라 피합병법인의 기존 주주가 합병법인의 주주로 지위가 변경되는 것에 불과하다는 것이 해석의 이유다.[46]

합병에 따른 취득은 무상승계 취득이므로 그 과세표준은 법인의 장부가액 등이 아니라 지방세법에 따른 시가표준액을 적용한다.

---

46) 지방세심사99-229, 1999.3.31.에서 발췌

2) 세율

가. 취득세

2015.12.31.까지의 합병에 따른 취득은 취득세 표준세율(무상승계취득 3.5%)에서 중과기준세율(2%)을 차감한 1.5%의 세율(특례세율 1)로 과세하였다. 또한 이때는 법인세법의 적격합병 규정이 지방세법에 도입되지 않아 모든 합병에 대하여 1.5% 세율을 적용했다.

2016년 지방세법 개정으로 법인세법의 적격합병 규정을 지방세법에 도입하였다. 2016.1.1. 이후의 합병부터 적격합병은 기존대로 1.5% 특례세율 1을 적용하고, 비적격합병은 무상승계취득의 표준세율인 3.5% 세율을 적용한다.

다만, 합병등기일로부터 3년 이내의 범위에 법인세법에 따른 적격합병 추징 사유가 발생하면 적격합병에 따른 취득세율 혜택(2% = 3.5% - 1.5%)을 추징한다. 또한 합병 후 5년 이내에 합병으로 취득한 과세물건이 중과세율 규정에 해당하면 적격합병에 따른 취득세율 혜택(= 중과세율 - 1.5%)을 추징한다.

나. 지방교육세

지방교육세는 합병과 관련된 별도의 규정이 없다. 따라서 일반적인 취득에 따른 과세표준과 세율을 적용한다. 단, 적격합병으로 취득세를 감면받는 경우 해당 감면율을 반영한다.

다. 농어촌특별세

① 취득분 농어촌특별세

합병에 따른 취득분 농어촌특별세는 일반적인 취득과 동일한 과세표준과 세율을 적용한다. 다만, 적격합병으로 취득세를 감면받는 경우 해당 감면율을 반영한다.

② 감면분 농어촌특별세

합병으로 취득세를 감면[47]받는 경우 감면분 농어촌특별세는 비과세한다.

김회계사의 Tip

○ **농어촌특별세의 구분(취득분 & 감면분)**

농어촌특별세는 2가지로 구분할 수 있습니다. 하나는 취득에 따른 취득분 농어촌특별세(취득세액의 10%)고, 다른 하나는 취득세를 감면받는 경우 부담하는 감면분 농어촌특별세(감면세액의 20%)입니다.

이렇듯 취득에 대한 취득분 농어촌특별세와 감면에 대한 감면분 농어촌특별세는 별개의 개념입니다. 하지만 지방세법과 지방세특례제한법, 농어촌특별세법을 읽다 보면 그 구분에 혼동이 있을 수 있습니다. 문맥에 따라 다를 수 있지만 '감면분'이라는 표현이 없다면 취득에 따른 농어촌특별세를 말합니다. 감면 규정에서 언급되는 농어촌특별세의 비과세 표현은 감면분 농어촌특별세를 비과세한다는 것이지 취득분 농어촌특별세까지 비과세하는 것이 아니므로 그 구분에 유의하세요!

---

3) 감면

합병에 따른 취득에 대해서는 취득세 감면을 적용할 수 있다.[48] 다만, 2016년 지방세법 개정에 따라 2016.1.1. 전후로 감면을 적용하는 데 차이가 있다.

① 감면율

2015.12.31.까지는 모든 합병에 대하여 합병에 따른 취득세를 100% 감면하였다. 2016.1.1.부터 2018.12.31.까지는 법인세법상 적격합병에 해당하는 경우에만 취득세를 100% 감면하였다. 2019.1.1.부터는 적격합병에 대한 감면율을 50%로 축소하였다(중소기업 간 합병 및 기술혁신형사업법인과의

---

47) 아래 3)의 내용 참조
48) 지방세특례제한법 제57조의 2 규정

합병은 60%).

② 감면 최저한 규정

지방세법 개정으로 2015년부터는 감면율이 100%인 경우에도 최소 15%의 취득세는 부담하는 취득세 감면 최저한 규정을 도입하였다. 감면 최저한 규정은 감면 규정별로 그 적용 시기가 다르다. 적격합병에 따른 감면 최저한 규정은 2016.1.1. 이후의 합병부터 적용한다.

정리해보면 2015.12.31.까지의 합병에 따른 취득세의 감면율은 100%이다. 2016.1.1.부터 2018.12.31.까지의 합병에 따른 취득세의 감면율은 100%이나 감면 최저한 규정의 도입으로 실제 적용되는 취득세 감면율은 85%이다. 2019.1.1. 이후에는 합병에 따른 취득세 감면율은 50%(일부 60%)이다.

③ 감면대상

2018.12.31.까지의 합병에 따른 취득세 감면대상은 합병에 따라 양수하는 재산이다. 지방세법 개정으로 2019.1.1. 이후에는 합병에 따라 양수하는 사업용 재산으로 감면대상을 구체화하여 사업용이 아닌 재산에 대해서는 취득세 감면 혜택을 적용하지 않도록 하였다. 따라서 2019.1.1. 이후의 합병에 대해서는 합병으로 취득한 자산 중 사업용과 비사업용을 구분해서 감면을 적용해야 한다.

④ 감면세액의 추징

2015.12.31.까지는 합병에 따른 취득에 대해 별도의 추징 규정이 없다. 2016.1.1. 이후에는 합병등기일로부터 3년 이내의 범위에 법인세법에 따른 적격합병의 추징 사유가 발생하면 감면 받은 취득세액도 추징한다.

합병에 따른 취득세를 요약하면 다음과 같다.

| 합병의 취득세 |

구분		2015년	2016년	2017년	2018년	2019년 이후
과세 표준	적격합병	지방세법상 시가표준액(무상승계취득)				
	비적격합병					
취득 세율	적격합병	1.5%	1.5%			1.5%
	비적격합병	1.5%	3.5%			3.5%
감면율		100% (모든 합병)	100% (적격합병)			50% · 60% (적격합병)
실제 감면율		100%	85%(감면 최저한 적용)			50% · 60%
감면대상		합병으로 양수하는 (모든) 재산				사업용 재산
추징 규정		추징규정 없음	추징규정 있음 (3년 이내 적격합병 추징 사유 발생 시)			

○ 합병에 따른 부담세율

① 2015년

구분	취득세		지방교육세		농어촌특별세				계
					취득분		감면분		
적격합병	[*1]	0%	[*2]	0%	[*3]	0%	비과세		0%
비적격합병	[*1]	0%	[*2]	0%	[*3]	0%	비과세		0%

[*1] 0% = (3.5% - 2%) × 감면율 100%
[*2] 0% = (3.5% - 2%) × 20% × 감면율 100%
[*3] 0% = 2% × 10% × 감면율 100%

② 2016년~2018년

구분	취득세		지방교육세		농어촌특별세				계
					취득분		감면분		
적격합병	[*1]	0.225%	[*2]	0.045%	[*3]	0.03%	비과세		0.3%
비적격합병	[*4]	3.5%	[*5]	0.3%	[*6]	0.2%	해당없음		4.0%

[*1] 0.225% = (3.5% - 2%) × 감면 최저한 15%

[*2] 0.045% = (3.5% - 2%) × 20% × 감면 최저한 15%

[*3] 0.03% = 2% × 감면 최저한 15% × 10%

[*4] 3.5% (무상승계 취득세율)

[*5] 0.3% = (3.5% - 2%) × 20%

[*6] 0.2% = 2% × 10%

③ 2019년 이후

구분	취득세		지방교육세		농어촌특별세			계
					취득분		감면분	
적격합병	[*1]	0.75%	[*2]	0.15%	[*3]	0.1%	비과세	1.0%
비적격합병	[*4]	3.5%	[*5]	0.3%	[*6]	0.2%	해당없음	4.0%

[*1] 0.75% = (3.5% - 2%) × 감면율 50%

[*2] 0.15% = (3.5% - 2%) × 20% × 감면율 50%

[*3] 0.1% = 2% × 10% × 감면율 50%

[*4] 3.5%(무상승계 취득세율)

[*5] 0.3% = (3.5% - 2%) × 20%

[*6] 0.2% = 2% × 10%

(5) 인적분할의 취득세

1) 과세표준

지방세법에서 인적분할에 따른 취득을 별도로 정의하고 있지는 않다. 다만, 적격인적분할에 따른 취득은 무상승계취득, 비적격인적분할에 따른 취득은 유상승계취득으로 해석하고 있다.[49] 따라서 적격인적분할에 따른 취득은 지방세법상 시가표준액을, 비적격인적분할에 따른 취득은 법인의 장부가액을 과세표준으로 적용해야 할 것이다.

---

49) 조심 2018지0446, 2019.9.5. 등

2) 세율

가. 취득세

인적분할에 따른 취득은 합병과 같은 특례세율 규정이 없다. 적격인적분할은 무상승계취득의 세율 3.5%를, 비적격인적분할은 유상승계취득의 세율 4.0%를 적용한다.

| 인적분할의 과세표준과 세율 |

구분	취득의 성격	취득세 과세표준	취득세율
적격인적분할	무상승계취득	시가표준액	3.5%
비적격인적분할	유상승계취득	법인의 장부가액	4.0%

나. 지방교육세

지방교육세는 인적분할과 관련된 별도의 규정이 없다. 따라서 일반적인 취득에 따른 과세표준과 세율을 적용한다. 단, 적격인적분할로 취득세를 감면받는 경우 해당 감면율을 반영한다.

다. 농어촌특별세

① 취득분 농어촌특별세

인적분할에 따른 취득분 농어촌특별세는 일반적인 취득과 동일한 과세표준과 세율을 적용한다. 다만, 적격인적분할로 취득세를 감면받는 경우 해당 감면율을 반영한다.

② 감면분 농어촌특별세

적격인적분할로 취득세를 감면[50]받는 경우 감면분 농어촌특별세는 비과세한다.

---

50) 아래 3)의 내용 참조

3) 감면

인적분할에 따른 취득에 대해서는 취득세 감면[51]을 적용할 수 있다.

① 감면율

적격인적분할은 취득세를 100% 감면한다. 다만 2019년 지방세법 개정으로 2019.1.1.부터 적격인적분할에 대한 감면율을 75%로 축소하였다.

② 감면 최저한

2016.1.1. 이후의 적격인적분할은 감면 최저한 규정을 적용한다.

③ 감면대상

인적분할에 따른 취득세 감면대상은 분할로 취득하는 모든 재산이다.

④ 감면세액의 추징

분할등기일로부터 3년 이내 범위에 적격인적분할의 추징 사유가 발생하는 경우 인적분할로 감면받은 취득세를 추징한다.

위 1)에서 3)의 사항을 반영한 인적분할에 따른 세율은 다음과 같다.

| 인적분할의 취득세 |

구분		2015년	2016년	2017년	2018년	2019년 이후
과세 표준	적격인적분할	시가표준액(무상승계취득)				
	비적격인적분할	장부가액(유상승계취득)				
취득 세율	적격인적분할	3.5%				
	비적격인적분할	4.0%				
감면율		100%(적격인적분할)				75% (적격인적분할)
실제 감면율		100%	85% (감면 최저한 적용)			75%

---

51) 지방세특례제한법 제57조의 2 제3항 제2호

구분	2015년	2016년	2017년	2018년	2019년 이후
감면대상	인적분할로 취득하는 (모든) 재산				
추징 규정	추징규정 있음 (3년 이내 적격인적분할 추징사유 발생 시)				

김회계사의 Tip

○ 인적분할에 따른 부담세율

① 2015년

구분	취득세		지방교육세		농어촌특별세			계
					취득분		감면분	
적격인적분할	[*1]	0%	[*2]	0%	[*3]	0%	비과세	0%
비적격인적분할	[*4]	4.0%	[*5]	0.4%	[*6]	0.2%	비과세	4.6%

[*1] 0% = 3.5% × 감면율 100%
[*2] 0% = (3.5% - 2%) × 20% × 감면율 100%
[*3] 0% = 2% × 10% × 감면율 100%
[*4] 4% (유상승계 취득세율)
[*5] 0.4% = (4% - 2%) × 20%
[*6] 0.2% = 2% × 10%

② 2016년~2018년

구분	취득세		지방교육세		농어촌특별세			계
					취득분		감면분	
적격인적분할	[*1]	0.525%	[*2]	0.045%	[*3]	0.03%	비과세	0.6%
비적격인적분할	[*4]	4.0%	[*5]	0.4%	[*6]	0.2%	비과세	4.6%

[*1] 0.525% = 3.5% × 감면 최저한 15%
[*2] 0.045% = (3.5% - 2%) × 20% × 감면 최저한 15%
[*3] 0.03% = 2% × 10% × 감면 최저한 15%
[*4] 4.0% (유상승계 취득세율)
[*5] 0.4% = (4% - 2%) × 20%
[*6] 0.2% = 2% × 10%

③ 2019년 이후

| 구분 | 취득세 | | 지방교육세 | | 농어촌특별세 | | | 계 |
					취득분		감면분	
적격인적분할	[*1]	0.875%	[*2]	0.075%	[*3]	0.05%	비과세	1.0%
비적격인적분할	[*4]	4.0%	[*5]	0.4%	[*6]	0.2%	비과세	4.6%

[*1] 0.875% = 3.5% × 감면율 75%
[*2] 0.15% = (3.5% - 2%) × 20% × 감면율 75%
[*3] 0.05% = 2% × 10% × 감면율 75%
[*4] 4.0% (유상승계 취득세율)
[*5] 0.4% = (4% - 2%) × 20%
[*6] 0.2% = 2% × 10%

(6) 물적분할의 취득세

1) 과세표준

지방세법에서 물적분할에 따른 취득을 별도로 정의하고 있지는 않다. 다만, 적격물적분할요건의 충족 여부와 관계없이 모든 물적분할에 따른 취득은 유상승계취득으로 해석하고 있다.[52] 따라서 물적분할에 따른 취득은 법인의 장부가액을 과세표준으로 적용해야 할 것이다.

2) 세율

가. 취득세

물적분할에 따른 취득은 합병과 같은 특례세율 규정이 없다. 물적분할은 유상승계취득의 세율 4.0%를 적용한다.

---

52) 조심 2018지0446, 2019.9.5. 등

| 물적분할의 과세표준과 세율 |

구분	취득의 성격	과세표준	취득세율
적격물적분할	유상승계취득	법인의 장부가액	4.0%
비적격물적분할			

나. 지방교육세

지방교육세는 물적분할과 관련된 별도의 규정이 없다. 따라서 일반적인 취득에 따른 과세표준과 세율을 적용한다. 단, 적격물적분할로 취득세를 감면받는 경우 해당 감면율을 반영한다.

다. 농어촌특별세

① 취득분 농어촌특별세

물적분할에 따른 취득분 농어촌특별세는 일반적인 취득과 동일한 과세표준과 세율을 적용한다. 다만, 적격물적분할로 취득세를 감면받는 경우 해당 감면율을 반영한다.

② 감면분 농어촌특별세

적격물적분할로 취득세를 감면받는 경우 감면분 농어촌특별세는 비과세한다.

3) 감면

물적분할에 따른 취득에 대해서는 취득세의 감면[53]을 적용한다.

① 감면율

적격물적분할은 취득세를 100% 감면한다. 다만 2019년 지방세법 개정으로 2019.1.1.부터는 적격물적분할에 대한 감면율을 75%로 축소하였다.

---

53) 지방세특례제한법 제57조의 2 제3항 제2호

② 감면 최저한

2016.1.1. 이후의 적격물적분할은 감면 최저한 규정을 적용한다.

③ 감면대상

물적분할에 따른 취득세 감면대상은 분할로 취득하는 모든 재산이다.

④ 감면세액의 추징

분할등기일로부터 3년 이내에 적격물적분할의 추징 사유가 발생하는 경우 물적분할로 감면받은 취득세를 추징한다.

위 1)에서 3)의 사항을 반영한 물적분할에 따른 세율은 다음과 같다.

| 물적분할의 취득세 |

구분		2015년	2016년	2017년	2018년	2019년 이후
과세 표준	적격인적분할	장부가액(유상승계취득)				
	비적격인적분할					
취득 세율	적격인적분할	4.0%				
	비적격인적분할					
감면율		100%(적격물적분할)				75%(적격 물적분할)
실제 감면율		100%	85%(감면 최저한 적용)			75%
감면대상		물적분할로 취득하는 (모든) 재산				
추징 규정		추징규정 있음 (3년 이내 적격물적분할 추징사유 발생 시)				

○ 물적분할에 따른 부담세율

① 2015년

구분	취득세		지방교육세		농어촌특별세			계
					취득분		감면분	
적격물적분할	[*1]	0%	[*2]	0%	[*3]	0%	비과세	0%
비적격물적분할	[*4]	4.0%	[*5]	0.4%	[*6]	0.2%	비과세	4.6%

[*1] 0% = 4% × 감면율 100%
[*2] 0% = (4% - 2%) × 20% × 감면율 100%
[*3] 0% = 2% × 10% × 감면율 100%
[*4] 4% (유상승계 취득세율)
[*5] 0.4% = (4% - 2%) × 20%
[*6] 0.2% = 2% × 10%

② 2016년~2018년

구분	취득세		지방교육세		농어촌특별세			계
					취득분		감면분	
적격물적분할	[*1]	0.6%	[*2]	0.06%	[*3]	0.03%	비과세	0.69%
비적격물적분할	[*4]	4.0%	[*5]	0.4%	[*6]	0.2%	비과세	4.6%

[*1] 0.6% = 4% × 감면 최저한 15%
[*2] 0.06% = (4% - 2%) × 20% × 감면 최저한 15%
[*3] 0.03% = 2% × 10% × 감면 최저한 15%
[*4] 4.0% (유상승계 취득세율)
[*5] 0.4% = (4% - 2%) × 20%
[*6] 0.2% = 2% × 10%

③ 2019년 이후

구분	취득세		지방교육세		농어촌특별세			계
					취득분		감면분	
적격물적분할	[*1]	1.0%	[*2]	0.15%	[*3]	0.05%	비과세	1.2%
비적격물적분할	[*4]	4.0%	[*5]	0.4%	[*6]	0.2%	비과세	4.6%

[*1] 1.0% = 4% × 감면율 75%
[*2] 0.1% = (4% - 2%) × 20% × 감면율 75%

[*3] 0.05% = 2% × 10% × 감면율 75%

[*4] 4.0% (유상승계 취득세율)

[*5] 0.4% = (4% - 2%) × 20%

[*6] 0.2% = 2% × 10%

(7) 제출서류

합병 및 분할에 따른 취득세를 신고할 때는 일반적으로 다음의 자료가 필요하다.

구분	내용
신고서	[별지 제3호 서식] 취득세 신고서
기본정보	합병 및 분할 당사 법인의 사업자등록증 및 법인등기부등본 등
합병 및 분할의 입증서류	① 합병 또는 분할에 대한 공시자료 (예: 금융감독원전자공시 자료 등) ② 적격합병, 적격인적분할, 적격물적분할에 해당할 경우 그 사실을 입증할 수 있는 서류(예: 세무검토 보고서 등)
재무자료	① 합병 및 분할과 관계된 법인의 재무제표 및 결산명세서 ② 합병 및 분할로 취득하는 재산 중 취득세 과세물건 내역

별 첨

1장으로 정리하는 지방세
관련 세금

(1) 등록면허세(지방세법 제3장)

구분	내용	
	등록분 등록면허세	면허분 등록면허세
개념	재산권 등 등기·등록에 따른 세금	면허에 대한 세금
납세의무자	등록을 하는 자(등록등기부상의 명의자)	면허를 받는 자
비과세	① 국가 등의 등록 ② 회사 정리 등에 대한 등기·등록 ③ 단순 변경에 따른 등기·등록 ④ 지목이 묘지인 토지의 등기	① 면허의 단순 표시변경 등 ② 특정 의료업 등의 면허 ③ 총포의 소지면허 ④ 폐업·휴업 중인 업종의 면허 ⑤ 특정 주민공동체의 면허
과세표준	등록 당시의 가액 또는 채권금액	별도규정 없음(정액의 세율)
세율	① 일반세율[*1] ② 중과세율(대도시 법인등기 3배 중과)	면허 종류별 정액의 세율[*2]
납세지	등록대상 물건의 소재지 등	면허 관련 영업장 소재지
납세의무 성립	재산권 등을 등록·등기하는 때	① 면허를 받는 때 ② 납기가 있는 달의 1일
납세의무 이행	원칙 신고납부	원칙 신고납부
	예외 특별징수 (특허권, 저작권 등)	예외 보통징수 (유효기간 1년 초과 면허 등)

[*1] 등록분 등록면허세 주요 세율

구분		표준세율
부동산등기	① 소유권 보존등기	0.8%
	② 소유권 이전등기 유상이전	2%
	무상이전	1.5%(상속 0.8%)
	③ 지상권, 저당권, 지역권, 전세권, 임차권	0.2%
	④ 경매신청·가처분·가압류·가등기	0.2%
	⑤ 위 ①~④의 세액이 6,000원 미만 및 기타의 등기	건당 6,000원

구분		표준세율
법인등기	① 법인 설립, 납입, 증자, 합병	0.4% (비영리법인 0.2%)
	② 재평가적립금 자본전입	0.1%
	③ 본점 등 이전 및 위 ①~②의 세액이 112,500원 미만	112,500원
	지점 설치 및 위 외 기타의 등기	40,200원
대도시 내 법인등기	① 과밀억제권역(산업단지 제외)에서 법인을 설립(5년 내 증자 포함)하거나 지점·분사무소를 설치함에 따른 등기 ② 법인의 본점·주사무소를 과밀억제권역(산업단지 제외)으로 전입함에 따른 등기(5년 내 증자 포함)	→ 3배 중과 ① 1.2%(영리법인) ② 0.6%(비영리법인)
기타의 등기·등록	선박, 차량, 기계장비, 공장재단, 광업재단, 상호, 광업권, 조광권, 어업권, 양식업권, 저작권 등, 특허권 등, 상표, 서비스표, 항공기, 그 외 기타의 등기	지방세법 제28조 세율 참조

[*2] 면허분 등록면허세의 세율

면허 구분	시		군
	인구 50만 이상의 시	그 밖의 시	
제1종	67,500원	45,000원	27,000원
제2종	54,000원	34,000원	18,000원
제3종	40,500원	22,500원	12,000원
제4종	27,000원	15,000원	9,000원
제5종	18,000원	7,500원	4,500원

(2) 레저세(지방세법 제4장)

구분	내용	
개념	경륜 등 레저행위에 대한 세금	
납세의무자	아래 과세대상 사업을 영위하는 자 ① 경륜 및 경정(경륜·경정법) ② 경마(한국마사회법) ③ 소싸움(전통 소싸움경기에 관한 법률)	
비과세	별도규정 없음	
과세표준	승마투표권 등의 발매금 총액	
세율	10%(단일세율)	
납세지	레저세 과세대상 사업장	사업장이 있는 지방자치단체
	장외발매소	장외발매소가 있는 지방자치단체
납세의무 성립	승마투표권 등을 발매하는 때	
납세의무 이행	신고납부(발매일이 속하는 달의 다음 달 10일까지)	

(3) 담배소비세(지방세법 제5장)

구분	내용	
개념	담배를 소비하는 행위에 대한 세금	
납세의무자	**구분**	**내용**
	담배 제조자	제조장으로부터 반출시
	담배 수입업자	보세구역으로부터 반출시
	담배 반입자 (입국자 등)	입국자의 휴대폰, 별송품, 해외 직구 등을 통해 탁송품으로 담배 반입 시 납세의무
	기타	기타 방법으로 담배를 제조하거나 국내에 반입하는 자
	과세 대상이 되는 담배의 종류는 다음과 같음 ① 피우는 담배(궐련, 파이프담배, 엽궐련, 각련, 전자담배, 물담배) ② 씹는 담배 ③ 냄새 맡는 담배 ④ 머금는 담배	

구분	내용			
비과세	비과세의 규정은 없으나 미납세 반출과 과세면제 규정이 있음			
	미납세 반출	① 제조장·보세구역에서의 반출 ② 다른 담배의 원료로 사용 ③ 제조장의 이전에 따른 담배의 반출		
	과세면제	① 제조자·수입판매업자가 수출 등 특정용도에 제공하는 담배 ② 입국자가 반입하는 일정범위 내의 담배(궐련 200개비 등)		
과세표준	담배의 개비수, 중량 또는 니코틴 용액의 용량(담배의 가액이 아님)			

구분				과세표준	세율
세율	1. 피우는 담배	제1종	궐련	20개비당	1,007원
		제2종	파이프담배	1g당	36원
		제3종	엽궐련	1g당	103원
		제4종	각련	1g당	36원
		제5종 전자담배	니코틴 용액 사용	니코틴 용액 1㎖당	628원
			연초, 연초고형물 사용 궐련형	20개비당	897원
			연초, 연초고형물 사용 기타	1g당	88원
		제6종	물담배	1g당	715원
	2. 씹는 담배			1g당	364원
	3. 냄새 맡는 담배			1g당	26원
	4. 머금는 담배			없음	없음

구분	내용
납세지	① 담배가 매도된 소매인의 영업장 소재지 ② 담배가 국내로 반입되는 세관 소재지 등
납세의무 성립	담배를 제조장 또는 보세구역으로부터 반출하거나 담배를 국내로 반입하는 때
납세의무 이행	신고납부(매월분 담배소비세를 다음달 말일까지)

구분	내용
기타의무	① 담배 반출신고(제조장 또는 보세구역에서 반출하였을 때) ② 폐업 시의 재고담배 사용계획서 제출 ③ 기장의무(담배의 제조, 수입, 매도 등에 관한 사항)
가산세	**10%** ① 폐업시 재고담배 사용계획서 미제출 ② 기장의무 미이행·거짓이행 ③ 담배소비세 무신고·과소신고(납부불성실가산세 추가) ④ 지방자치단체별 담배매도세액 거짓신고(납부불성실가산세 추가)
	30% ① 미납세 반출분 담배 해당 용도 미사용 ② 담배소비세 면제 담배 해당 용도 미사용 ③ 제조자 또는 수입판매업자의 담배 반출신고 미이행 ④ 부정한 방법으로 담배소비세 공제·환급 ⑤ 과세표준의 기초가 될 사실의 전부·일부의 은폐·위장

(4) 지방소비세(지방세법 제6장)

구분	내용		
개념	부가가치세(국세) 납부세액의 일정률을 지방세로 귀속시키는 세금		
납세의무자	부가가치세의 납세의무자 ① 사업상 독립적으로 재화·용역을 공급하는자(영리목적 유무와 관계없음) ② 재화를 수입하는 자		
비과세	별도규정 없음		
과세표준	부가가치세 납부세액 − 부가가치세법상 감면·공제세액 + 가산세		
세율	2020년 이후	21%	
	2019년	15%	
	2014년~2018년	11%	
	2014년 이전	5%	
납세지	부가가치세법 제6조에 따른 납세지(사업장의 소재지 등)		
납세의무 성립	부가가치세 납세의무가 성립하는 때		
납세의무 이행	신고납부	부가가치세를 신고납부하면 지방소비세도 신고납부한 것으로 봄	
	납입	① 지방소비세를 징수한 세무서장 및 세관장은 다음 달 20일까지 서울특별시장에게 징수액을 납입 ② 서울특별시장(납입관리자)은 위 납입 받은 날부터 5일 이내에 각 시·도별 금고에 납입	

(5) 주민세(지방세법 제7장)

구분	내용		
	균등분 주민세	재산분 주민세	종업원분 주민세
개념	법인 또는 개인에 균등하게 부과하는 지방세	사업소를 둔 사업주에게 부과하는 지방세	종업원의 급여총액에 부과하는 지방세
납세의무자	매년 7월 1일 현재 ① 일정 규모 이상 사업소가 있는 개인 ② 사업소를 둔 법인	매년 7월 1일 현재 사업소의 연면적이 330㎡를 초과하는 사업소를 둔 사업주	종업원에게 급여를 지급하는 사업주(최근 12개월간 월평균 급여 지급액이 1억 3,500만원 초과)
비과세	① 국가 등 ② 주한외국정부기관 등	좌동	좌동
과세표준	별도규정 없음	사업소 연면적	지급한 달의 급여총액
세율	① 개인 : 최대 5만원 ② 법인 : 5만원 ~ 50만원[*1]	사업소 연면적 1㎡당 ① 250원(일반사업소) ② 500원 (오염물질배출 사업소)	종업원 급여총액의 0.5%
납세지	① 개인 : 주소지 또는 사업소 소재지 관할 지방자치단체 ② 법인 : 사업소 소재지 관할 지방자치단체	사업소 소재지 관할 지방자치단체	급여를 지급한 날 현재의 사업소 소재지 관할 지방자치단체
납세의무 성립	과세기준일 (매년 7월 1일)	과세기준일 (매년 7월 1일)	종업원에게 급여를 지급하는 때

납세의무 이행	보통징수 (납기 : 매년 8.16~8.31)	원칙	신고납부	원칙	신고납부
		예외	보통징수	예외	보통징수

과세기준일 현재 자본금액 또는 출자금액	과세기준일 현재 종업원수	세율
100억원 초과	100명 초과	500,000원
	100명 이하	200,000원
50억원 초과 ~ 100억원 이하	100명 초과	350,000원
	100명 이하	200,000원
30억원 초과 ~ 50억원 이하	100명 초과	200,000원
	100명 이하	100,000원
10억원 초과 ~ 30억원 이하	100명 초과	100,000원
기타의 법인(자본금이나 출자금이 없는 법인을 포함)		50,000원

(6) 지방소득세(지방세법 제8장)

구분	내용	
	법인 지방소득세	개인 지방소득세
개념	법인의 소득에 대한 세금	개인의 소득에 대한 세금
납세의무자	법인세법에 따른 법인세 납세의 무자	소득세법에 따른 소득세 납세의 무자
소득구분	① 각사업연도소득 ② 청산소득 ③ 토지 등 양도소득 ④ 미환류소득	거주자: ① 종합소득[*1] ② 퇴직소득 ③ 양도소득 비거주자: 국내원천소득
비과세	법인세법 및 조세특례제한법에 따라 법인세가 비과세되는 소득	소득세법 및 조세특례제한법에 따라 소득세가 비과세되는 소득
과세표준	법인세법 과세표준 규정에 따름	소득세법 과세표준 규정에 따름

구분	과세표준	세율	과세표준	세율
세율	2억원 이하	1%	1,200만원 이하	0.6%
			4,600만원 이하	1.5%
	200억원 이하	2%	8,800만원 이하	2.4%
			1억 5천만원 이하	3.5%

구분	내용			
	법인 지방소득세		개인 지방소득세	
	3천억원 이하	2.2%	3억원 이하	3.8%
			5억원 이하	4.0%
	3천억원 초과	2.5%	5억원 초과	4.2%
납세지	내국법인	본점 소재지	거주자	주소지 또는 거소지
	외국법인	국내사업장 소재지	비거주자	국내사업장 소재지 등
납세지 안분	2 이상 지방자치단체에 사업장이 있는 경우 ① 종업원수 ② 건축물 연면적 기준에 따라 안분[*2]		별도 규정 없음	
납세의무 성립	법인세 납세의무가 성립하는 때 (과세기간이 끝나는 때 등)		소득세 과세기간이 끝나는 때 (매년 12월 31일)	
납세의무 이행	신고납부(각사업연도 종료일이 속 하는 달의 말일부터 4개월 이내 등)		신고납부(소득세 신고기한까지)	

[*1] 종합소득
  이자소득, 배당소득, 사업소득, 근로소득, 연금소득, 기타소득

[*2] 법인지방소득세의 안분율

$$[(\frac{해당\ 사업장\ 종업원수}{법인\ 총\ 종업원\ 수}) + (\frac{해당\ 사업장\ 건축물\ 연면적}{법인\ 총\ 건축물\ 연면적})] \div 2$$

(7) 재산세(지방세법 제9장)

구분	내용
개념	매년 6월 1일 과세대상 자산을 보유하는 자에게 부과하는 세금
납세의무자	매년 6월 1일 현재 아래 재산세 과세대상 자산을 보유하는 자 ① 토지 ② 건축물 ③ 주택 ④ 항공기 ⑤ 선박
비과세	① 국가, 지방자치단체, 지방자치단체조합, 외국정부, 주한국제기구가 소유한 재산 ② 국가, 지방자치단체, 지방자치단체조합이 1년 이상 공용·공공용으로 사용하는 재산(유료로 사용하거나 소유권의 유상이전을 약정한 경우로서 그 재산을 취득하기 전에 미리 사용하는 경우는 제외) ③ 기타 특정한 재산(도로, 하천, 산림보호구역, 1년 미만 임시사용 건축물, 비상재해구조용 선박, 철거명령 또는 철거보상계약이 체결된 건축물 및 주택 등)

과세표준	구분		과세표준
	토지[*1]		시가표준액 × 70%(공정시장가액비율)
	건축물		시가표준액 × 70%(공정시장가액비율)
	주택		시가표준액 × 60%(공정시장가액비율)
	선박		시가표준액
	항공기		시가표준액

세율	구분			세율
	토지	종합합산과세대상	5,000만원 이하	0.2%
			1억원 이하	0.3%
			1억원 초과	0.5%
		별도합산과세대상	2억원 이하	0.2%
			10억원 이하	0.3%
			10억원 초과	0.4%
		분리과세대상	고율 분리과세	4%
			저율 분리과세	0.07%
			일반 분리과세	0.2%

구분	내용		
건축물	취득세 중과세 대상 골프장, 고급 오락장		4%
	공장용 건축물 등		0.5%
	기타의 건축물		0.25%
주택	일반주택	6천만원 이하	0.1%
		1억 5천만원 이하	0.15%
		3억원 이하	0.25%
		3억원 초과	0.4%
	고급주택		4%
선박	취득세 중과세 대상 고급선박		5%
	일반선박		0.3%
항공기	항공기 전체		0.3%
납세지	재산세 과세대상(① 토지 ② 건축물 ③ 주택 ④ 항공기 ⑤ 선박)의 소재지		
납세의무 성립	과세기준일(매년 6월 1일)		
납세의무 확정	보통징수		

[*1] 토지의 구분

구분	내용
종합합산과세대상	별도합산과세대상 및 분리과세대상이 아닌 토지
별도합산과세대상	공장, 물류단지 등 사업상 대규모 면적이 요구되는 토지
분리과세대상	① 고율 분리과세 토지(골프장, 고급오락장) ② 저율 분리과세 토지(농지, 임야 등) ③ 일반 분리과세 토지(특정 기반시설용 토지 등)

(8) 자동차세(지방세법 제10장)

구분	내용	
	소유분 자동차세	주행분 자동차세
개념	자동차의 소유에 관한 세금	자동차 연료(휘발유 등)에 관한 세금
납세의무자	등록 또는 신고된 자동차의 소유자	교통·에너지·환경세의 납세의무자
비과세	① 국가 또는 지방자치단체가 특정 용도에 직접 사용하는 자동차 (국방, 경호, 경비, 교통순찰 등) ② 특정한 경우에 따른 자동차(우편 관리용, 주한 외교기관의 사용 등)	별도규정 없음
과세표준	자동차의 종류 및 특성(배기량 등)	별도규정 없음
세율	자동차의 종류 및 특성에 따른 세율[*1]	교통·에너지·환경세의 26%
납세지	자동차 소재지 관할 지방자치단체	교통·에너지·환경세의 납세지 관할 지방자치단체
납세의무 성립	납기가 있는 달의 1일 ① 1기분(01월~06월): 06.16~06.30 ② 2기분(07월~12월): 12.16~12.31	교통·에너지·환경세 납세의무 성립시기(과세물품을 제조장에서 반출 또는 수입신고를 하는 때)
납세의무 이행	① 보통징수(일반적) ② 신고납부(연세액의 일시납 등)	① 신고납부 ② 특별징수(위 ①의 신고 미이행 시)

[*1] 소유분 자동차세의 세율

자동차의 구분	과세표준과 표준세율			
	영업용		비영업용	
	배기량	cc당 세액	배기량	cc당 세액
승용자동차	1,000cc 이하	18원	1,000cc 이하	80원
	1,600cc 이하	18원	1,600cc 이하	140원

자동차의 구분	과세표준과 표준세율			
	2,000cc 이하	19원	1,600cc 초과	200원
	2,500cc 이하	19원		
	2,500cc 이하	24원		
그 밖의 승용자동차	영업용		비영업용	
	20,000원		100,000원	
승합자동차	구분	영업용	비영업용	
	고속버스	100,000원	–	
	대형전세버스	70,000원	–	
	소형전세버스	50,000원	–	
	대형일반버스	42,000원	115,000원	
	소형일반버스	25,000원	65,000원	
화물자동차	구분	영업용	비영업용	
	1,000kg 이하	6,600원	28,500원	
	2,000kg 이하	9,600원	34,500원	
	3,000kg 이하	13,500원	48,000원	
	4,000kg 이하	18,000원	63,000원	
	5,000kg 이하	22,500원	79,500원	
	8,000kg 이하	36,000원	130,500원	
	10,000kg 이하	45,000원	157,500원	
	10,000kg 초과분	영업용 1만원, 비영업용 3만원을 가산한 금액		
특수자동차	구분	영업용	비영업용	
	대형특수자동차	36,000원	157,500원	
	소형특수자동차	13,500원	58,500원	
3륜 이하 소형자동차	영업용		비영업용	
	3,300원		18,000원	

(9) 지역자원시설세(지방세법 제11장)

구분	내용[54]		
	특정자원분 지역자원시설세	특정시설분 지역자원시설세	소방분 지역자원시설세
개념	주민생활환경 개선사업 및 지역개발사업에 필요한 재원을 확보하기 위하여 부과하는 세금		소방사무에 소요되는 제반비용에 충당하기 위하여 부과하는 세금
납세의무자	① 발전용수 : 흐르는 물을 이용하여 직접 수력발전(양수발전 제외)을 하는 자 ② 지하수 : 지하수를 이용하기 위하여 채수하는 자 ③ 지하자원 : 지하자원을 채광하는 자	① 컨테이너 : 컨테이너를 취급하는 부두를 이용하여 컨테이너를 입항·출항시키는 자 ② 원자력발전 : 원자력을 이용하여 발전을 하는 자 ③ 화력발전 : 연료를 연소하여 발전을 하는 자	건축물 또는 선박의 소유자
비과세	① 국가, 지방자치단체, 지방자치단체조합이 직접 개발하여 이용 ② 국가, 지방자치단체, 지방자치단체조합에 무료 제공		재산세가 비과세되는 건축물과 선박
과세표준 및 세율	① 발전용수 : 발전에 이용된 물 10㎥당 2원 ② 지하수 : ㎥당 200원(식수)/100원(목욕용 온천수) /20원(기타) ③ 지하자원 : 채광된 광물가액의 0.5%	① 컨테이너 : 컨테이너 TEU당 15,000원 ② 원자력발전 : 발전량 KWh당 1원 ③ 화력발전 : 발전량 KWh당 0.3원	① 일반적인 세율 <table><tr><td>과세표준 (시가표준액)</td><td>세율</td></tr><tr><td>600만원 이하</td><td>0.04%</td></tr><tr><td>1,300만원 이하</td><td>0.05%</td></tr><tr><td>2,600만원 이하</td><td>0.06%</td></tr><tr><td>3,900만원 이하</td><td>0.08%</td></tr><tr><td>6,400만원 이하</td><td>0.1%</td></tr><tr><td>6,400만원 초과</td><td>0.12%</td></tr></table>

구분	내용[54]		
	특정자원분 지역자원시설세	특정시설분 지역자원시설세	소방분 지역자원시설세
			② 화재위험건축물(주유 소 등)은 위 ①의 세 율의 2배
			③ 대형화재위험건축물 (대형마트 등)은 위 ①의 세율의 3배
납세지	① 발전용수 : 발전소 의 소재지 ② 지하수 : 채수공의 소재지 ③ 지하자원 : 광업권 이 등록된 토지의 소재지	① 컨테이너 : 컨테이 너를 취급하는 부 두 소재지 ② 원자력발전 : 발전 소의 소재지 ③ 화력발전 : 발전소 의 소재지	① 건축물 : 건축물 소재 지 ② 선박 : 선박법에 따른 선적항의 소재지 등
납세의무 성립	특정자원을 이용하는 때	특정시설을 이용하는 때	과세기준일 (매년 6월 1일)
납세의무 이행	원칙 신고납부	원칙 신고납부	보통징수
	예외 보통징수	예외 보통징수	

---

54) 지역자원시설세를 특정자원분, 특정시설분, 소방분으로 구분하는 것은 2021.1.1.부터
적용함.

(10) 지방교육세(지방세법 제12장)

구분	내용
개념	지방교육의 질적 향상에 필요한 지방교육 재정의 확충에 드는 재원을 확보하기 위하여 부과하는 세금
납세의무자	아래 세목의 납세의무자(부가세[55]의 역할) ① 취득세(부동산, 기계장비, 항공기, 선박의 취득에 한함) 납세의무자 ② 등록분 등록면허세 납세의무자(자동차 제외) ③ 레저세 납세의무자 ④ 담배소비세 납세의무자 ⑤ 균등분 주민세 납세의무자 ⑥ 재산세 납세의무자 ⑦ 자동차세 납세의무자(비영업용 승용자동차에 한함)
비과세	해당사항 없음

	과세표준	세율	납세의무 확정 (본세에 따름)
과세표준과 세율 및 납세의무 이행	① 취득세액	① 20% ② 60%(취득세 중과)	신고납부
	② 등록분 등록면허세액	20%	신고납부
	③ 레저세액	40%	신고납부
	④ 담배소비세액	43.99%	신고납부 등
	⑤ 균등분 주민세	① 10% ② 25% (인구 50만 이상 시)	보통징수
	⑥ 재산세	20%	보통징수
	⑦ 자동차세	30%	보통징수

구분	내용
납세지	취득세, 등록분 등록면허세, 레저세, 담배소비세, 균등분 주민세, 재산세, 자동차세의 납세지

---

55) 어떤 세목의 세금에 덧붙는 세금을 말함.

(11) 종합부동산세(국세-종합부동산세법[56])

구분	내용
개념	고액의 부동산 보유자에 대하여 부과하는 세금으로 부동산보유에 대한 조세부담의 형평성을 제고하고, 부동산의 가격안정을 도모하기 위해 부과하는 세금으로 (1) 주택분 종합부동산세와 (2) 토지분 종합부동산세로 구성됨

납세의무자	주택분		과세기준일 현재 주택분 재산세 납세의무자
	토지분	종합합산 과세대상	과세기준일 현재 토지분 재산세 납세의무자로서 국내 소재 종합합산과세대상 토지공시가격 합산액이 5억원을 초과하는 자
		별도합산 과세대상	과세기준일 현재 토지분 재산세 납세의무자로서 국내 소재 별도합산과세대상 토지공시가격 합산액이 80억원을 초과하는 자

비과세	재산세 감면규정에 따름

과세표준	구분		과세표준
	주택분		(주택공시가격 합산액 - 3억원 - 6억원[*1]) × 공정시장가액비율[*2]
	토지분	종합합산과세대상	(토지공시가격 합산액 - 5억) × 공정시장가액비율
		별도합산과세대상	(토지공시가격 합산액 - 80억) × 공정시장가액비율

세율		주택분		토지분			
	과세표준	2주택 이하 [*3]	3주택 이상 [*4]	종합합산 과세대상		별도합산 과세대상	
				과세표준	세율	과세표준	세율
	3억 이하	0.6%	1.2%	15억 이하	1%	200억 이하	0.5%
	6억 이하	0.8%	1.6%				
	12억 이하	1.2%	2.2%	45억 이하	2%	400억 이하	0.6%
	50억 이하	1.6%	3.6%				

---

56) 종합부동산세법은 국세지만 지방세와 관련이 있어 별도로 포함함.

구분	내용							
	94억 이하	2.2%	5.0%	45억 초과	3%	400억 초과	0.7%
	94억 초과	3.0%	6.0%				

구분	내용	
계산구조	주택분 종합부동산세	토지분 종합부동산세
	주택분 산출세액(=과세표준×세율) • 주택분 재산세액 • 1세대 1주택자 고령자(20%~40%) 및 장기보유 세액공제(20%~50%) • 세부담 상한 초과액(직전연도 150%)	토지분 산출세액 (=과세표준×세율) • 토지분 재산세액 • 토지분 종합부동산세 세액공제 없음 • 세부담 상한 초과액(직전연도 150%)
납세지	법인세법 및 소득세법의 규정에 따름	
납세의무 성립	재산세의 과세기준일(매년 6월 1일)	
납세의무 확정	① 보통징수(원칙) - 12.1.부터 12.15.까지 부과징수 ② 신고납부(선택) - 12.1.부터 12.15.까지 관할세무서장에게 신고납부	

[*1] 1세대 1주택자에 한함(법인은 제외)
[*2] 공정시장가액비율

구분	공정시장가액비율
2019년	85%
2020년	90%
2021년	95%
2022년 이후	100%

[*3] 2주택 이하를 소유한 납세의무자(조정대상지역 내 2주택 소유자 제외)
[*4] 3주택 이상을 소유한 자 또는 조정대상지역 내 2주택 소유자

(12) 농어촌특별세(국세 – 농어촌특별세법[57])

구분	내용
개념	농어업 경쟁력강화와 농어촌산업기반시설의 확충 및 농어촌지역 개발사업을 위하여 필요한 재원을 마련하기 위한 세금
납세의무자	① 소득세, 법인세, 관세, 취득세, 등록분 등록면허세의 감면을 받는 자 ② 특정 과세물품에 대한 개별소비세 납세의무자 ③ 증권거래세법 제3조 제1호에 따른 증권거래세 납세의무자 ④ 취득세 납세의무자 ⑤ 레저세 납세의무자 ⑥ 종합부동산세 납세의무자
비과세	지방세특례제한법에 따른 취득세의 일부 감면 등 다수의 비과세 규정 있음

구분		과세표준	세율
과세표준 및 세율	1	조세특례제한법, 관세법, 지방세법, 지방세특례제한법에 따라 감면을 받는 소득세, 법인세, 관세, 취득세, 등록에 대한 등록면허세의 감면세액 (단, 아래 2에 따른 감면은 제외)	20%
	2	조세특례제한법에 따라 감면받은 이자소득 · 배당소득에 대한 소득세의 감면세액	10%
	4	개별소비세법에 따라 납부해야 할 개별소비세액 ① 「개별소비세법」 제1조 제3항 제4호의 경우 ② 가목 외의 경우	① 30% ② 10%
	5	유가증권시장(코스피)에서 거래된 증권의 양도가액	0.15%
	6	지방세법 제11조 및 제12조의 표준세율을 2%로 적용하여 지방세법, 지방세특례제한법, 조세특례제한법에 따라 산출한 취득세액	10%
	7	지방세법에 따라 납부해야 할 레저세액	20%
	8	종합부동산세법에 따라 납부해야 할 종합부동산세액	20%

구분	내용
납세지	본세의 납세지
납세의무 성립	본세의 납세의무가 성립하는 때
납세의무 이행	신고납부 또는 보통징수

---

57) 농어촌특별세법은 국세지만 지방세와 관련이 있어 별도로 포함함.

| 저 | 자 | 소 | 개 |

■ 공인회계사 **김승민**

- 고려대학교 경영학과 졸업
- 공인회계사시험 합격(42회)
- 고려대학교 법무대학원 조세법학과 석사과정
- 현) 삼덕회계법인
- 전) 딜로이트 안진회계법인 세무자문본부 및 감사본부
- 전) 한국 지멘스 내부통제부

〈취득세 주요 수행업무〉

- 잠실 롯데월드타워 취득세 신고
- 스포츠 시설, 호텔 등 일반 건축물 취득세 신고
- 과점주주 간주취득세 신고

〈저서〉

- 지방세의 이해와 적용(박영사, 2020년)

- e-mail : thecloudbridge@gmail.com